你说呢？

Nǐ shuō ne? ¦ **Méthode de chinois** ¦ A1/A2 du CECRL

Arnaud Arslangul
Professeur de chinois au Lycée Fénelon
Paris

Claude Lamouroux
Professeur de chinois au Collège Jean de La Fontaine
Paris
Formatrice associée à l'IUFM de Paris

Isabelle Pillet
Professeur de chinois au Lycée Emile Zola et au Lycée Chateaubriand,
Rennes
Inspection pédagogique régionale

didier

Nǐ shuō ne ? Mode d'emploi

Voici les compétences que je vais travailler :

- **la compréhension orale** — j'écoute les enregistrements.
- **l'expression orale** — je parle avec un camarade. je m'exprime en continu.
- **la connaissance des caractères** — j'apprends à les reconnaître et à les écrire.
- **la compréhension écrite** — je lis les entraînements demandés.
- **l'expression écrite** — j'écris des caractères et je fais les exercices du cahier.

J'écoute et je répète ce que j'entends pour bien prononcer.

« À mon tour » d'échanger avec un ou plusieurs camarades : *gai ni le*

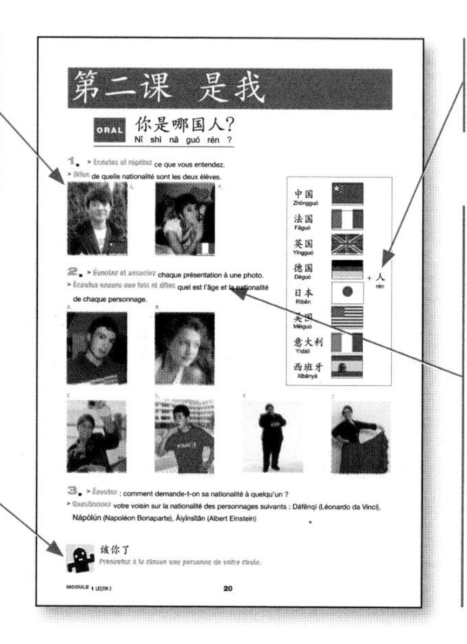

第二课 是我

ORAL 你是哪国人?
Nǐ shì nǎ guó rén ?

1. > Écoutez et répétez ce que vous entendez.
> Dites de quelle nationalité sont les deux élèves.

中国 Zhōngguó
法国 Fǎguó
英国 Yīngguó
德国 Déguó
日本 Rìběn
美国 Měiguó
意大利 Yìdàlì
西班牙 Xībānyá
+ 人 rén

2. > Écoutez et associez chaque présentation à une photo.
> Écoutez encore une fois et dites quel est l'âge et la nationalité de chaque personnage.

3. > Écoutez : comment demande-t-on sa nationalité à quelqu'un ?
> Questionnez votre voisin sur la nationalité des personnages suivants : Dáfēnqí (Léonardo da Vinci), Nápòlùn (Napoléon Bonaparte), Àiyīnsītǎn (Albert Einstein)

该你了
Présentez à la classe une personne de votre choix.

MODULE 1 LEÇON 2 20

J'apprends la transcription phonétique.

Je m'entraîne à formuler les phrases que j'ai entendues ou je réponds à des questions. J'écoute en regardant les illustrations qui m'aident à comprendre ce que j'entends.

Je lis un épisode de bande dessinée pour commencer à reconnaître des caractères en m'amusant.

- Avant d'aborder cette partie, j'aurai déjà appris certains caractères au rythme des entraînements oraux.

Pour cela, j'aurai travaillé à l'aide de 工具箱 ATELIER D'ÉCRITURE et tracé des caractères dans mon cahier.

Je sais reconnaître certains caractères qui apparaissent dans les pages « oral ».

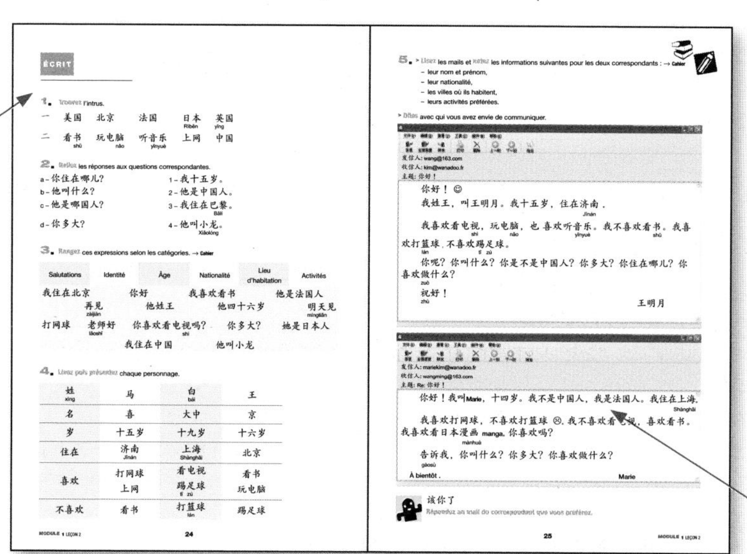

ÉCRIT

1. Trouvez l'intrus.

一 美国 北京 法国 日本 英国

二 看书 玩电脑 听音乐 上网 中国

2. Reliez les réponses aux questions correspondantes.

a- 你住在哪儿? 1- 我十五岁。
b- 他叫什么? 2- 他是中国人。
c- 他是哪国人? 3- 我住在巴黎。
d- 你多大? 4- 他叫小龙。

3. Rangez ces expressions selon les catégories. → Cahier

Salutations	Identité	Âge	Nationalité	Lieu d'habitation	Activités

我住在北京 你好 我喜欢看书 他是法国人 再见 他姓王 他四十六岁 明天见 打网球 老师好 你喜欢看电视吗? 你多大? 她是日本人 我住在中国 他叫小龙

4. Lisez puis présentez chaque personnage.

姓	马	白	王
名	喜	大中	京
岁	十五岁	十九岁	十六岁
住在	济南	上海	北京
喜欢	打网球 上网	看电视 踢足球	看书 玩电脑
不喜欢	看书	打篮球	踢足球

MODULE 1 LEÇON 2 24

5. Lisez les mails et notez les informations suivantes pour les deux correspondants : → Cahier
– leur nom et prénom,
– leur nationalité,
– les villes où ils habitent,
– leurs activités préférées.
> Dites avec qui vous avez envie de communiquer.

你好！☺
我姓王，叫王明月。我十五岁，住在济南。
我喜欢看电视，玩电脑，也喜欢听音乐。我不喜欢看书。我喜欢打篮球，不喜欢踢足球。
你呢？你叫什么？你是不是中国人？你多大？你住在哪儿？你喜欢做什么？
祝好！
王明月

你好！我叫Marie，十四岁。我不是中国人，我是法国人。我住在上海。
我喜欢打网球，不喜欢打篮球 ☹。我不喜欢看电视，喜欢看书。我喜欢看日本漫画 manga。你喜欢吗？
告诉我，你叫什么？你多大？你喜欢做什么？
À bientôt.
Marie

该你了
Répondez au mail du correspondant que vous préférez.

25 MODULE 1 LEÇON 2

Je comprends des phrases entières pour trouver des informations.

Je lis un mail d'un ami chinois et je lui réponds.

- À la fin de chaque leçon, les pages ressources récapitulent les nouveaux points abordés : prononciation, écriture, points de grammaire et vocabulaire à retenir.
Ces pages m'aident à construire mes compétences.

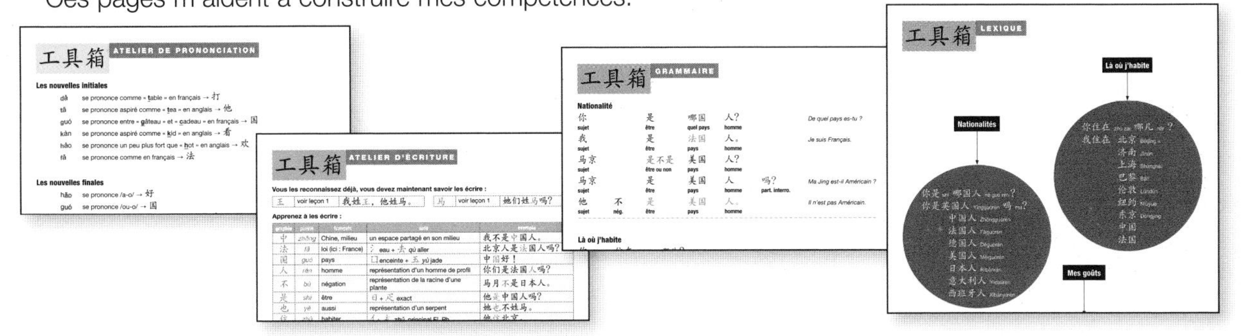

- À la fin de chaque module, je découvre différents aspects du monde chinois tout en réalisant une tâche.

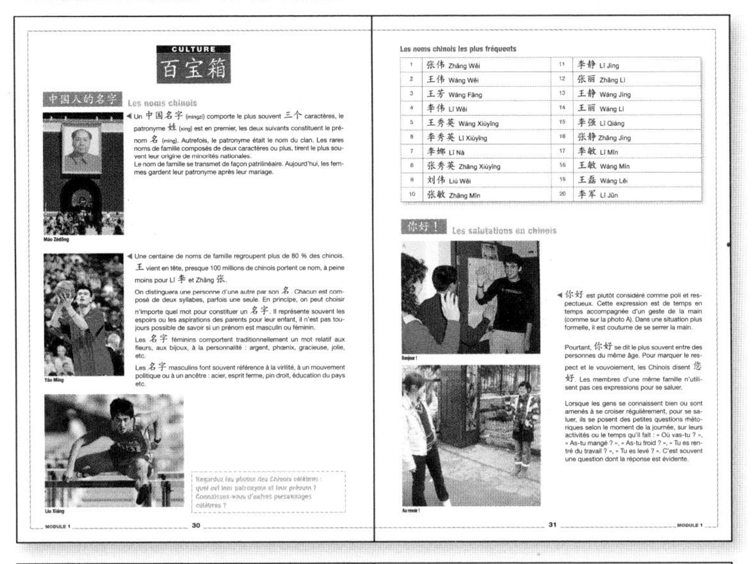

- Je fais le point sur mes compétences.

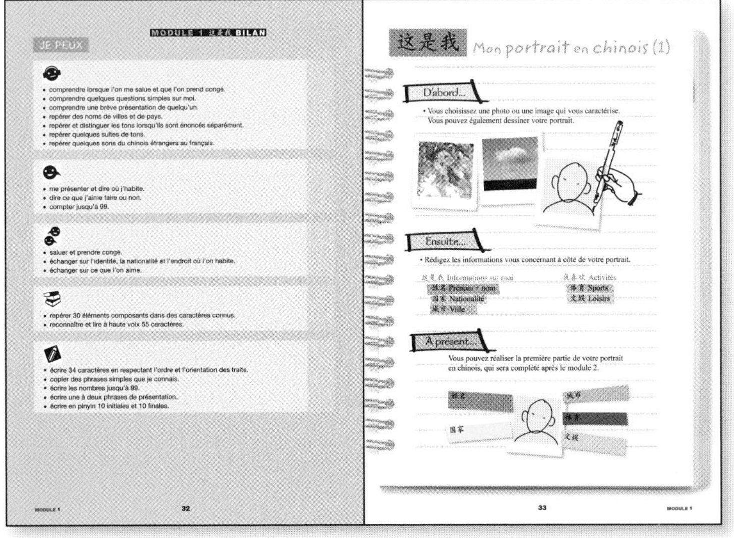

- Le projet final : une réalisation personnelle, qui met en œuvre ce que j'ai appris et fait appel à ma créativité.

Quelques astuces pour réussir mon apprentissage du chinois !

- Ma participation active en cours est essentielle.
- En classe, j'ose poser des questions.
- J'écris un peu tous les soirs même lorsque je ne peux consacrer que quelques minutes à cet entraînement.
- J'écoute régulièrement les enregistrements et je répète à voix haute.
- Je révise régulièrement – je refais des exercices, j'écoute à nouveau des enregistrements et je récite par exemple un dialogue appris il y a quelques semaines, même si mon professeur ne me l'a pas demandé.
- J'apprends à saisir globalement le sens et j'accepte de ne pas tout comprendre dans les activités de réception.

第一课 开学了
第二课 是我

Mon contrat d'apprentissage

Pour…

- entrer en contact avec quelqu'un,
- dresser mon portrait en chinois,
- présenter un personnage à la classe,
- échanger sur mon identité et mon âge, l'endroit où j'habite et ce que j'aime faire,
- écrire une brève présentation d'un ami, répondre à un mail de présentation en me présentant brièvement,
- faire un sondage dans la classe sur les activités de chacun,

… j'apprends :

les mots pour se saluer, l'identité, le nom de famille et le prénom, l'interrogatif 什么？ , compter, dire et demander l'âge, des noms de pays, l'interrogatif 哪 ?, des noms de villes étrangères, les noms de sports et de loisirs, le verbe 喜欢, l'interrogatif 吗 ?, la négation 不.

Mes stratégies

	Je cherche à repérer les mots, les tons et les sons que j'ai déjà appris.
	Je m'applique à répéter les sons exactement comme je les entends, avec le même ton.
	Je m'exerce à lire à voix haute tous les caractères que je dois reconnaître.
	Lorsque j'écris un caractère, je le prononce systématiquement à voix haute tout en traçant le dernier trait.

这是我

第一课 开学了

ORAL 你好，再见！

Nǐhǎo, zàijiàn !

1. > **Écoutez et répétez** ce que vous entendez.

> **Écoutez et associez** chaque photo à un enregistrement.

A.

B.

C.

D.

该你了

Comment réagissez-vous dans les situations précédentes ? Jouez ces scènes.

ORAL 你叫什么？

Nǐ jiào shénme ?

2. > **Écoutez et associez** chaque photo à un enregistrement.

> **Écoutez encore une fois :** quel est le nom et quel est le prénom de chaque personnage ? → **Cahier**

A.

Zhāng ……

B.

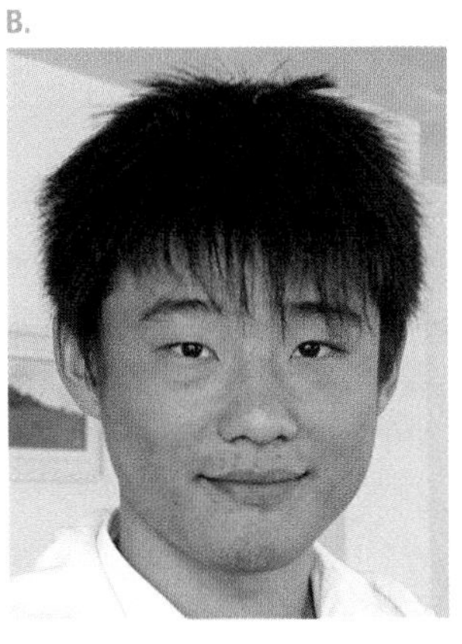

…… Yáng

C.

…… Xiǎolì

D.

Mǎ……

3. > **Écoutez et associez** les noms avec les personnages dans le dessin.

Wáng Xiǎoyuè Marc Lǐ Lǎoshī

> À présent, **travaillez à deux** : questionnez-vous mutuellement comme dans l'exemple.

Exemple Question : 他叫什么？
Tā jiào shénme ?

Réponse : 他叫王小帅。
Tā jiào Wáng Xiǎoshuài.

ORAL 你多大？
Nǐ duō dà ?

4. > **Écoutez et répétez** les chiffres que vous entendez.

> **Apprenez à compter** de 0 (líng) à 10 avec vos doigts.

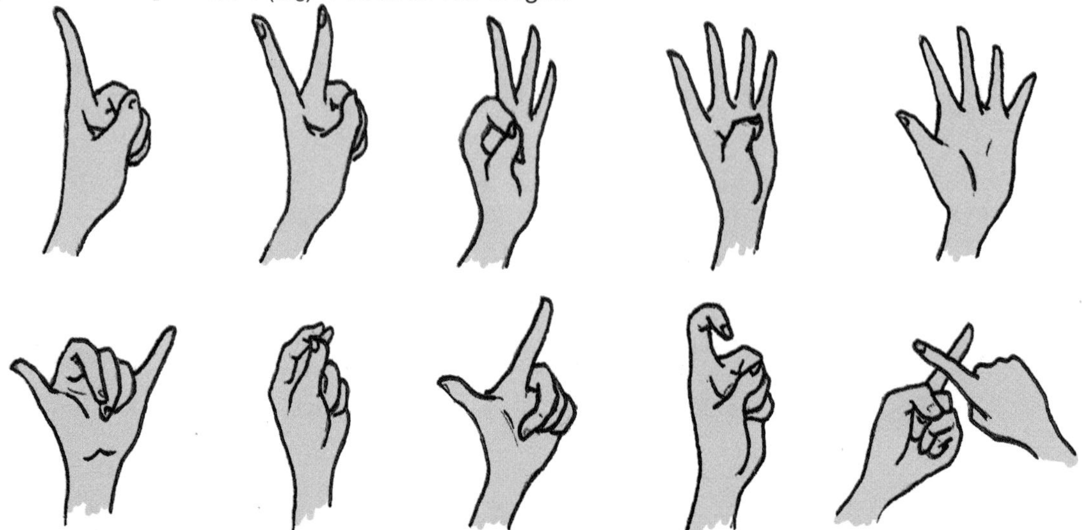

> **Donnez votre numéro de téléphone** à votre voisin et notez son numéro. → **Cahier**

5. > **Écoutez et répétez** les chiffres que vous entendez. **Apprenez à compter** de 10 à 99.

> Combien de « Oū » (euros) coûtent-ils ? **Dites** le prix de chaque objet.

A.

B.

C.

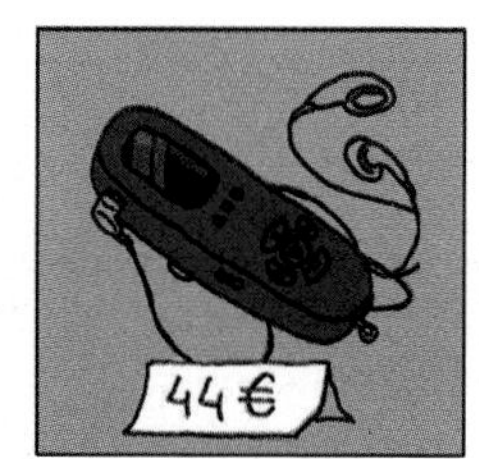

D.

E.

6. > **Écoutez et donnez l'âge** de chaque personnage. → **Cahier**

> **Écoutez encore une fois** : comment demande-t-on l'âge ?

A.

B.

C.

D.

该你了

Choisissez une identité fictive et formez des groupes. Vos partenaires vous posent des questions. Ensuite, chacun se présente.

漫画 UNE NOUVELLE VOISINE

Présentez les personnages de l'immeuble.

ÉCRIT

1. **Lisez et associez** chaque dessin à une expression.

老师好	同学们再见	你好	再见，王月	你们好
lǎoshī	tóngxué zàijiàn			

A. B. C.

D. E.

2. **Lisez** la bande dessinée de la page précédente et **associez** chaque question à la réponse et au personnage correspondant.

Q1. 她姓什么？	R1. 她姓王。
Q2. 他多大?	R2. 她叫明明。
Q3. 他叫什么？	R3. 他三十六岁。
Q4. 她多大?	R4. 他姓马。
Q5. 他姓什么？	R5. 他叫马大明。
Q6. 她叫什么？，	R6. 她十七岁。

A.

B.

3. **Observez** ces cartes de visite et **notez** le numéro de téléphone en chiffres. → **Cahier**

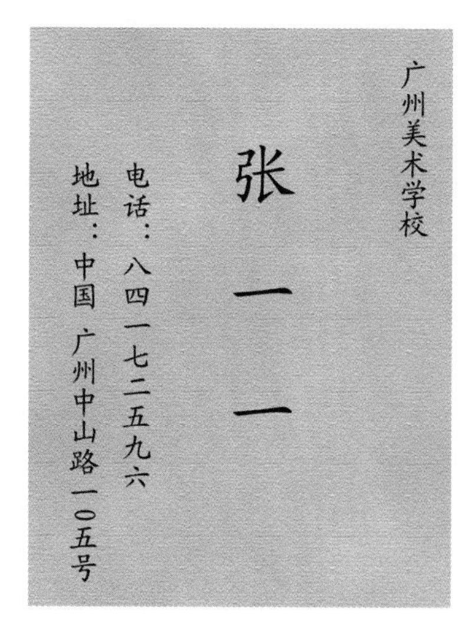

广州美术学校

张一一

电话：八四一七二五九六

地址：中国广州中山路一〇五号

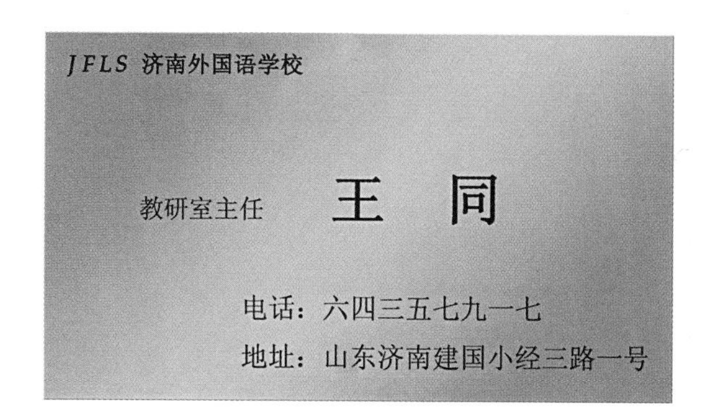

JFLS 济南外国语学校

教研室主任 王同

电话：六四三五七九一七

地址：山东济南建国小经三路一号

4. Lisez le chat et **trouvez** les informations manquantes dans les fiches d'utilisateurs. → **Cahier**

2009-10-3 18 : 22 Moon 说：
你好！
2009-10-3 18 : 22 Good boy 说：
你好！
2009-10-3 18 : 24 Moon 说：
你叫什么？
2009-10-3 18 : 25 Good boy 说：
我叫马一名。
你呢，你叫什么？
2009-10-3 18 : 25 Moon 说：
我姓王，叫王月。
2009-10-3 18 : 25 Good boy 说：
你多大？
2009-10-3 18 : 27 Moon 说：
我十六岁。你呢？
2009-10-3 18 : 28 Good boy 说：
我十八岁。
2009-10-3 18 : 30 Moon 说：
哦。Who is "Sky" ???
2009-10-3 18 : 35 Good boy 说：
Sky = 白(bái)大明，他也十六岁。

用户 Moon
真实姓名
姓： 王
名： 月
年龄： 十六
所在地： 北京

用户 Good boy

真实姓名
姓：
名：
年龄：
所在地： 北京

用户 Sky

真实姓名
姓：
名：
年龄：
所在地： 北京

该你了
Présentez par écrit un de vos amis.

工具箱 ATELIER DE PRONONCIATION

Les nouvelles initiales

wǒ se prononce comme « **w**est » en anglais → 我
yī se prononce comme « **y**ack » en français → 一
me se prononce comme en français → 么
nǐ se prononce comme en français → 你
liù se prononce comme en français → 六

Les nouvelles finales

bā se prononce comme en français → 八
me se prononce comme le « **e** » français, mais plus en arrière dans la gorge → 么
yī se prononce comme en français → 一
wǒ se prononce comme en français → 我
wǔ se prononce comme « **où** » → 五
èr se prononce comme « (h)**er** » en anglais avec la langue roulée vers l'arrière du palais → 二

Les tons

- **Les 4 tons**

En chinois, chaque syllabe possède un ton, c'est-à-dire une variation de hauteur de la voix, il est noté en pinyin sur la finale. Il en existe quatre.

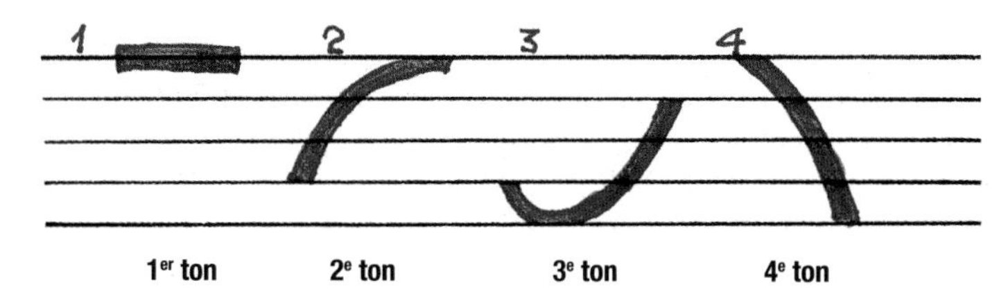

1er ton **2e ton** **3e ton** **4e ton**

Le premier ton est haut et plat : **ā**.

mī, wū, lā, yī.

Le deuxième ton est montant : **á**.

mí, wú, lá, yí.

Le troisième ton est descendant puis montant : **ǎ**.

mǐ, wǔ, lǎ, yǐ.

Le quatrième ton est descendant : **à**.

mì, wù, là, yì.

- **L'enchaînement des tons : la règle du 3e ton**

Lorsque le 3e ton est suivi d'un 1er, 2e ou 4e ton, seule la première moitié du ton est prononcée.

Exemple : Wo shíwǔ suì. 我十五岁。

Lorsque le 3e ton est suivi d'un autre 3e ton, seule la deuxième moitié du ton est prononcée.

Exemple : Wo wushí suì. 我五十岁。

工具箱 ATELIER D'ÉCRITURE

Apprenez à les écrire :

graphie	pinyin	français	aide	exemple
好	*hǎo*	être bon, bien	女 *nǚ* femme + 子 *zǐ* enfant	你们好！
她	*tā*	elle	女 + 也 *yě* aussi	她姓马。
我	*wǒ*	je, moi	trait lancé vers la gauche + 扌 main + 戈 hallebarde	我是王明。
你	*nǐ*	tu, toi	亻 homme + 尔 tu, toi (ancien)	你叫什么?
他	*tā*	il, lui	亻+ 也	他姓王。
们	*men*	suffixe du pluriel des pronoms personnels	亻+ 门 *mén* porte	我们，你们，他们，她们
什	*shén*	什么	亻+ 十 *shí* dix	什么 ?!?
么	*me*	什么	trait lancé vers la gauche + 厶 privé	他们姓什么?

一	二	三	四	五	六	七	八	九	十
yī	*èr*	*sān*	*sì*	*wǔ*	*liù*	*qī*	*bā*	*jiǔ*	*shí*
1	*2*	*3*	*4*	*5*	*6*	*7*	*8*	*9*	*10*

Apprenez à les reconnaître :

graphie	pinyin	français	aide	exemple
叫	*jiào*	appeler, s'appeler	口 *kǒu* bouche + souffle 丩	你叫什么?
姓	*xìng*	avoir pour nom de famille, nom de famille	女 + 生 *shēng* naître, élève	他姓王，叫王明。
名	*míng*	prénom	夕 soir + 口	我姓马，名叫大明，你呢?
马	*mǎ*	cheval, (ici : nom de famille)	马 馬 image du cheval, sa crinière et ses pattes	他姓马吗?
王	*wáng*	roi (ici : nom de famille)	représentation d'une hache, le tranchant vers le bas, symbole du pouvoir	我姓王，他姓马。
大	*dà*	être grand (âge et surface)	un homme 人, les bras ouverts	你多大?
岁	*suì*	année d'âge	山 *shān* montagne + 夕	王明二十二岁。
多	*duō*	beaucoup, être nombreux	deux 夕 qui se suivent	你多大?
月	*yuè*	lune, mois	représentation d'un croissant de lune	她叫王月。
明	*míng*	clair, clarté	日 *rì* soleil + 月	我叫王明。
呢	*ne*	particule finale interrogative	口 + 尼 *ní* El. Ph.	他姓马，你呢?

工具箱 GRAMMAIRE

Qui parle ?

我	叫	王月。	*Je m'appelle Wang Yue.*
你	叫	……。	*Tu…*
他/她	叫	……。	*Il/elle…*
我们	姓	王。	*Nous nous appelons Wang.*
你们	姓	……。	*Vous…*
他/她们	姓	……。	*Ils/elles…*
pron. pers.	**verbe**	**nom**	

* Le pluriel des pronoms personnels se forme avec le suffixe 们 *men*.

Quel est ton nom ?

你	姓	什么?	*Quel est ton nom de famille ?*
你	叫	什么?	*Comment t'appelles-tu ?*
sujet	**verbe**	**quoi**	
我	姓	王。	*Mon nom de famille est Wang.*
我	叫	王大明。	*Je m'appelle Wang Daming.*
sujet	**verbe**	**nom**	
你	呢?		*Et toi ?*
sujet	**particule interrogative**		

* Le pronom interrogatif et sa réponse se trouvent toujours à la même place dans la phrase.
La particule finale interrogative 呢 *ne* sert à relancer la question qui vient d'être posée.

Quel est ton âge ?

你	多	大?	*Quel âge as-tu ?*
sujet	**combien**	**grand**	
我	十四	岁。	*J'ai quatorze ans.*
sujet	**nombre**	**âge**	

Compter jusqu'à 99

1	一	< unité >	20	二十	< 2 dizaines >
2	二	< unité >	21	二十一	< 2 dizaines + 1 >
3	三	< unité >	22	二十二	< 2 dizaines + 2 >
…	…		23	二十三	< 2 dizaines + 3 >
9	九	< unité >	…	…	
10	十	< dizaine >	29	二十九	< 2 dizaines + 9 >
11	十一	< dix + 1 >	30	三十	< 3 dizaines
12	十二	< dix + 2 >	…	…	
13	十三	< dix + 3 >	90	九十	< 9 dizaines
…	…		…	…	
19	十九	< dix + 9 >	99	九十九	< 9 dizaines + 9 >

工具箱 LEXIQUE

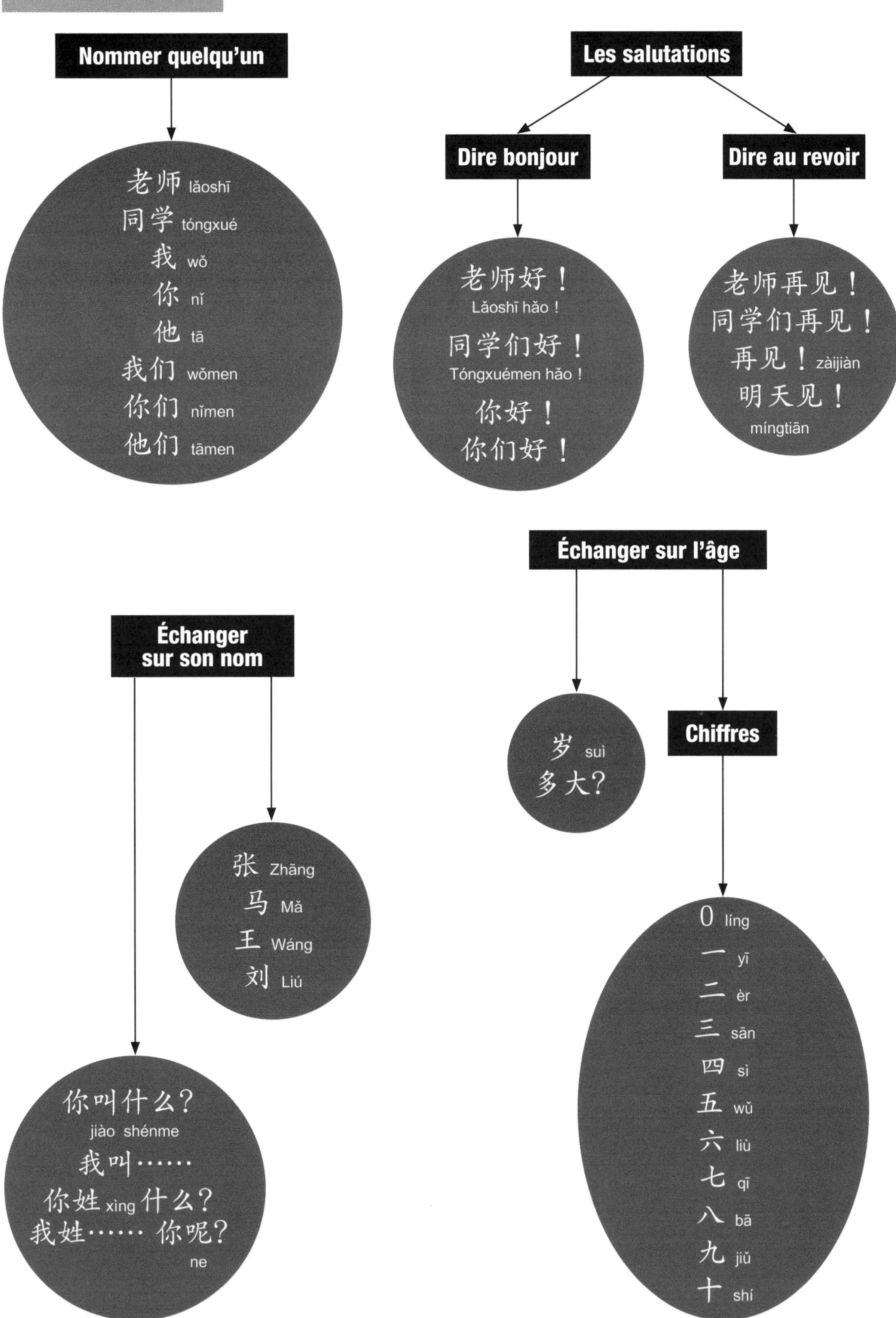

Nommer quelqu'un
老师 lǎoshī
同学 tóngxué
我 wǒ
你 nǐ
他 tā
我们 wǒmen
你们 nǐmen
他们 tāmen
Les salutations
Dire bonjour
老师好！
Lǎoshī hǎo !
同学们好！
Tóngxuémen hǎo !
你好！
你们好！
Dire au revoir
老师再见！
同学们再见！
再见！zàijiàn
明天见！
míngtiān
Échanger sur l'âge
岁 suì
多大？
Chiffres
0 líng
一 yī
二 èr
三 sān
四 sì
五 wǔ
六 liù
七 qī
八 bā
九 jiǔ
十 shí
Échanger sur son nom
张 Zhāng
马 Mǎ
王 Wáng
刘 Liú
你叫什么？
jiào shénme
我叫……
你姓 xìng 什么？
我姓…… 你呢？
ne

第二课 是我

ORAL 你是哪国人？
Nǐ shì nǎ guó rén ?

1. > **Écoutez et répétez** ce que vous entendez.

> **Dites** de quelle nationalité sont les deux élèves.

A.

B.

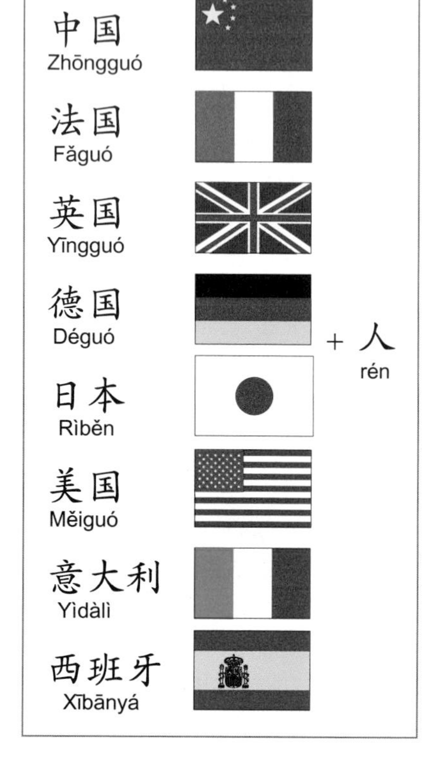

2. > **Écoutez et associez** chaque présentation à une photo.

> **Écoutez encore une fois et dites** quel est l'âge et la nationalité de chaque personnage. → **Cahier**

A.

B.

C.

D.

E.

F.

3. > **Écoutez** : comment demande-t-on sa nationalité à quelqu'un ?

> **Questionnez** votre voisin sur la nationalité des personnages suivants : Dáfēnqí (Léonardo da Vinci), Nápòlún (Napoléon Bonaparte), Àiyīnsītǎn (Albert Einstein) → **Cahier**

该你了

Présentez à la classe une personne de votre choix.

ORAL 住在哪儿？
Zhù zài nǎr ?

4. > **Écoutez et répétez** ce que vous entendez.

> **Lisez** à voix haute le nom des villes.

> **Écoutez** et **associez** chaque ville à une personne. → **Cahier**

1. Liú Yáng 2. Mathieu 3. Sally 4. Motoaki 5. Kate 6. Lǐ Xiǎoshuài 7. Maria

A.

伦敦
Lúndūn

B.

纽约
Niǔyuē

C.

上海
Shànghǎi

D.

东京
Dōngjīng

E.

巴黎
Bālí

F.

北京
Běijīng

G.

济南
Jǐnán

> **Répondez aux** questions que vous avez entendues. → **Cahier**

Vous entendez : 李小帅住在北京吗？
Lǐ Xiǎoshuài zhù zài Běijīng ma ?

Vous répondez : 是的，他住在北京。
Shì de, tā zhù zài Běijīng.

ou 不，他不住在北京。
Bù, tā bú zhù zài Běijīng.

他住在济南。
Tā zhù zài Jǐnán.

5. > **Écoutez l'enregistrement :** comment demande-t-on à quelqu'un où il habite ?

该你了

Choisissez quelques personnages célèbres et demandez à votre voisin où ils habitent.

ORAL

你喜欢做什么？
Nǐ xǐhuān zuò shénme ?

6. > **Écoutez et répétez** ce que vous entendez.

打网球
dǎ wǎngqiú

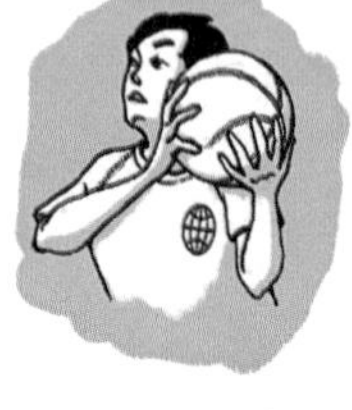
打篮球
dǎ lánqiú

踢足球
tī zúqiú

玩电脑/上网
wán diànnǎo/shàngwǎng

听音乐
tīng yīnyuè

看书
kànshū

聊天
liáotiān

看电视
kàn diànshì

> **Écoutez** l'enregistrement et **trouvez les informations manquantes.** → Cahier

姓名 Mathieu
xìng míng
年龄
niánlíng
住在 Paris
zhù zài
喜欢 ♥
xǐhuān
不喜欢 ✖ dǎ lánqiú
bù xǐhuān

姓名 Liú Yáng
xìng míng
年龄 17
niánlíng
住在 Jǐnán
zhù zài
喜欢 ♥
xǐhuān
不喜欢 ✖
bù xǐhuān

喜欢 打网球。
xǐhuān dǎ wǎngqiú

不喜欢 看电视。
bù xǐhuān kàn diànshì

该你了
Faites un sondage sur les activités de vos camarades.

Ce que les personnages racontent est-il vrai ? S'ils mentent, dites la vérité.

ÉCRIT

1. Trouvez l'intrus.

一 美国 北京 法国 日本 (Rìběn) 英国 (yīng)

二 看书 (shū) 玩电脑 (nǎo) 听音乐 (yīnyuè) 上网 中国

2. Reliez les réponses aux questions correspondantes.

a – 你住在哪儿?	1 – 我十五岁。
b – 他叫什么?	2 – 他是中国人。
c – 他是哪国人?	3 – 我住在巴黎。(Bālí)
d – 你多大?	4 – 他叫小龙。(Xiǎolóng)

3. Rangez ces expressions selon les catégories.

Salutations	Identité	Âge	Nationalité	Lieu d'habitation	Activités

我住在北京 你好 我喜欢看书 他是法国人
再见 (zàijiàn) 他姓王 他四十六岁 明天见 (míngtiān)
打网球 老师好 (lǎoshī) 你喜欢看电视吗? (shì) 你多大? 她是日本人
我住在中国 他叫小龙

4. Lisez puis présentez chaque personnage.

姓 (xìng)	马	白 (bái)	王
名	喜	大中	京
岁	十五岁	十九岁	十六岁
住在	济南 (Jǐnán)	上海 (Shànghǎi)	北京
喜欢	打网球 上网	看电视 踢足球 (tī zú)	看书 玩电脑
不喜欢	看书	打篮球 (lán)	踢足球

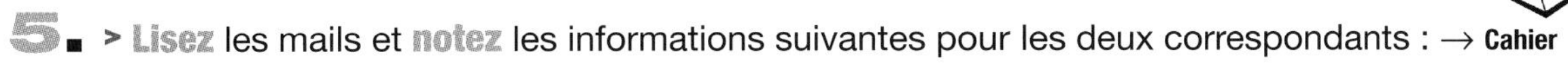

5. > **Lisez** les mails et **notez** les informations suivantes pour les deux correspondants : → **Cahier**

- leur nom et prénom,
- leur nationalité,
- les villes où ils habitent,
- leurs activités préférées.

> **Dites** avec qui vous avez envie de communiquer.

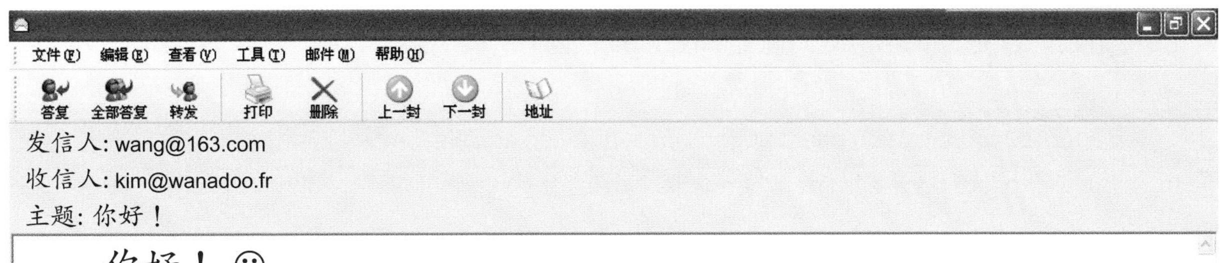

你好！☺

我姓王，叫王明月。我十五岁，住在济南（Jǐnán）。

我喜欢看电视（shì），玩电脑（nǎo），也喜欢听音乐（yīnyuè）。我不喜欢看书（shū）。我喜欢打篮（lán）球，不喜欢踢（tī）足（zú）球。

你呢？你叫什么？你是不是中国人？你多大？你住在哪儿？你喜欢做（zuò）什么？

祝（zhù）好！

王明月

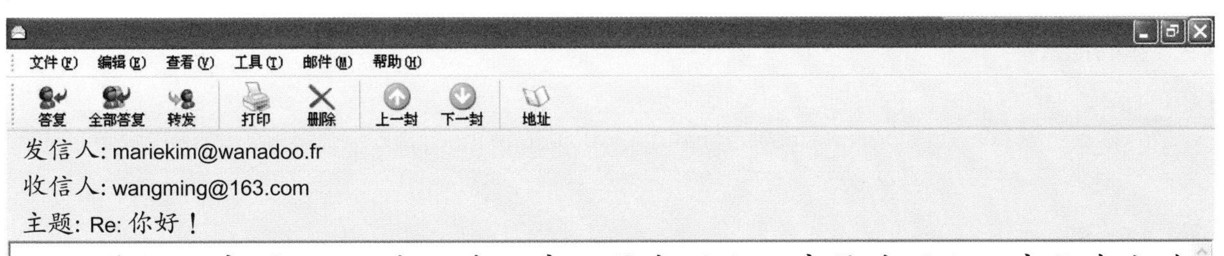

你好！我叫Marie，十四岁。我不是中国人，我是法国人。我住在上海（Shànghǎi）。

我喜欢打网球，不喜欢打篮球 ☹。我不喜欢看电视，喜欢看书。我喜欢看日本漫画（mànhuà） manga。你喜欢吗？

告诉（gàosù）我，你叫什么？你多大？你喜欢做什么？

À bientôt.

Marie

该你了

Répondez au mail du correspondant que vous préférez.

工具箱 ATELIER DE PRONONCIATION

Les nouvelles initiales

dǎ se prononce comme « table » en français → 打
tā se prononce aspiré comme « tea » en anglais → 他
guó se prononce entre « gâteau » et « cadeau » en français → 国
kàn se prononce aspiré comme « kid » en anglais → 看
hǎo se prononce un peu plus fort que « hot » en anglais → 欢
fǎ se prononce comme en français → 法

Les nouvelles finales

hǎo se prononce /a-o/ → 好
guó se prononce /ou-o/ → 国
kàn se prononce comme le prénom « **Anne** » → 看
rén se prononce un peu comme « **jeune** » → 人
zài se prononce comme « **aïe** » en français → 在

Tons

- **Enchaînement des tons : la règle de 不**

Lorsque la négation 不 est suivie d'un 4e ton, elle se prononce au 2e ton :

我不是英国人。 Wǒ **bú** shì yīngguórén.
我不上网。 Wǒ **bú** shàngwǎng.

- **Le ton neutre**

Certaines syllabes sont plus courtes et plus légères que d'autres, comme par exemple les interrogatifs *ne* 呢 ou *ma* 吗. On dit alors que leur ton est neutre, aucune marque de ton n'est portée sur le pinyin.

Attention

- La lettre « e » se prononce « è » dans : *yě* 也.
- La finale *ér* 儿, liée directement à une autre syllabe, indique que celle-ci est prononcée avec la langue roulée vers l'arrière du palais. L'ensemble, formant un seule et unique syllabe, est noté par la première syllabe suivie de « r », par exemple *nǎ* 哪 devient *nǎr* 哪儿.
- Après les initiales « m » et « f », la finale « uo » (comme guó 国) est notée simplement « o ».

Lisez les phrases à haute voix et vérifiez votre prononciation avec le CD.

1. Tāmen gēn wǒ lāodaole gāokǎo duō nán kǎo. 他们跟我唠叨了高考多难考。
2. Wǒmen yào lùguò Lè'ān Dàdào. 我们要路过乐安大道。
3. Dì-yī wǒ wúfǎ dǎ tā, dì-èr wǒ wúfǎ hài tā. 第一我无法打他，第二我无法害他。

工具箱 ATELIER D'ÉCRITURE

Vous les reconnaissez déjà, vous devez maintenant savoir les écrire :

王	voir leçon 1	我姓王，他姓马。	马	voir leçon 1	她们姓马吗？

Apprenez à les écrire :

graphie	pinyin	français	aide	exemple
中	*zhōng*	Chine, milieu	un espace partagé en son milieu	我不是中国人。
法	*fǎ*	loi (ici : France)	氵 eau + 去 *qù* aller	北京人是法国人吗？
国	*guó*	pays	囗 enceinte + 玉 *yù* jade	中国好！
人	*rén*	homme	représentation d'un homme de profil	你们是法国人吗？
不	*bù*	négation	représentation de la racine d'une plante	马月不是日本人。
是	*shì*	être	日 + 疋 exact	他是中国人吗？
也	*yě*	aussi	représentation d'un serpent	她也不姓马。
哪	*nǎ*	quel, lequel	口 + 那 *nà*, cela El. Ph.	你是哪国人？
吗	*ma*	particule finale interrogative	口 + 马. El. Ph.	他们喜欢上网吗？
儿	*ér*	fils, marqueur de rétroflexion	兒 儿 deux jambes et la tête dont la fontanelle n'est pas encore fermée	她住在哪儿？
在	*zài*	se situer, être à	土 *tǔ* terre + un outil planté dans le sol	你住在日本吗？

Apprenez à les reconnaître :

graphie	pinyin	français	aide	exemple
住	*zhù*	habiter	亻+ 主 *zhǔ*, principal El. Ph.	他住北京。
本	*běn*	racine	l'arbre et un trait indiquant sa racine	日本，你喜欢吗？
玩	*wán*	jouer	王 + 元 *yuán* unité El. Ph.	我喜欢玩电脑 nǎo。
打	*dǎ*	donner un coup, battre	扌 main + 丁 clou	李大明不喜欢打球。
球	*qiú*	balle, ballon	王 + 求 *qiú* El. Ph.	王月喜欢打球。
看	*kàn*	regarder	手 *shǒu* main + 目 œil	我不喜欢看书 shū。
电	*diàn*	électricité	un éclair 乚 tombant sur un champ 田 *tián*	你喜欢玩电脑吗？
喜	*xǐ*	joie, bonheur	口 + 豆 *dòu* haricot + 十	我喜欢日本书。
欢	*huān*	joie	又 *yòu* main droite + 欠 homme bouche ouverte	我很喜欢王月！
听	*tīng*	écouter	口 + 斤 *jīn* la livre El. Ph.	我喜欢听音乐。
上	*shàng*	sur, dessus, monter	一 figure l'horizon avec 2 lignes symboliques au dessus	我们很喜欢上网！
网	*wǎng*	filet, réseau	représentation des mailles d'un filet	马月喜欢上网。
北	*běi*	nord	deux hommes dos à dos (dont l'homme renversé 匕)	他不住在北京。
京	*jīng*	capitale	un point au-dessus d'une ligne 亠 + 口 + 小 *xiǎo* petit	小马住在北京吗？
日	*rì*	jour, soleil	halo de lumière autour d'un point qui représente le soleil	八日，十九日，三十一日
美	*měi*	être beau	羊 *yáng* mouton + 大	你是不是美国人？

工具箱 GRAMMAIRE

Nationalité

你		是	哪国	人?		*De quel pays es-tu ?*
sujet		**être**	**quel pays**	**homme**		
我		是	法国	人。		*Je suis Français.*
sujet		**être**	**pays**	**homme**		
马京		是不是	美国	人?		
sujet		**être ou non**	**pays**	**homme**		
马京		是	美国	人	吗?	*Ma Jing est-il Américain ?*
sujet		**être**	**pays**	**homme**	**part. interro.**	
他	不	是	美国	人。		*Il n'est pas Américain.*
sujet	**nég.**	**être**	**pays**	**homme**		

Là où j'habite

你	住在	哪儿?	*Où habites-tu ?*
sujet	**habiter à**	**où**	
我	住在	北京。	*J'habite à Beijing.*
sujet	**habiter à**	**lieu**	

Mes goûts

你		喜欢	做	什么?		*Qu'aimes-tu faire ?*
sujet		**aimer**	**faire**	**quoi**		
我		喜欢	打	网球。		*J'aime jouer au tennis.*
sujet		**aimer**	**jouer**	**nom**		
他		喜欢	玩	电脑	吗?	*Aime-t-il jouer à l'ordinateur ?*
sujet		**aimer**	**jouer**	**nom**	**part. interro.**	
		喜欢。				*Oui.*
	不	喜欢。				*Non.*
	nég.	**aimer**				
我	也	喜欢。				*J'aime aussi.*
sujet	**aussi**	**aimer**				

* Les adverbes (comme 不 et 也) se placent toujours avant le verbe.

工具箱 LEXIQUE

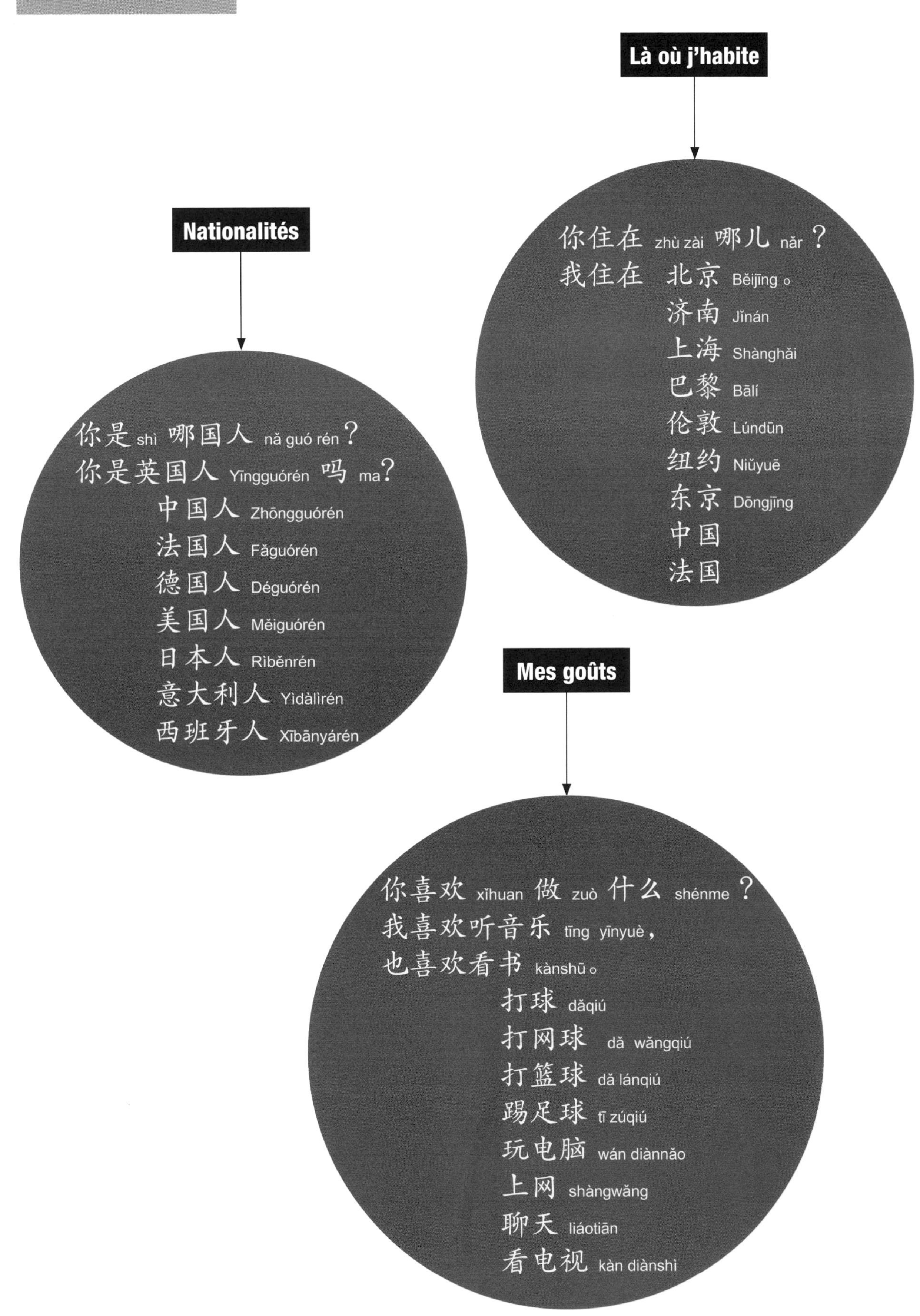
Là où j'habite
你住在 zhù zài 哪儿 nǎr？
我住在 北京 Běijīng。
济南 Jǐnán
上海 Shànghǎi
巴黎 Bālí
伦敦 Lúndūn
纽约 Niǔyuē
东京 Dōngjīng
中国
法国
Nationalités
你是 shì 哪国人 nǎ guó rén？
你是英国人 Yīngguórén 吗 ma？
中国人 Zhōngguórén
法国人 Fǎguórén
德国人 Déguórén
美国人 Měiguórén
日本人 Rìběnrén
意大利人 Yìdàlìrén
西班牙人 Xībānyárén
Mes goûts
你喜欢 xǐhuan 做 zuò 什么 shénme？
我喜欢听音乐 tīng yīnyuè，
也喜欢看书 kànshū。
打球 dǎqiú
打网球 dǎ wǎngqiú
打篮球 dǎ lánqiú
踢足球 tī zúqiú
玩电脑 wán diànnǎo
上网 shàngwǎng
聊天 liáotiān
看电视 kàn diànshì

CULTURE
百宝箱

中国人的名字

Les noms chinois

Máo Zédōng

◀ Un 中国名字 (míngzi) comporte le plus souvent 三个 caractères, le patronyme 姓 (xìng) est en premier, les deux suivants constituent le prénom 名 (míng). Autrefois, le patronyme était le nom du clan. Les rares noms de famille composés de deux caractères ou plus, tirent le plus souvent leur origine de minorités nationales.
Le nom de famille se transmet de façon patrilinéaire. Aujourd'hui, les femmes gardent leur patronyme après leur mariage.

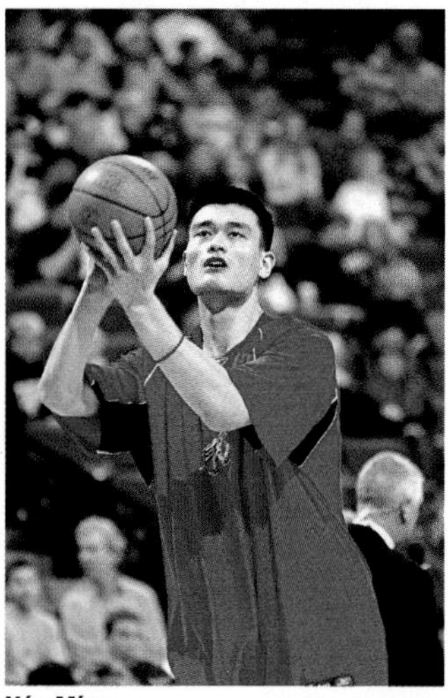
Yáo Míng

◀ Une centaine de noms de famille regroupent plus de 80 % des chinois. 王 vient en tête, presque 100 millions de chinois portent ce nom, à peine moins pour Lǐ 李 et Zhāng 张.

On distinguera une personne d'une autre par son 名. Chacun est composé de deux syllabes, parfois une seule. En principe, on peut choisir n'importe quel mot pour constituer un 名字. Il représente souvent les espoirs ou les aspirations des parents pour leur enfant, il n'est pas toujours possible de savoir si un prénom est masculin ou féminin.

Les 名字 féminins comportent traditionnellement un mot relatif aux fleurs, aux bijoux, à la personnalité : argent, phœnix, gracieuse, jolie, etc.

Les 名字 masculins font souvent référence à la virilité, à un mouvement politique ou à un ancêtre : acier, esprit ferme, pin droit, éducation du pays etc.

Líu Xiáng

Regardez les photos des Chinois célèbres : quel est leur patronyme et leur prénom ? Connaissez-vous d'autres personnages célèbres ?

Les noms chinois les plus fréquents

1	张伟 Zhāng Wěi	11	李静 Lǐ Jìng
2	王伟 Wáng Wěi	12	张丽 Zhāng Lì
3	王芳 Wáng Fāng	13	王静 Wáng Jìng
4	李伟 Lǐ Wěi	14	王丽 Wáng Lì
5	王秀英 Wáng Xiùyīng	15	李强 Lǐ Qiáng
6	李秀英 Lǐ Xiùyīng	16	张静 Zhāng Jìng
7	李娜 Lǐ Nà	17	李敏 Lǐ Mǐn
8	张秀英 Zhāng Xiùyīng	18	王敏 Wáng Mǐn
9	刘伟 Liú Wěi	19	王磊 Wáng Lěi
10	张敏 Zhāng Mǐn	20	李军 Lǐ Jūn

你好！ Les salutations en chinois

Bonjour !

Au revoir !

◀ 你好 est plutôt considéré comme poli et respectueux. Cette expression est de temps en temps accompagnée d'un geste de la main (comme sur la photo A). Dans une situation plus formelle, il est coutume de se serrer la main.

Pourtant, 你好 se dit le plus souvent entre des personnes du même âge. Pour marquer le respect et le vouvoiement, les Chinois disent 您好. Les membres d'une même famille n'utilisent pas ces expressions pour se saluer.

Lorsque les gens se connaissent bien ou sont amenés à se croiser régulièrement, pour se saluer, ils se posent des petites questions rhétoriques selon le moment de la journée, sur leurs activités ou le temps qu'il fait : « Où vas-tu ? », « As-tu mangé ? », « As-tu froid ? », « Tu es rentré du travail ? », « Tu es levé ? ». C'est souvent une question dont la réponse est évidente.

JE PEUX

- comprendre lorsque l'on me salue et que l'on prend congé.
- comprendre quelques questions simples sur moi.
- comprendre une brève présentation de quelqu'un.
- repérer des noms de villes et de pays.
- repérer et distinguer les tons lorsqu'ils sont énoncés séparément.
- repérer quelques suites de tons.
- repérer quelques sons du chinois étrangers au français.

- me présenter et dire où j'habite.
- dire ce que j'aime faire ou non.
- compter jusqu'à 99.

- saluer et prendre congé.
- échanger sur l'identité, la nationalité et l'endroit où l'on habite.
- échanger sur ce que l'on aime.

- repérer 30 éléments composants dans des caractères connus.
- reconnaître et lire à haute voix 55 caractères.

- écrire 34 caractères en respectant l'ordre et l'orientation des traits.
- copier des phrases simples que je connais.
- écrire les nombres jusqu'à 99.
- écrire une à deux phrases de présentation.
- écrire en pinyin 10 initiales et 10 finales.

这是我 Mon portrait en chinois (1)

D'abord...

- Vous choisissez une photo ou une image qui vous caractérise. Vous pouvez également dessiner votre portrait.

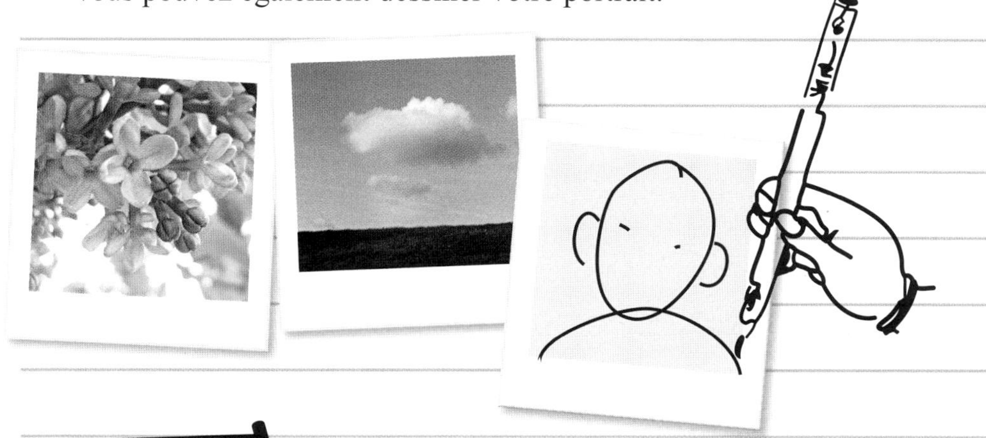

Ensuite...

- Rédigez les informations vous concernant à côté de votre portrait.

这是我 Informations sur moi
- 姓名 Prénom + nom
- 国家 Nationalité
- 城市 Ville

我喜欢 Activités
- 体育 Sports
- 文娱 Loisirs

A présent...

Vous pouvez réaliser la première partie de votre portrait en chinois, qui sera complété après le module 2.

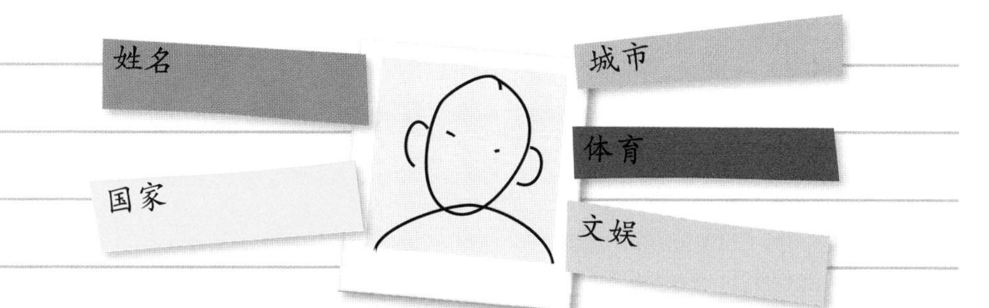

第三课 我家和你家
第四课 我的东西

Mon contrat d'apprentissage

Pour…

- compléter mon portrait en chinois,
- présenter un arbre généalogique,
- échanger avec mes amis sur nos familles respectives,
- décrire le visage de quelqu'un,
- énoncer et décrire un peu les objets de mon entourage direct, ce que j'ai dans ma poche et dans ma trousse,
- écrire quelques phrases me décrivant,

… j'apprends :

les appellations au sein de la famille, le verbe 有 et sa négation 没 (有), l'interrogatif 谁? , la détermination 的, les couleurs, la description physique, l'adjectif verbal, l'adverbe 很, les objets qui m'entourent, les affaires de classe, le classificateur, compter jusqu'à 9 999, l'argumentation 为什么? 因为.

Mes stratégies

	Pour mieux comprendre, je m'appuie sur les images dont je dispose.
	Je m'applique à répéter les phrases avec la bonne mélodie générale.
	Dans un texte nouveau, je repère d'abord ce que je connais.
	J'écris 4 à 5 fois le même caractère, puis je change de caractère, car ma mémoire perd en efficacité lorsque mon travail est trop répétitif.

我有……

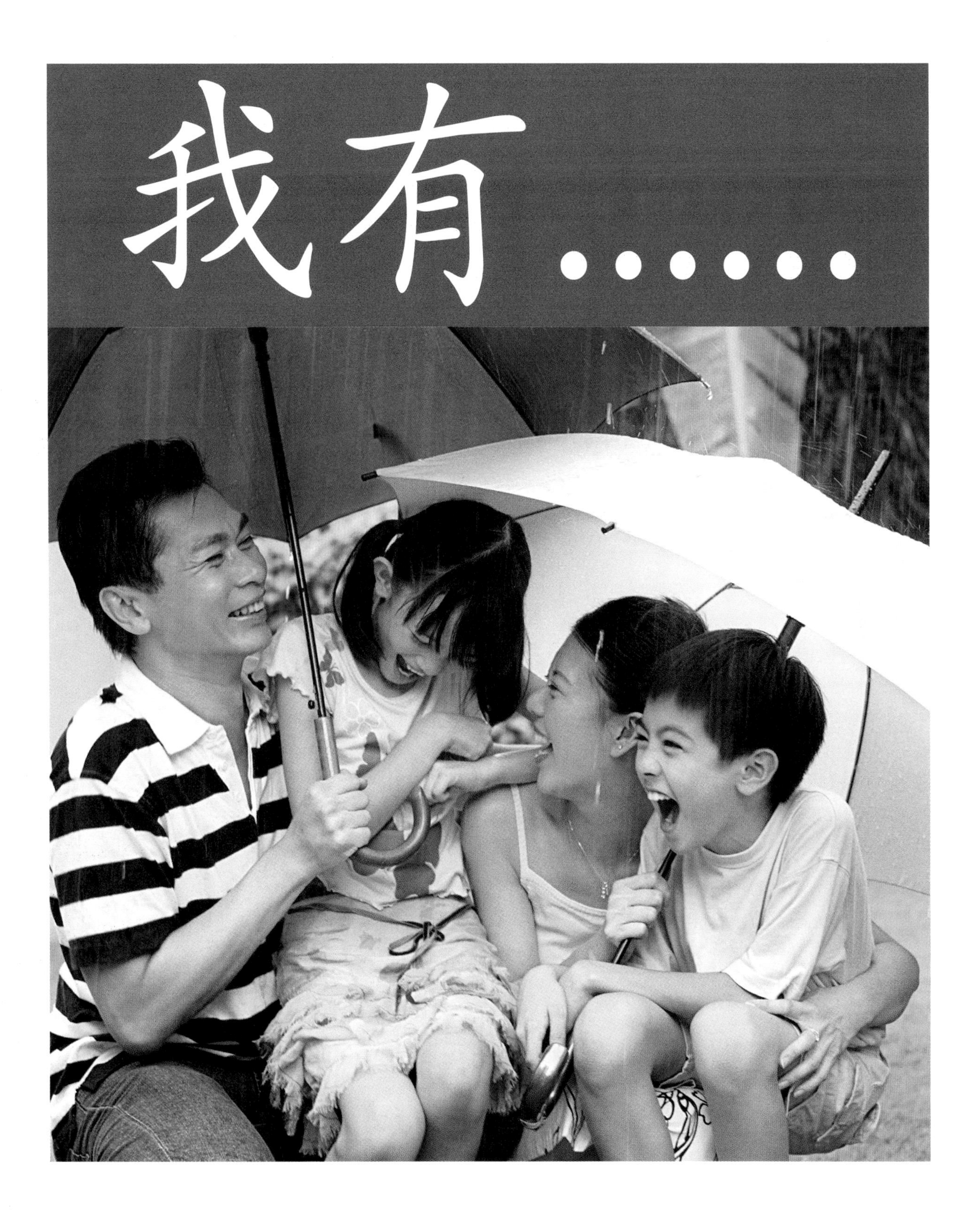

第三课　我家和你家

ORAL　有姐姐吗？
yǒu　jiějie

1. > **Écoutez et répétez** ce que vous entendez.

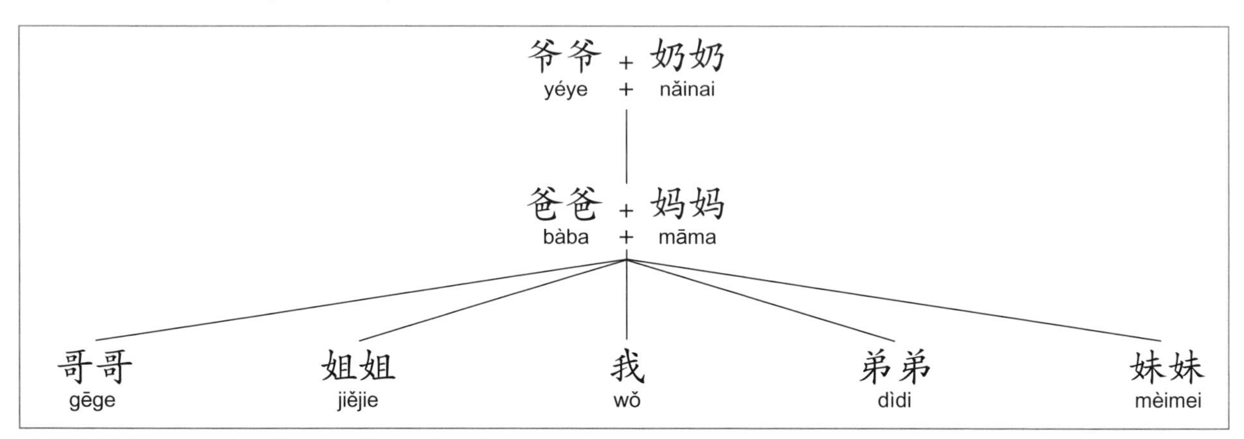

> **Écoutez et associez** chaque photo à un enregistrement.

> **Écoutez** à nouveau, **présentez** ces trois familles à votre voisin.

A.

B.

C.

2. **Interrogez** votre voisin sur les familles ci-dessus selon les modèles suivants : → **Cahier**

Exemple :	*Question*	– 刘洋有弟弟吗？ Liú Yáng yǒu dìdi
		– 刘洋有没有弟弟？ Liú Yáng yǒu méiyǒu
	Si oui	– 他有一个弟弟。 yǒu　gè
	Si non	– 他没有弟弟。 méiyǒu

我有哥哥，
yǒu　gēge
没有姐姐。
méiyǒu　jiějie

该你了

Interrogez votre voisin sur sa famille.

ORAL 他是谁？

shéi

3. > **Écoutez et répétez** les questions et réponses que vous entendez.

> **Interrogez** votre voisin sur les photos de famille de la page 36 selon le modèle entendu.

Exemple : – 她是谁？
shéi

– 她是王小丽的妈妈。
Xiǎolì

– 她是 Rémy 的妹妹。

的
de

他是 王一名 的 爸爸。

4. > **Écoutez et répétez** les mots que vous entendez.

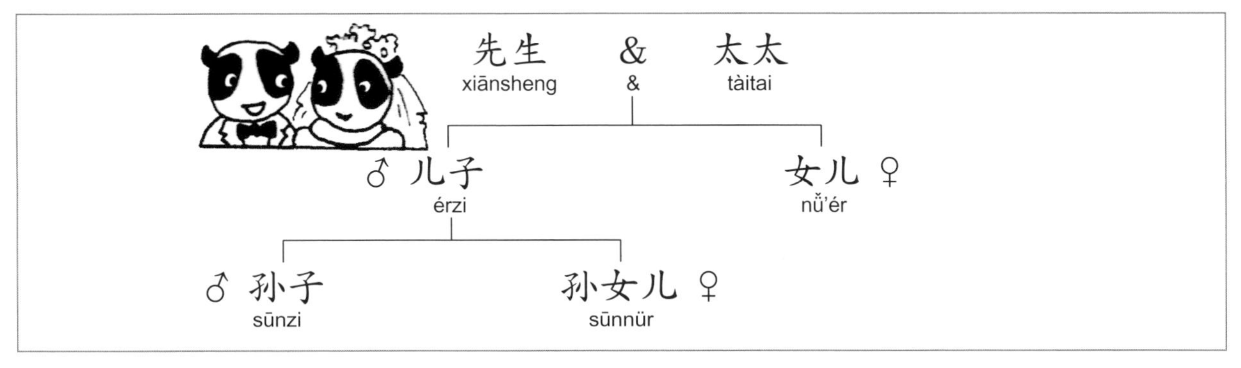

> **Regardez** l'arbre généalogique ci-dessous, **écoutez et répondez** : qui est-ce ? → **Cahier**

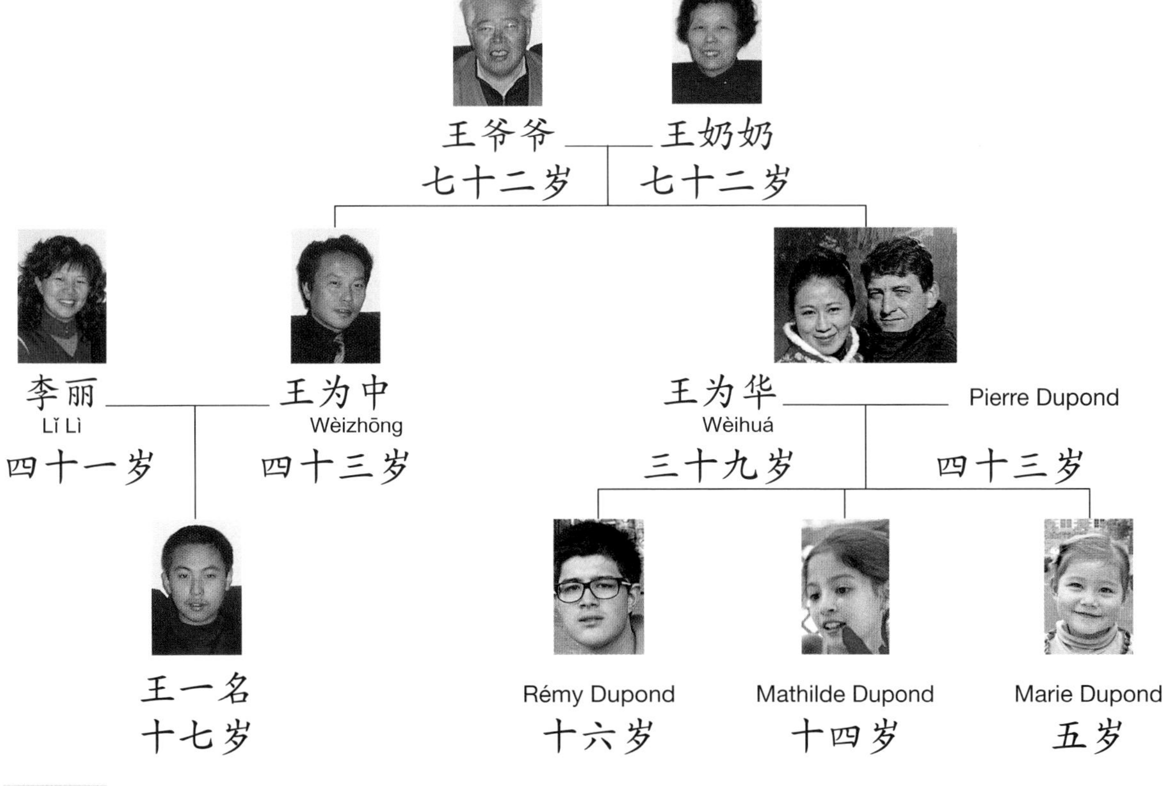

该你了

Faites la présentation détaillée de l'arbre généalogique ci-dessus.

大眼睛，黑头发……

dà yǎnjing hēi tóufa

5. > **Écoutez et répétez** ce que vous entendez.

> **Écoutez** la description de deux des personnages ci-dessous et **devinez** de quels personnages il s'agit .

> **Décrivez** vous-même les deux autres personnages. → **Cahier**

A.

B.

C.

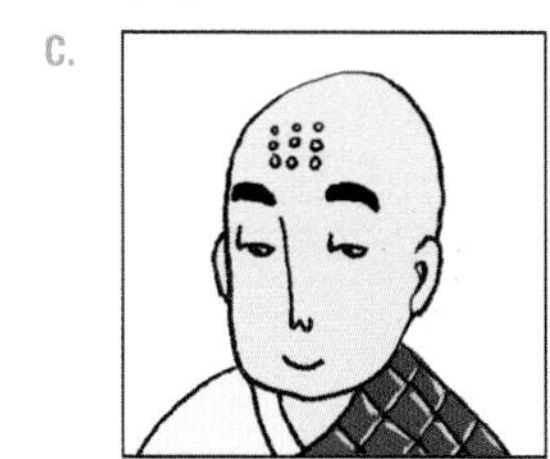

D.

6. > **Écoutez et répétez** ce que vous entendez.

红色
hóngsè

白色
bái

黄色
huáng

蓝色
lán

绿色
lǜ

黑色
hēi

棕色
zōng

> **Écoutez** et trouvez dans le dessin ci-dessous les personnages décrits.

> **Choisissez** un personnage que vous aimez dans le dessin ci-dessus, **décrivez**-le précisément. → **Cahier**

该你了

Décrivez une personne de votre classe, sans oublier ses préférences.
Votre voisin doit deviner de qui il s'agit.

漫画 DE LONGS CHEVEUX ET DE GRANDS YEUX !

Décrivez un des personnages de l'histoire.

ÉCRIT

1. Trouvez l'intrus.

一　姐姐　奶奶　哥哥　爷爷　爸爸　法国　妹妹　妈妈

二　女儿　孙子　孙女　太太　头发 (fà)　先生

2. > **Lisez** le texte ci-dessous et **écoutez** les enregistrements : quel enregistrement correspond à la description de la famille ci-dessous ?

我姓王，我叫王华。我的爸爸叫王大中。我有一个姐姐，一个弟弟和一个妹妹。我的妈妈是老师(lǎoshī)，她有很多学生。我的姐姐十八岁，她叫王小红，她喜欢逛商店(guàng shāngdiàn)。

> Que savez-vous sur la famille de Wáng Huá ?

3. Lisez les descriptions ci-dessous : laquelle correspond à la personne recherchée ?

寻人启事
xún rén qǐshì

一　王文，二十七岁，上海hǎi人，黑hēi头发，棕色zōngsè眼睛yǎnjing，头发不长，眼睛很小，嘴巴zuǐba很大，一米mǐ七一。

二　王中，三十六岁，北京人，黑头发，黑眼睛，长发，眼睛不大，鼻bí子很长，一米九二。

三　马文，三十一岁，济南Jǐnán人，黑头发，黑眼睛，一米七三，头发不长，鼻子不大也不小。

4. Choisissez des termes qui décriraient une personne imaginaire, **faites** sa description en employant les modèles suivants.

Exemple :　他/她 眼睛很……，是……色的。
他/她 喜欢/不喜欢……

眼睛 yǎnjing	很大	很小	不大也不小
	黑色的 hēisè	蓝色的 lánsè	
头发 fà	棕色的 zōng	黄色的 huáng	
嘴巴 zuǐba	很长	很短 duǎn	

听音乐 yīnyuè	弹吉他 tán jíta
跳舞 tiàowǔ	看电视
打网球	打篮球 lán
弹钢琴 tán gāngqín	看书 shū

> **Lisez** le mail qu'Anne envoie à sa correspondante taïwanaise et **trouvez** les informations suivantes :

- Anne 多大？
- 她家住在哪儿？
- 她家有什么人？
- 她有没有兄 xiōng 弟姐妹？他们多大？
- 她的头发眼睛是什么颜色 yánsè 的？

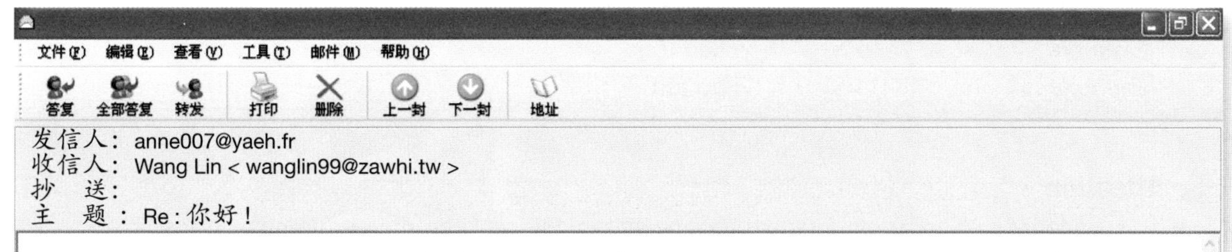

发信人：anne007@yaeh.fr
收信人：Wang Lin < wanglin99@zawhi.tw >
抄　送：
主　题：Re : 你好！

你好。我叫Anne。我十四岁，我是中学生。我家住在巴黎 Bālí。我家有五口人，有我的爸爸，我的妈妈，一个哥哥，一个弟弟和我。我哥哥二十岁，弟弟十三岁。

你问我长什么样？我一米 mǐ 六八。我的头发很长，是红色的。我的眼睛是蓝色的。

你呢，你家有几口人？你有兄弟姐妹吗？你家在哪儿？

Anne

该你了

Répondez au mail d'Anne.

工具箱 ATELIER DE PRONONCIATION

Les nouvelles initiales

zhù	se prononce « dj » comme « **J**ohn » en anglais → 住
cháng	se prononce « tch » aspiré → 长
shì	se prononce comme « **ch**inois » en français, mais avec la pointe de la langue vers le palais → 是
rén	se prononce comme « j » en français, mais avec la pointe de la langue vers le palais → 人

Les nouvelles finales

shì	est proche de « eu » dans « jeu » en français, mais avec la pointe de la langue vers le palais → 是
jiě	se prononce /i-è/ → 姐
méi	se prononce /é-i/ → 没
nǚ	se prononce comme dans « v**ue** » → 女
sūn	se prononce /ou-enne/ → 孙
cháng	se prononce comme dans « **ang**lais » → 长
shēng	se prononce comme le « e » français suivi d'un son nasal comme dans « parki**ng** » → 生

Les tons

- **Le changement du ton de 一 :**

Lorsque le chiffre 一 est suivi d'un 1er, 2e ou 3e ton, il se prononce comme un 4e ton ; lorsqu'il est suivi d'un 4e ton, il se prononce comme un 2e ton.

Exemple :	一口人	yì kǒu rén
Exemple :	一个人	yí gè rén

Attention

- La lettre « i » en pinyin a deux prononciations. Elle se lit comme en français dans : bi, di, ji, li, mi, ni, pi, qi, ti, xi et yi, mais avec la pointe de la langue vers le palais dans : zhi, chi, shi, ri.

Lisez à voix haute

Lisez les phrases à voix haute et **vérifiez** votre prononciation avec le CD.

1. Zhège nǚhái shì shéi de jiějie ?
   这个女孩是谁的姐姐?
2. Zhāng Péng zhǎng de tài pàng, tā nǚrén gēn tā shāngliang, yào chángcháng hé tā shàng Chángchéng, chūchū hàn.
   张朋长得太胖，他女人跟他商量，要常常和他上长城，出出汗。
3. Bù néng luàn pèng yě bù néng luàn rēng mèimei de yīfu.
   不能乱碰也不能乱扔妹妹的衣服。

工具箱 ATELIER D'ÉCRITURE

Vous les reconnaissez déjà, vous devez maintenant savoir les écrire :

岁	voir leçon 1	弟弟和妹妹几岁?	大	voir leçon 1	妈妈和爸爸多大?

Apprenez à les écrire :

graphie	pinyin	français	aide	exemple
口	*kǒu*	cl. des membres de la famille	une bouche ouverte	我家有四口人。
家	*jiā*	famille	宀 toit + 豕 cochon	你家住在北京吗?
个	*gè*	classificateur général	une tige de bambou et deux feuilles qui pointent vers le bas	我有两个哥哥。
子	*zǐ*	fils, suffixe nominal vide	représentation d'un enfant langé	你有没有孩子?
有	*yǒu*	avoir	la main gauche + 月	他有长头发。
没	*méi*	négation, ne pas avoir	氵 eau + 几 *jǐ* table basse + 又 (殳)	他没有弟弟。
小	*xiǎo*	être petit (âge et surface)	trois gouttes d'eau, symbolisant le tout petit	他弟弟很小，两岁。
两	*liǎng*	deux	一 + 冂 + deux 人	我有两个姐姐。

Apprenez à les reconnaître (vous devez aussi reconnaître les caractères du tableau p. 192) :

graphie	pinyin	français	aide	exemple
学	*xué*	étudier	enfant 子 sous un toit recevant un enseignement symbolisé par trois points	姐姐是大学生。
生	*shēng*	naître ; élève	une plante qui sort du sol	我是中学生。
谁	*shéi*	qui ?	讠 parole + 隹 oiseau à queue courte	这个人是谁?
很	*hěn*	très	彳 pas du pied gauche + 艮 *gèn* El. Ph.	中国很大。
孩	*hái*	enfant	子 + 亥 *hài* El. Ph.	他有两个孩子。
长	*cháng*	être long	une personne avec de longs cheveux	我妹妹头发很长。
红	*hóng*	être rouge	纟 soie + 工 *gōng* travail El.Ph.	我很喜欢红头发。
和	*hé*	« et » ; paix, harmonie	禾 céréale + 口	我有姐姐和妹妹。
几	*jǐ*	combien, quelques	représentation d'une table basse	你有几个姐姐?
头	*tóu*	tête	大 + deux points indiquant l'endroit de la tête	姐姐头发不长。
太	*tài*	trop	大 + un point dessous	马太太是谁?
先	*xiān*	d'abord ; 先生	trait lancé vers la gauche + 土 + 儿	白先生在不在?
白	*bái*	blanc, n. de f.	日 et un trait lancé vers la gauche indiquant le premier rayon du jour	奶奶头发白。

工具箱 GRAMMAIRE

Avoir ou ne pas avoir

王一名		有	弟弟	吗?	*Wang Yiming a-t-il un petit frère ?*
sujet		**avoir**	**nom**	**part. interro.**	
王一名		有没有	弟弟?		*Wang Yiming a-t-il un petit frère ?*
sujet		**avoir ou non**	**nom**		
他	没	有	弟弟。		*Il n'a pas de petit frère.*
sujet	**nég.**	**avoir**	**nom**		

Qui est-ce ?

他	是	谁?	*Qui est-ce ?*
sujet	**être**	**qui**	
他	是	王大明。	*C'est Wang Daming.*
sujet	**être**	**nom**	

Déterminer

白先生是	大明	的	爸爸。		*Monsieur Bai est le père de Daming.*
	他	的	儿子	叫王子和。	*Son fils s'appelle Wang Zihe.*
	nom	**part. structurale**	**nom**		

* La particule structurale 的 relie un nom à un élément qui précède et le détermine.

... et...

白太太是	小明	和	大明	的妈妈。	*Madame Bai est la mère de Xiaoming et de Daming.*
他哥哥喜欢	日本	和	美国。		*Son grand frère aime le Japon et les États-Unis.*
	nom	**et**	**nom**		

Compter

白先生	有	几	个	弟弟?	*Combien de petits frères a Monsieur Bai ?*
sujet	**avoir**	**combien**	**classificateur**	**nom**	
他	有	两	个	(弟弟)。	*Il (en) a deux (petits frères).*
sujet	**avoir**	**nombre**	**classificateur**	**(nom)**	

* Les classificateurs se placent entre un nombre et un nom. Le nom peut être omis.

2 comme numéro : 一、二、三、四、五、六......

2 comme quantité : 一个、两个、三个......; 一口、两口、三口......

Qualifier

他的头发	很	长。	*Ses cheveux sont longs.*
孙美中的眼睛 yǎnjing	很	大。	*Les yeux de Sun Meizhong sont grands.*
sujet	**très**	**adj. verbal**	

马先生	很	喜欢	打	网球。	*Monsieur Ma aime bien jouer au tennis.*
sujet	**très**	**aimer**	**verbe**	**nom**	

* L'adverbe 很 se place avant un adjectif verbal ou certains verbes comme 喜欢.

工具箱 LEXIQUE

La famille

有没有 méiyǒu 姐姐？没有
我家 jiā 有五口 kǒu 人 。
我有一个 ge 哥哥和 hé 两个弟弟。
爷爷 yéye
奶奶 nǎinai
爸爸 bàba
妈妈 māma
哥哥 gēge
姐姐 jiějie
弟弟 dìdi
妹妹 mèimei
兄弟姐妹 xiōngdì-jiěmèi

他是谁 shéi？
他是王老师的儿子。
先生 xiānsheng
太太 tàitai
女儿 nǚ'ér
儿子 érzi
孙子 sūnzi
孙女儿 sūnnür

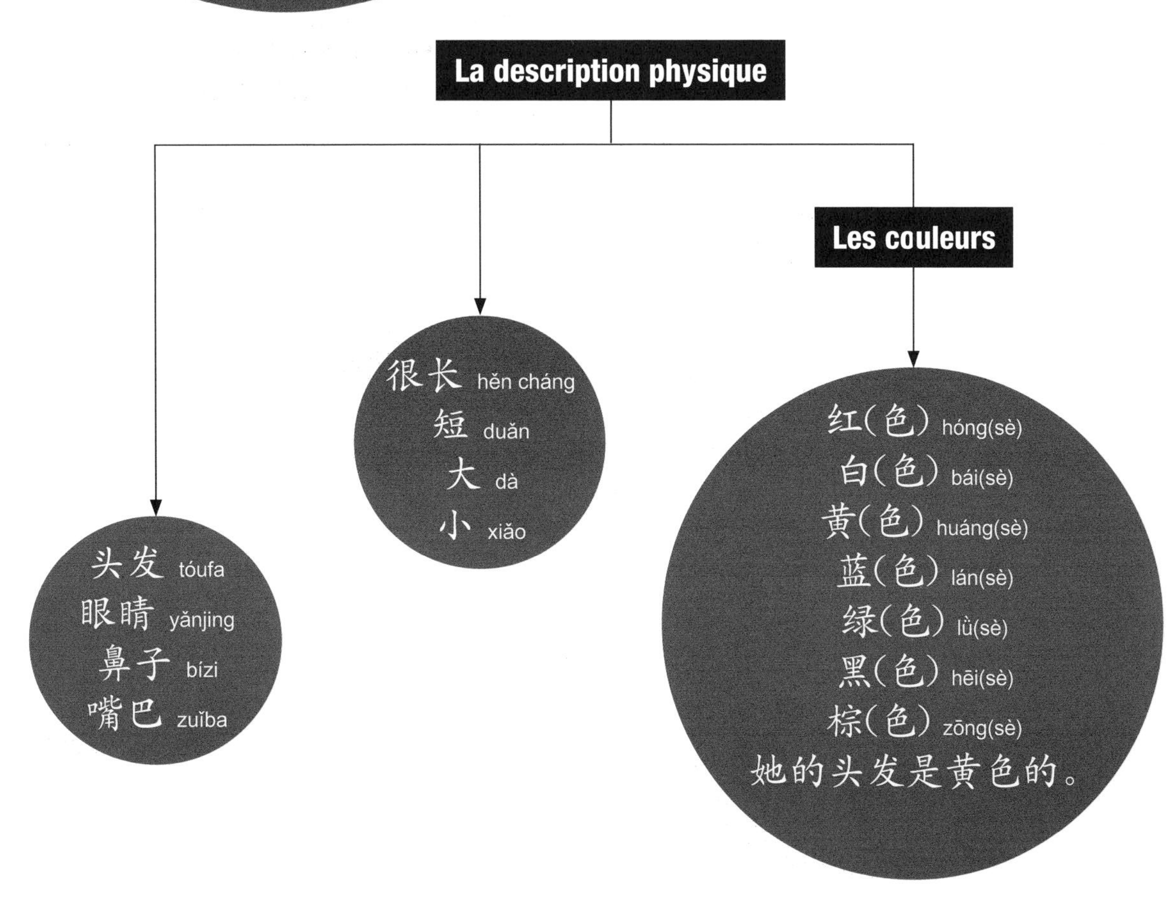

第四课 我的东西

ORAL 这是你的吗？
zhè

1. > **Écoutez et répétez** ce que vous entendez.
Liú Yáng a oublié son sac à la bibliothèque,
il va le chercher chez le gardien.

> **Écoutez** le dialogue et **regardez** le dessin : est-ce que le sac appartient à Liú Yáng ?

> **Écoutez** encore une fois et **dites** : qu'y a-t-il dans le sac de Liú Yáng ?

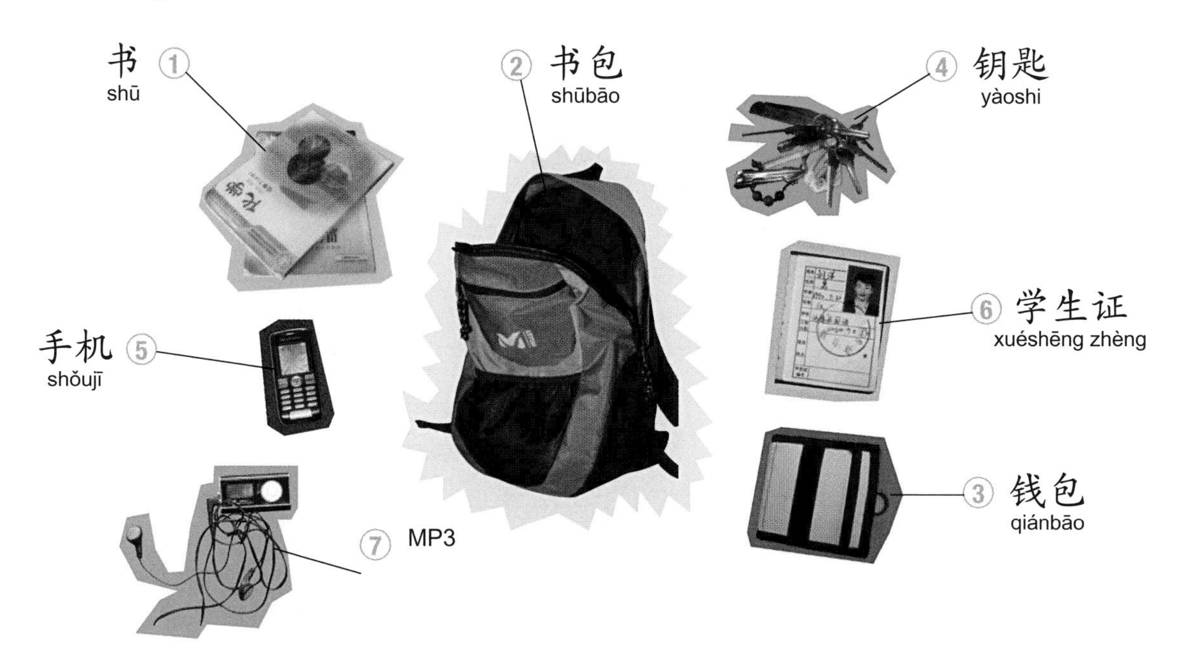

2. > **Écoutez et répétez** ce que vous entendez.

> **Regardez** le dessin et **demandez** à votre voisin à qui appartient chaque objet. → **Cahier**

这是谁的手提包？
shǒutí bāo
是妈妈的。

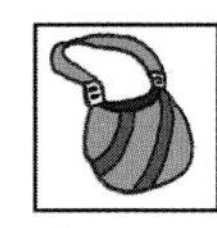
包
bāo

手表
shǒubiǎo

耳机
ěrjī

眼镜
yǎnjìng

报纸
bàozhǐ

ORAL 几本书，几支笔
jǐ běn shū zhī bǐ

3. > **Écoutez et répétez** ce que vous entendez.

> **Écoutez** le dialogue et **dites** quels sont les objets que Liú Yáng emprunte. → **Cahier**

> **Écoutez** encore une fois et **dites** combien Mǎ Shuāngchūn a de : crayons/stylos/gommes. → **Cahier**

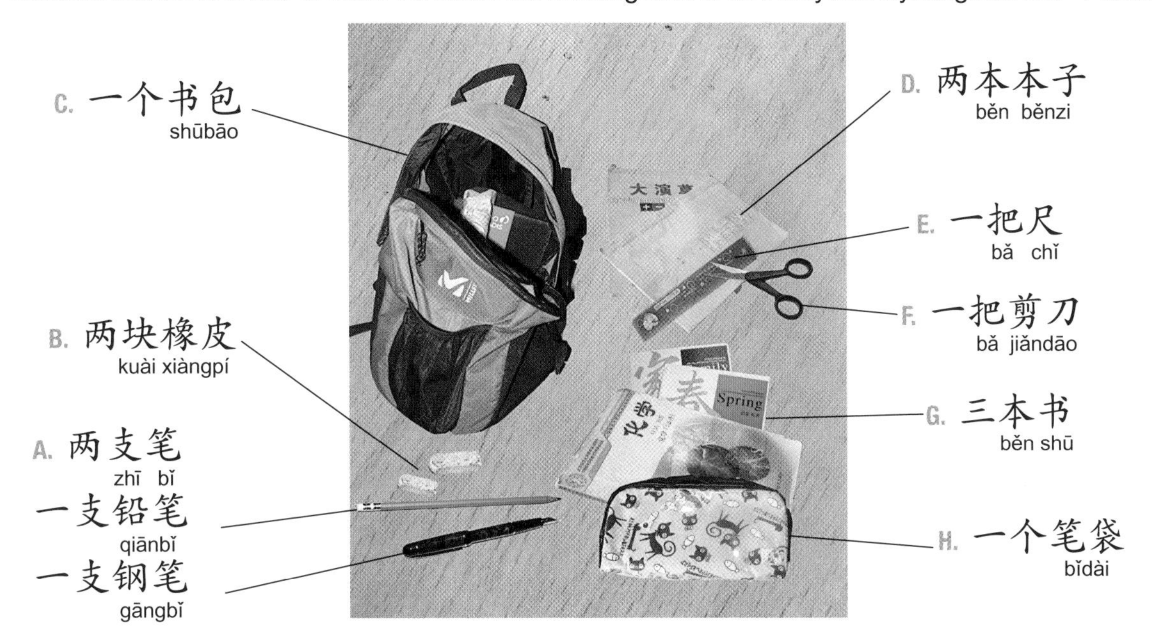

4. > **Regarder** les dessins et **dites** : ce qu'il y a sur le bureau de Wáng Wén et sur celui de Lǐ Xiǎoxuě ? → **Cahier**

Exemple : 王文有书，尺子和……
Wén shū, chǐzi hé

> **Questionnez** votre voisin sur la quantité de chaque objet.

Exemple : 王文有几本书？李小雪有几把尺子？
běn Lǐ Xiǎoxuě bǎ

A.

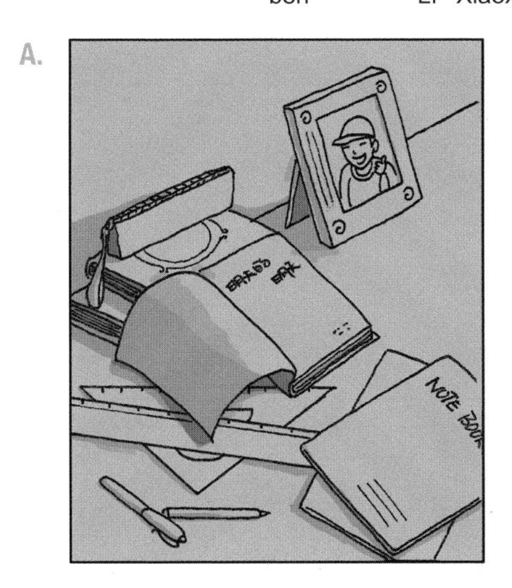

B.

该你了

Chaque élève choisit un de ses propres objets et le pose sur une table. Un élève pose des questions et rend chaque objet à son propriétaire.

ORAL

我想买……
xiǎng mǎi

5. > **Écoutez et répétez** ce que vous entendez.

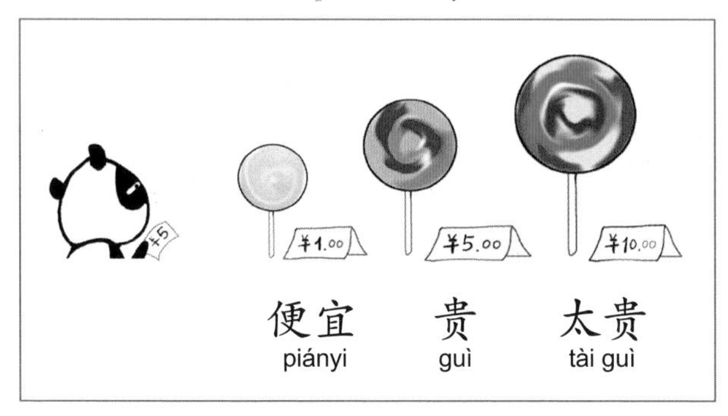

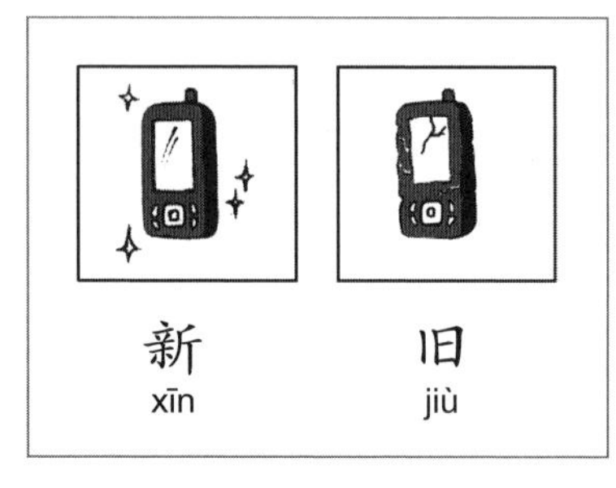

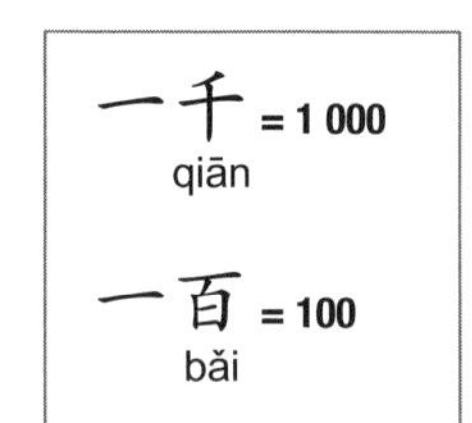

> **Écoutez** la conversation et **dites** ce que Mǎ Lìli souhaite acheter.

Sa mère est-elle d'accord ? Pourquoi ?

Parmi les objets ci-dessous, lequel auriez-vous envie d'acheter ? Pourquoi ?

该你了！

Jouez le dialogue entre Mǎ Lili et sa mère.

漫画 LE NOUVEAU PORTABLE

À votre tour de parler de votre portable !

ÉCRIT

1. **Trouvez** l'intrus.

六块手表　　因为　　两个书包　　手机　　笔　　四本书

2. **Associez** chaque question à une réponse.

一　你有几支笔？
zhī

二　王文的书包是什么颜色的？
yánsè

三　你为什么想买MP3？

四　这个东西是谁的？

五　你的手机可以听音乐吗？

六　妈妈，我可以买手机吗？

A. 不可以，太贵了。

B. 因为我喜欢听音乐。
yīnyuè

C. 他的书包是黄色的。
huángsè

D. 我有五支笔。

E. 这是他妹妹的。

F. 可以听音乐。

3. Les cousins français de Wáng Yīmíng ont passé le week-end chez lui, mais ils y ont oublié beaucoup de choses. **Lisez** le chat ci-dessous et **trouvez** à qui appartient chaque objet. → **Cahier**

2009-11-17 16 : 20　　Jean DUPONT 说：
Mon très cher cousin, 你那儿有没有我们的东西？书包，手机和书？

2009-11-17 16 : 30　　Ming 说：
我看看。
Jean，有两个黑包！一个黑色的书包，一个黑色的手提包，是谁的？
hēi　sè　shǒutí

2009-11-17 16 : 31　　Jean DUPONT 说：
书包是我的。手提包是我妈妈的。
手机呢？有没有？我爸爸的手机，黑色，很大。

2009-11-17 16 : 36　　Ming:
有。

2009-11-17 16 : 39　　Ming :
还有两本书，一本书是绿色的，一本是蓝色的。是你的吗？
lǜ　lán

2009-11-17 16 : 44　　Jean DUPONT 说：
绿色的是我的。蓝色的是我姐姐的。

2009-11-17 16 : 50　　Ming :
还有一个红色的笔袋，有三支笔和一块橡皮。这也是你们的东西吗？
bǐdài　xiàngpí

2009-11-17 16 : 59　　Jean DUPONT 说：
我问问。
wènwèn
☺ 是！红笔袋是我妹妹的。

4. **Lisez** le mail de la correspondante taïwanaise d'Anne et **complétez** la fiche d'information du frère de Wáng Lín. → **Cahier**

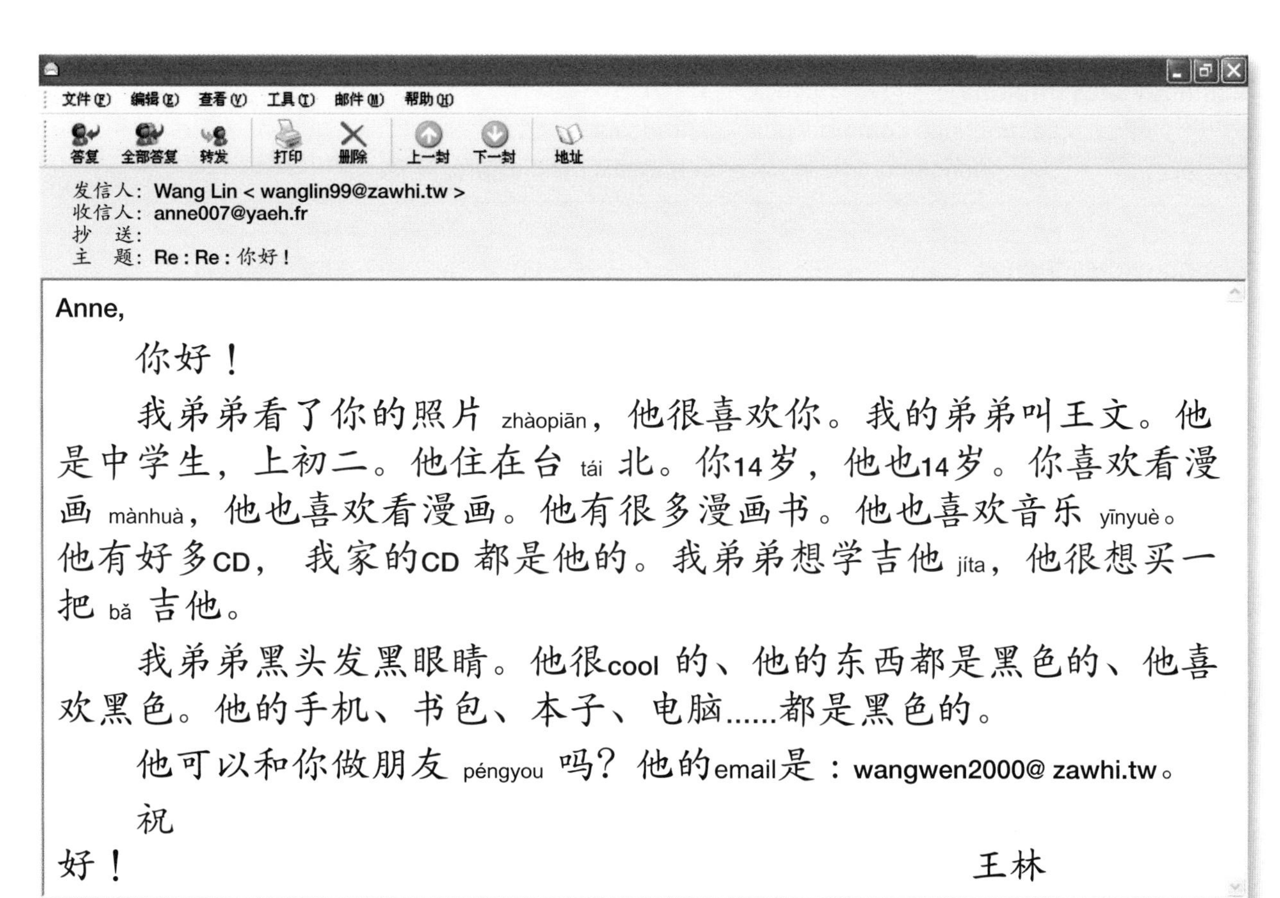

文件(F) 编辑(E) 查看(V) 工具(T) 邮件(M) 帮助(H)

答复 全部答复 转发 打印 删除 上一封 下一封 地址

发信人: Wang Lin <wanglin99@zawhi.tw>
收信人: anne007@yaeh.fr
抄 送:
主 题: Re : Re : 你好 !

Anne,

你好！

我弟弟看了你的照片 zhàopiān，他很喜欢你。我的弟弟叫王文。他是中学生，上初二。他住在台 tái 北。你14岁，他也14岁。你喜欢看漫画 mànhuà，他也喜欢看漫画。他有很多漫画书。他也喜欢音乐 yīnyuè。他有好多CD，我家的CD 都是他的。我弟弟想学吉他 jíta，他很想买一把 bǎ 吉他。

我弟弟黑头发黑眼睛。他很cool 的、他的东西都是黑色的、他喜欢黑色。他的手机、书包、本子、电脑……都是黑色的。

他可以和你做朋友 péngyou 吗？他的email是：wangwen2000@ zawhi.tw。

祝

好！

王林

姓名 Nom : 王文

性别 F/M : 男

现在城市 Ville :

年龄 Âge :

教育背景 Éducation :

联系方式 Coordonnées :

爱好 Goûts :

喜欢的书 :

该你了

À votre tour d'écrire un petit texte vous concernant.

工具箱 ATELIER DE PRONONCIATION

Les nouvelles initiales

bāo se prononce comme « **p**as » en français → 包
pí se prononce comme le « p » du français mais aspiré → 皮

Les nouvelles finales

diàn se prononce /i-ène/ → 电
liǎng se prononce « i » suivi du son « **ang**lais » → 两
yīn se prononce comme « m**ine** » → 因
jìng se prononce comme « park**ing** » → 镜
guì se prononce /ou-é/ → 贵
jiù se prononce /i-o-ou/ → 旧

⚠ Attention

- Après les initiales « b » et « p », la finale « uo » (comme guó 国) est notée simplement « o ».

Lisez à voix haute

Lisez les phrases à voix haute et **vérifiez** votre prononciation avec le CD.

1. Wǒ pà míngtiān bù néng lǐng nǐ lái chī liángmiàn.
   我怕明天不能领你来吃凉面。
2. Tā piānpiān diūle wǒ niáng gěi wǒ de yùzhuì.
   他偏偏丢了我娘给我的玉坠。
3. Páng lǎoshī shì wǒmen de guìbīn, yīdìng yào hǎohāo duìdài tā.
   庞老师是我们的贵宾，一定要好好对待他。

工具箱 ATELIER D'ÉCRITURE

Vous les reconnaissez déjà, vous devez maintenant savoir les écrire :

几	voir leçon 3	你有几支笔?
本	voir leçon 2	老师有四本书。
电	voir leçon 2	我的手机没电！
白	voir leçon 3	我喜欢白色！

红	voir leçon 3	白太太喜欢红色。
和	voir leçon 3	我有两支笔和一个电脑。
很	voir leçon 3	中国很大。
哪	voir leçon 2	你想买哪个?

Apprenez à les écrire :

graphie	pinyin	français	aide	exemple
的	*de*	particule de détermination	白 + 勺 cuiller	这是我的书，不是你的！

这	*zhè*	ceci	文 *wén* écrit + 辶 marche rapide	这是我！
那	*nà*	cela	(Attention ce n'est pas la lune !) + 阝	那不是他的手机。
都	*dōu*	tout, tous	耂 vieillesse + 日 + 阝	我们都有MP3，不贵！

Apprenez à les reconnaître :

graphie	pinyin	français	aide	exemple
买	*mǎi*	acheter	乛 + 头	你为什么不想买手机？
想	*xiǎng*	souhaiter, penser + v.	心 *xīn* cœur + 木 *mù* bois + 目	他想买手机，可是太贵。
书	*shū*	livre	書 main tenant un pinceau en train d'écrire	这本法文书，老师有。
可	*kě*	pouvoir	une bouche et un souffle	妈妈，我可以买手机吗？
以	*yǐ*	grâce à	deux traits et 人	你不可以买！太贵！
贵	*guì*	être cher	中 + 一 + 贝 *bèi* coquillage	这支笔贵，那支不贵。
百	*bǎi*	cent, centaine	白 et le chiffre 一 au dessus	书和笔是一百一十三块。
千	*qiān*	mille, millier	un trait lancé vers la gauche + le chiffre 十	四千六百块多不多？
东	*dōng*	est	東 le soleil 日 se levant derrière un arbre 木	你喜欢这个东西吗？
西	*xī*	ouest	un oiseau regagnant son nid	这个东西太贵了！
脑	*nǎo*	cerveau	月 et un El.Ph.	爷爷也喜欢玩电脑。
手	*shǒu*	main	une main et ses doigts	我的手机很好，你的呢？
机	*jī*	machine	木 + 几 El.Ph	我姐姐也没有手机。
包	*bāo*	envelopper, paquet, cl. du paquet	勹 + 巳	小孩子想买那个红书包。
笔	*bǐ*	crayon, stylo	竹 *zhú* bambou + 毛 *máo* poil	我很喜欢你的红笔。
块	*kuài*	cl. des morceaux, de la monnaie	土 + 夬 *guài* El.Ph.	电脑五千六百九十七块。
还	*hái*	encore	不 + 辶	我还有三本书。
因	*yīn*	因为	口 + 大	我买这个手机，因为很好！
为	*wèi*	因为	力 *lì* force + deux points	我想买这个书包，因为不贵。
表	*biǎo*	montre ; tableau	土 + 衣 vêtement	妈妈买手表和手机。
吧	*ba*	particule finale	口 + 巴 *bā* El. Ph.	我们去买东西吧！

工具箱 GRAMMAIRE

Ceci, cela

这	是	手机。		*Ceci est un téléphone portable.*
那	是	笔。		*Cela est un stylo.*
démonstratif	**être**	**nom**		

我喜欢	这	本	书。		*J'aime ce livre.*
	那	个	MP 3	很小。	*Ce MP3 est petit.*
	démonstratif	**classificateur**	**nom**		

手机	是	谁	的?		*À qui est le téléphone portable ?*
nom	**être**	**qui**	**particule**		
手机	是	孙文	的。		*C'est celui de Sun Wen.*
这	是	我哥哥	的	(手机)。	*C'est celui de mon grand frère.*
nom	**être**	**nom**	**particule**		

… et encore…

孙和贵	有	一把尺,	还	有	两块橡皮。	*Sun Hegui a une règle et a aussi deux gommes.*
她	买	书,	还	买	笔。	*Elle achète un livre et achète aussi un stylo.*
sujet	**verbe**	**nom**	**et encore**	**verbe**	**nom**	

Proposer

你想去哪儿?	我们回家	吧!	*Où veux-tu aller ? Rentrons à la maison !*
	phrase	**particule**	

* La particule finale 吧 sert à atténuer le ton d'une demande, d'un ordre ou d'une proposition.

Vouloir

我	(很)	想	买	MP 3。	*Je veux acheter un lecteur MP3.*
sujet	(très)	vouloir	verbe	nom	

* Les verbes modaux précèdent toujours un autre verbe.

Pourquoi ? Parce que…

你	为什么	想买 *MP 3*。	*Pourquoi veux-tu acheter un lecteur MP3 ?*
sujet	**pourquoi**	**proposition**	
	因为	我喜欢听音乐。	*Parce que j'aime écoute de la musique.*
	parce que	**proposition**	

Tous, tout

我们	都	有	手机。	*Nous avons tous un téléphone portable.*
他们	都	买	MP 3。	*Ils achètent tous un lecteur MP3.*
Sujet pluriel	**tous**	**verbe**		

工具箱 LEXIQUE

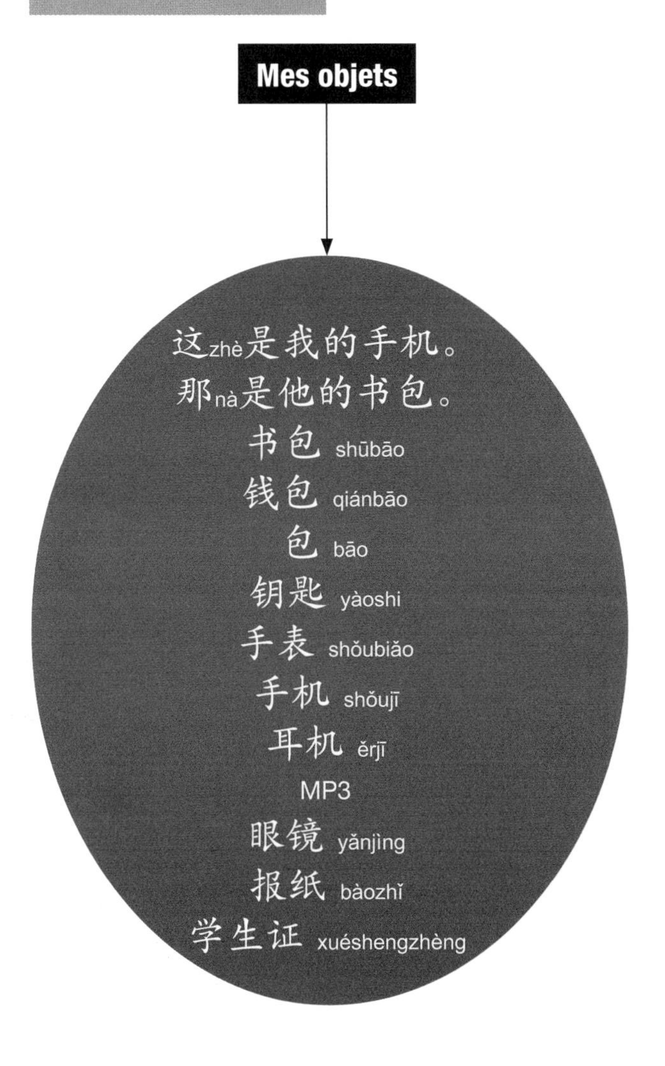

Les fournitures scolaires

一支 zhī 笔 bǐ
一支铅笔 qiānbǐ
一支钢笔 gāngbǐ
一块 kuài 橡皮 xiàngpí
一个书包 shūbāo
一本 běn 本子 běnzi
一把 bǎ 尺 chǐ
一把剪刀 jiǎndāo
一本 书 shū
一个笔袋 bǐdài

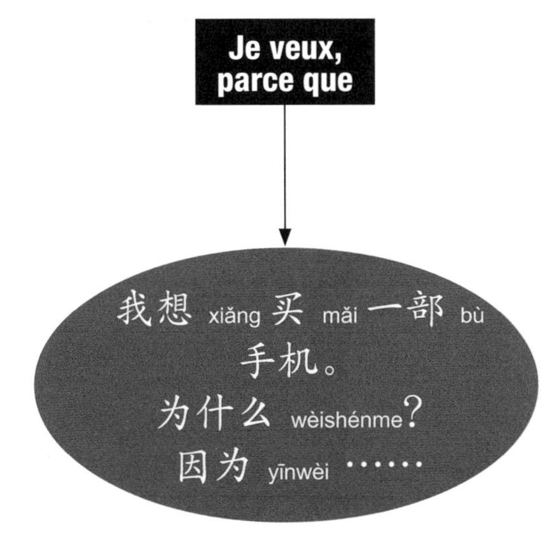

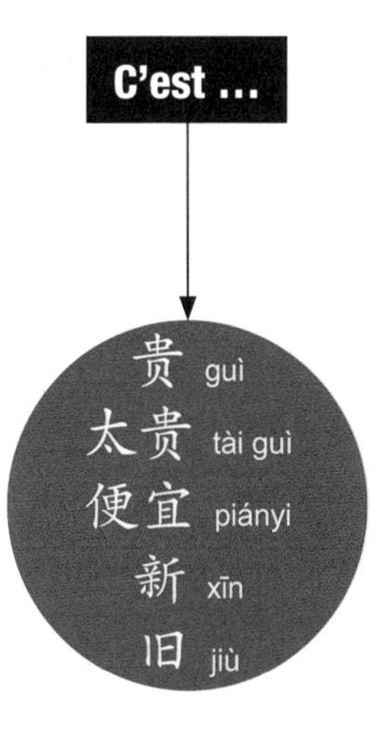

CULTURE

百宝箱

中国人的家 La famille chinoise — hier et aujourd'hui

▲

La famille traditionnelle chinoise regroupait une grande partie des membres de la branche paternelle sous un même toit (plusieurs dizaines de personnes, pour les familles aisées).

伯母 bómǔ ♥ 伯伯 bóbo

爸爸 bàba

婶婶 shěnshen ♥ 叔叔 shūshu

姑父 gūfu ♥ 姑姑 gūgu

堂哥 tánggē

堂姐 tángjiě

堂弟 tángdì

堂妹 tángmèi

En 1979, le gouvernement chinois a lancé la politique de l'enfant unique 独 (dú) 生子女 afin de limiter la croissance de la population. Cette directive est appliquée dans les villes où la grande majorité des couples sont obligés de la respecter, sous peine d'amende et de difficultés à scolariser leur enfant.

▼

▶

À la campagne, il en va autrement, les paysans mettent encore au monde 三、四个孩子. La préférence pour les 儿子 découle avant tout du fait que la couverture sociale et le système de retraite n'y existent pratiquement pas. Après son mariage, la 女儿 entre dans la famille de son époux et ne s'occupe plus de ses propres parents.

> Comment appelleriez-vous : votre oncle maternel, votre cousine aînée du côté maternel, votre tante paternelle, votre oncle paternel (l'aîné) ?

- Quel est votre lien de parenté avec votre 表弟, 堂哥, 姨妈, 姑父?
- À votre avis, qui sont 爷爷、奶奶 et 姥姥、姥爷?

Comment je nomme les membres de ma famille

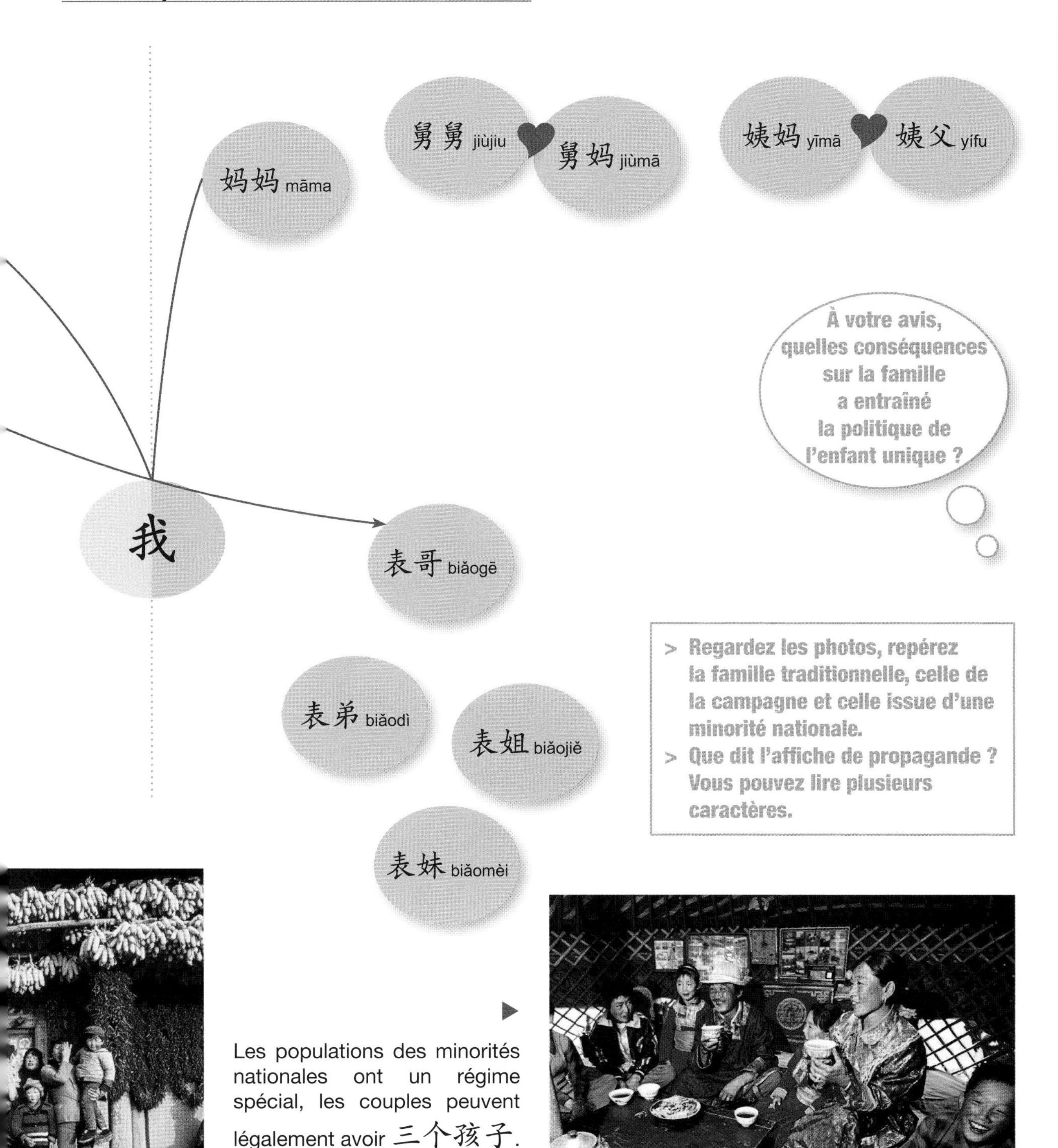

À votre avis, quelles conséquences sur la famille a entraîné la politique de l'enfant unique ?

> Regardez les photos, repérez la famille traditionnelle, celle de la campagne et celle issue d'une minorité nationale.
> Que dit l'affiche de propagande ? Vous pouvez lire plusieurs caractères.

▶ Les populations des minorités nationales ont un régime spécial, les couples peuvent légalement avoir 三个孩子.

JE PEUX...

- comprendre quelques consignes de classe.
- comprendre des questions simples sur ma famille et les objets qui m'entourent.
- comprendre globalement la discussion entre une mère et sa fille sur l'achat éventuel d'un nouveau portable.
- repérer le ton neutre.
- repérer des initiales chinoises décalées par rapport à celles du français, comme b/p, d/t.

- présenter brièvement ma famille en nommant ses différents membres.
- décrire brièvement le visage de quelqu'un.
- parler des objets que je possède.
- énoncer quelques couleurs.

- échanger sur la famille avec mon interlocuteur.
- échanger sur des objets de mon entourage.
- demander à quelqu'un si un objet lui appartient.

- repérer 20 nouveaux éléments composants, parmi lesquels je peux distinguer quelques éléments phonétiques.
- reconnaître et lire à haute voix 100 caractères.
- lire quelques informations concernant quelqu'un et sa famille.

- écrire 53 caractères.
- copier les phrases que je connais.
- faire une dictée des caractères que j'ai appris.
- écrire un court texte sur moi et mon entourage.
- écrire en pinyin les mots du module que j'entends et que je dis mais dont les caractères me sont encore inconnus.

这是我 Mon portrait en chinois (2)

Vous pouvez compléter maintenant votre portrait en évoquant votre famille et les objets de votre entourage.

D'abord…

Vous choisissez des photos de membres de votre famille ou faites des dessins.

Ensuite…

Vous les décrivez aussi complètement que vous pouvez.

这是我家 Ma famille

A présent…

Vous pouvez rédiger les informations manquantes sur ce que vous possédez et éventuellement coller une photo de votre objet préféré.

这是我的东西 J'ai, je possède

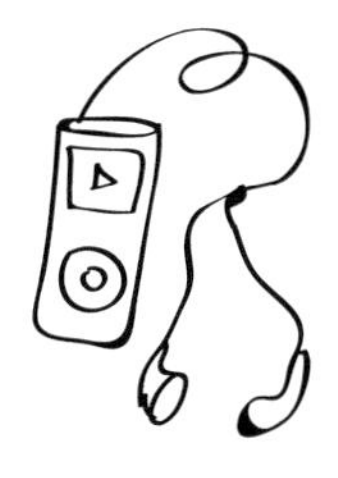

第五课　我的一天
第六课　学校生活

Mon contrat d'apprentissage

Pour…

- échanger sur les jours de la semaine, les moments de la journée et les activités respectives,
- proposer un rendez-vous à un ami,
- dire l'heure et organiser mon agenda,
- échanger des informations sur un emploi du temps,
- commenter un bulletin scolaire,

… j'apprends :

les jours de la semaine et les moments de la journée, demander et dire l'heure, les activités quotidiennes, le verbe-objet, situer dans le temps, les interrogatifs 什么时候？ et 星期几？ le résultatif 完 et l'enchaînement de deux actions, le nom des cours, 每, quelques adjectifs verbaux, les adverbes 太 et 最, la notation, les qualificatifs de la notation, le complément de degré.

Mes stratégies

	Pour mieux comprendre un enregistrement, j'apprends à laisser de côté certains mots inconnus. Je dois m'en passer pour l'instant et m'y attarderai plus tard.
	Pour poser une question, j'applique le même ordre des mots de la phrase que dans une phrase affirmative.
	Je lis régulièrement à voix haute.
	Lorsque j'ai oublié l'ordre des traits d'un caractère, je prends le temps de le réviser et de l'écrire à nouveau.

上学去
一号线往奥体中心
Line one to Olympic Stadium

第五课 我的一天

ORAL 星期三下午做什么？

xīngqīsān xiàwǔ zuò

1. > **Écoutez et répétez** ce que vous entendez.

星期一 xīngqīyī	星期二 xīngqī'èr	星期三 xīngqīsān	星期四 xīngqīsì	星期五 xīngqīwǔ	星期六 xīngqīliù	星期天 xīngqītiān

> **Écoutez et notez** quel(s) jour(s) les personnages pratiquent leurs activités. → **Cahier**

2. > **Écoutez et répétez** ce que vous entendez.

> **Écoutez** le reportage sur la vie du sumo. **Dites** ce qu'il fait aux différents moments de la journée. → **Cahier**

A.

做运动
yùndòng

B.

C.

吃东西
chī dōngxi

D.

E.

F.

睡觉
shuìjiào

该你了

Faites une enquête dans la classe : quand vos camarades pratiquent-ils leurs activités ?

ORAL 几点吃饭？
Jǐ diǎn chīfàn ?

3. > **Écoutez et répétez** ce que vous entendez.
> **Écoutez et notez** les heures que vous entendez. → **Cahier**

八点
diǎn

十点十五分
diǎn fēn
十点一刻
diǎn kè

十一点三十分
diǎn fēn
十一点半
diǎn bàn

两点四十五分
三点差一刻
chà kè

五点五十五分
六点差五分
chà

4. > **Écoutez et répétez** ce que vous entendez.
> **Écoutez et trouvez** les activités que vous entendez.
> **Écoutez** encore une fois et **dites** à quelle heure les activités se déroulent. → **Cahier**

A.

起床
qǐchuáng

B.
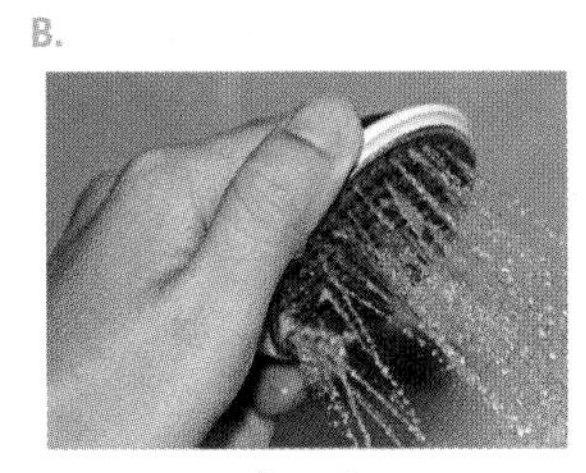

洗澡
xǐzǎo

C.

吃早饭
chī zǎofàn

D.

吃午饭
chī wǔfàn

E.

上课
shàngkè

F.

下课
xiàkè

G.

做作业
zuò zuòyè

H.
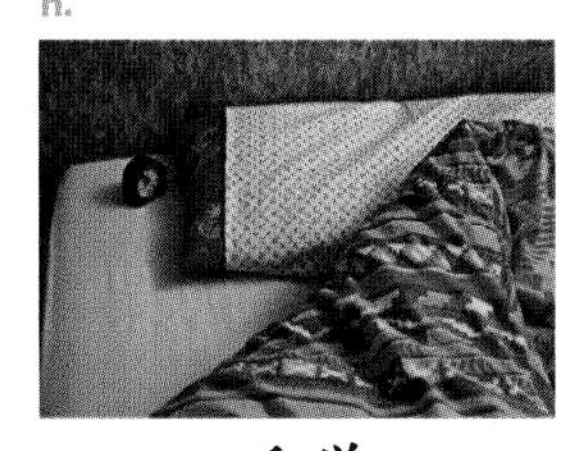

睡觉
shuìjiào

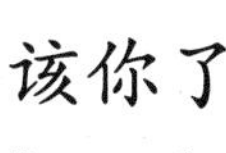

该你了

Posez des questions à votre voisin sur ses activités quotidiennes.

什么时候有空?
shíhou kòng

5. > **Écoutez et répétez** ce que vous entendez.

星期几 xīngqī 几点 diǎn 什么时候 shíhou

> **Écoutez** la question et **choisissez** la bonne réponse.
> **Écoutez** la réponse et **dites** la question correspondante.

6. > **Écoutez et répétez** ce que vous entendez.

> **Écoutez** les messages sur le répondeur et **dites** :
Quel jour et quand chaque élève est libre ?
Quelles sont les activités proposées ? → **Cahier**
> À présent, **écoutez** la conversation téléphonique et **dites** quelle est la décision finale. → **Cahier**

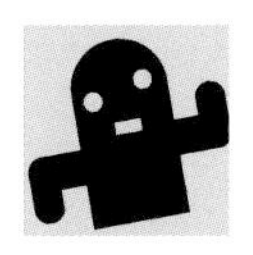

该你了

Laissez un message sur la boîte vocale d'un de vos camarades : proposez-lui un rendez-vous pour une sortie.

漫画 UNE JOURNÉE DÉCALÉE

À vous de raconter une journée décalée.

ÉCRIT

1. Associez les mots chinois aux mots français.

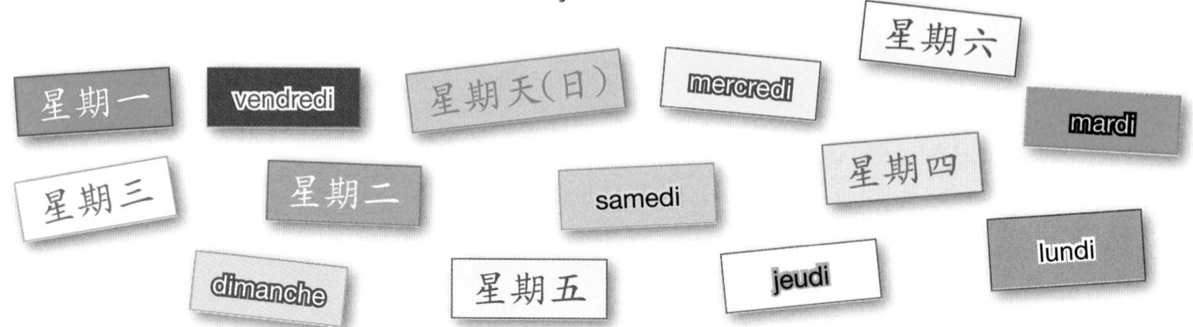

2. Lisez et dites de quel moment de la journée il s'agit.

一 刘洋你夜里想不想出去玩儿？ (yèlǐ)

二 – 你什么时候做作业？ (yè)

– 下午做作业，你呢？

三 马双春和王小丽中午十一点半一起吃午饭。 (Shuāngchūn, lì)

四 刘洋星期三早上七点起床，因为他八点上课。 (chuáng)

五 张一林星期六晚上喜欢玩电脑。 (lín)

六 王小丽星期四上午十点上汉语课。 (hànyǔ)

3. Associez chaque heure à une horloge. 现在几点？ → Cahier

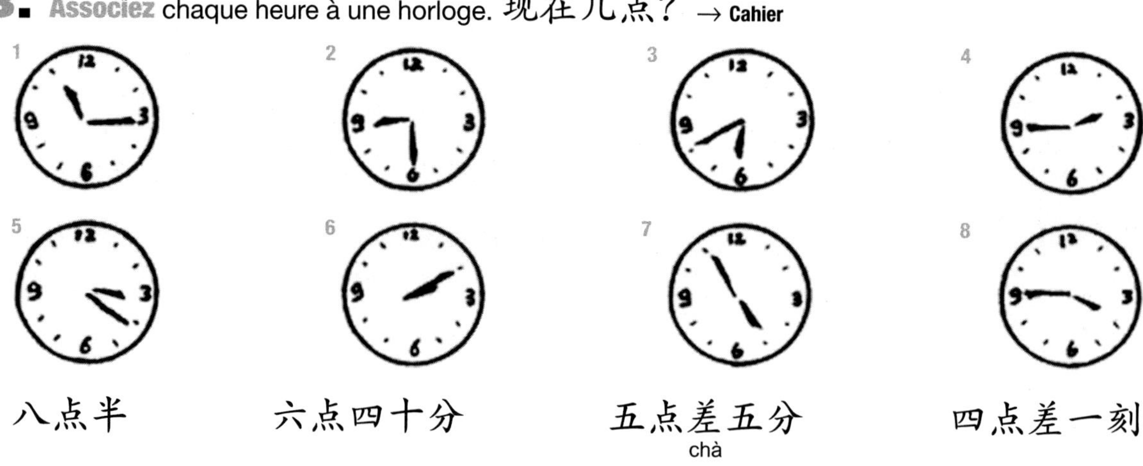

八点半　　六点四十分　　五点差五分 (chà)　　四点差一刻

十一点一刻　　两点三刻　　三点二十二分　　两点十分

4. **Rétablissez la chronologie** de la journée de 王小丽. → **Cahier**

A.	早上七点半	一	做作业 (yè)
B.	中午十一点半	二	起床 (chuáng)
C.	晚上八点四十五	三	睡觉 (shuìjiào)
D.	下午四点五十	四	吃午饭
E.	早上七点	五	下课
F.	晚上十二点	六	吃早饭

5. **Lisez** l'agenda de 王星 et **dites** ce qu'il prévoit pour cette fin de semaine. → **Cahier**

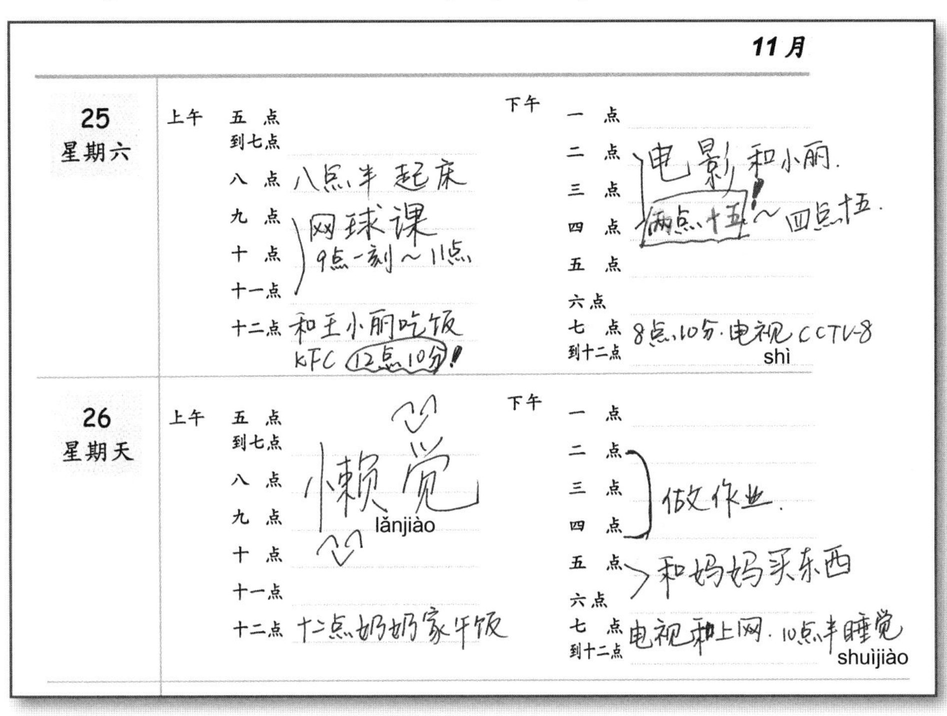

他星期六上午几点起床？

他星期天上午做什么？ 为什么？

星期六中午他和谁吃饭？

他什么时候做作业？

他星期六几点去看电影 (yǐng)？

他星期六晚上做什么？

他星期天下午五点以后有空吗？为什么？

该你了

Fabriquez votre propre agenda sur une semaine.

工具箱 ATELIER DE PRONONCIATION

Les nouvelles initiales

xīng se prononce comme le « s » du français avec la langue plus en arrière sur le palais → 星

jǐ se prononce comme le « x » du pinyin précédé par un « t » → 几

qī se prononce comme le « j » du pinyin précédé par un « t » aspiré → 期

Les nouvelles finales

huān se prononce /ou-anne/ → 欢

chuáng se prononce « ou » suivi de « **ang**lais » → 床

dòng se prononce comme dans « **ong**le » → 动

tiào se prononce /i-a-o/ → 跳

tóu se prononce /o-ou/→ 头

 **Attention**

- La finale « u » se prononce soit « v**ous** » : wu, mu, nu..., soit « v**u**e » : ju, qu, xu et yu.
- La finale « un » se prononce « **une** » dans : jun, qun, xun et yun.
- La finale « uan » se prononce soit /ou-anne/ : duan, huan, zhuan..., soit /u-ène/ dans juan, quan, xuan et yuan.

Lisez à voix haute

Lisez les phrases à voix haute et **vérifiez** votre prononciation avec le CD.

1. Zhège kuànggōng kuàngle gōng, kuàngzhǎng bù róngxǔ tā huí gōngchǎng.
   这个矿工旷了工，矿长不容许他回工厂。
2. Zhàoxiàng shì tā de qiángxiàng, yī ge zhōngtóu néng pāi hǎo jǐ juǎn.
   照相是他的强项，一个钟头能拍好几卷。
3. Wǒ de jiāxiāng lí Liáodōng Bàndǎo bǐjiào yuǎn. 我的家乡离辽东半岛比较远。

工具箱 ATELIER D'ÉCRITURE

Vous les reconnaissez déjà, vous devez maintenant savoir les écrire :

上	voir leçon 2	我们八点半上课。
以	voir leçon 4	你以后想做什么？
学	voir leçon 3	学生们五点下课。

书	voir leçon 4	学生们有很多书。
看	voir leçon 2	你喜欢看书吗？
生	voir leçon 3	明天是王一名的生日。

Apprenez à les écrire :

graphie	pinyin	français	aide	exemple
去	qù	aller	土 + 厶	你几点去上课？

下	*xià*	sous, descendre	一 figure l'horizon et deux lignes symboliques en dessous	你们下课以后做什么？
午	*wǔ*	midi	représentation d'une perche	学生们下午上不上课？
半	*bàn*	moitié	丷 et 二 divisés en deux en leur milieu	爸妈喜欢晚上十点半看电视。
早	*zǎo*	tôt	日 + 十	早上吃早饭。
做	*zuò*	faire	亻+ 古 *gǔ* ancien (十 + 口) + 攵 main tenant un bâton	你星期天喜欢做什么？
作	*zuò*	faire	亻+ 乍 encolure	中国的学生有很多作业。
完	*wán*	finir	宀 + 元	我们上完课吃午饭。
给	*gěi*	préposition d'attribution ; donner	纟+ 八 + 一 + 口 (合)	你明天给我打电话，好吗？

Apprenez à les reconnaître :

graphie	pinyin	français	aide	exemple
时	*shí*	moment	日 + 寸 *cùn* pouce	我们有时打篮球，有时打网球。
候	*hòu*	temps	亻+ 丨+ deux trais + 矢 flèche	你们什么时候上课？
现	*xiàn*	présent, actuel	王 + 见 *jiàn* El.Ph., vision	现在九点二十分。
星	*xīng*	étoile	日 + 生	你星期二做什么？
期	*qī*	période	月 + 其 *qí* tamis El. Ph.	我星期二打篮球。
晚	*wǎn*	tard	日 + 免 *miǎn* ne pas avoir	晚上吃晚饭。
点	*diǎn*	heure, "o'clock"	占 prédiction + 灬 feu	两点半，去上课！
分	*fēn*	minute ; diviser	八 + 刀 *dāo* couteau	两点三刻没有空，三点十分有空。
后	*hòu*	après, derrière	3 traits + 口	吃饭以后去买东西吧！
课	*kè*	cours	讠+ 果 *guǒ* fruit (日 + 木)	我们星期天不上课。
起	*qǐ*	se lever	走 *zǒu* marche + 己 El. Ph.	老师几点起床？
天	*tiān*	ciel ; jour	大 et 一 figurant le ciel au dessus	我明天不去上课。
出	*chū*	sortir	deux 山 l'un au dessus de l'autre	星期六可不可以出去玩？
事	*shì*	affaire, événement	一 + 口 + ヨ + 亅 une main tenant un étui à tablettes d'écri-ture	明天没有事，可以出去玩儿。
吃	*chī*	manger	口 + 乞 *qǐ* El. Ph.	我很想吃中国饭，你呢？
饭	*fàn*	riz cuit	饣 nourriture + 反 *fǎn* opposition El. Ph.	中午吃午饭。
刻	*kè*	un quart d'heure	亥 El. Ph. + 刂	老师两点三刻有空吗？

工具箱 GRAMMAIRE

Dire l'heure

现在	几	点?		Quelle heure est-il maintenant ?
maintenant	**combien**	**heure**		
现在	七	点。		*Il est 7 heures.*
现在	八	点	十分。	*Il est 8 heures 10.*
现在	九	点	一刻。	*Il est 9 heures et quart.*
现在	十	点	半。	*Il est 10 heures et demie.*
现在	十一	点	差五分。 chà	*Il est 11 heures moins 5.*
maintenant	**chiffre**	**heure**	**minute**	

Quand ?

马星	星期	几	打	网球?	*Quel jour Ma Xing joue-t-il au tennis ?*
sujet	**semaine**	**combien**	**verbe**	**nom**	
他	星期	六	打	网球。	*Il joue au tennis le samedi.*
sujet	**semaine**	**jour**	**verbe**	**nom**	

你们	什么时候			上	课?	*Quand avez-vous cours ?*
sujet	**quand**			**verbe**	**nom**	
我们	星期一			上	课。	*Nous avons cours lundi.*
我们		早上		上	课。	*Nous avons cours le matin.*
我们			八点	上	课。	*Nous avons cours à 8 heures.*
我	星期天	上午	十一点	起	床。	*Je me lève à 11 heures du matin le dimanche.*
sujet	**jour**	**moment**	**heure**	**verbe**	**nom**	

* Le temps est exprimé du plus grand au plus petit.

Après

他	吃完	晚饭	以后	有	事儿。	*Il sera occupé après le dîner.*
孙分	买完	东西	以后	有	空 kòng。	*Sun Fen sera libre après avoir fait les courses.*
sujet	**verbe-finir**	**nom**	**après**	**avoir**	**nom**	

À

我	给	马星	打	电话 huà。	*Je téléphone à Ma Xing.*
sujet	**à**	**qqn**	**verbe**		

* Le groupe prépositionnel est toujours placé avant le verbe.

工具箱 LEXIQUE

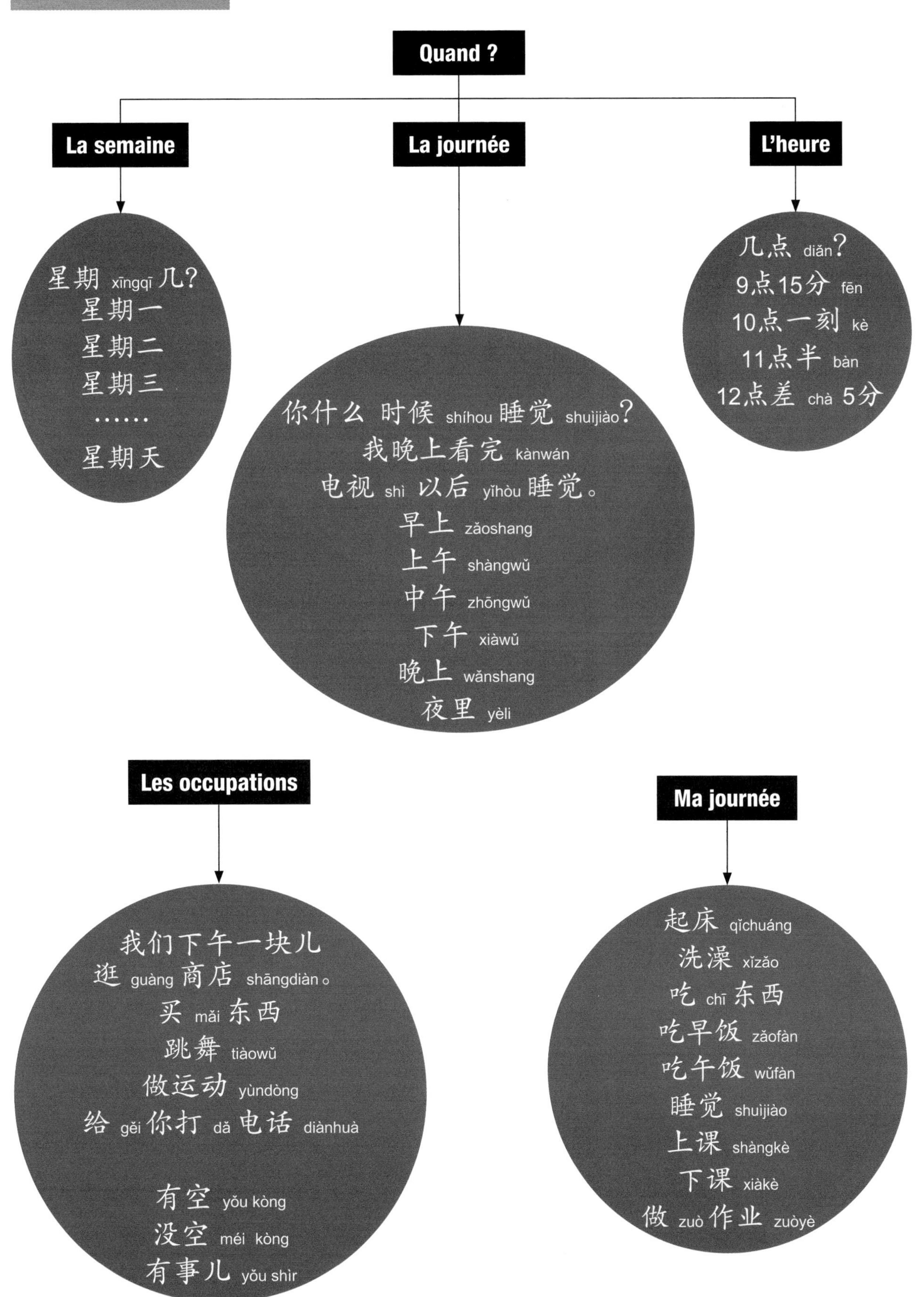
Quand ?
La semaine
La journée
L'heure
星期 xīngqī 几?
星期一
星期二
星期三
……
星期天
你什么时候 shíhou 睡觉 shuìjiào?
我晚上看完 kànwán
电视 shì 以后 yǐhòu 睡觉。
早上 zǎoshang
上午 shàngwǔ
中午 zhōngwǔ
下午 xiàwǔ
晚上 wǎnshang
夜里 yèli
几点 diǎn?
9点15分 fēn
10点一刻 kè
11点半 bàn
12点差 chà 5分
Les occupations
我们下午一块儿
逛 guàng 商店 shāngdiàn。
买 mǎi 东西
跳舞 tiàowǔ
做运动 yùndòng
给 gěi 你打 dǎ 电话 diànhuà
有空 yǒu kòng
没空 méi kòng
有事儿 yǒu shìr
Ma journée
起床 qǐchuáng
洗澡 xǐzǎo
吃 chī 东西
吃早饭 zǎofàn
吃午饭 wǔfàn
睡觉 shuìjiào
上课 shàngkè
下课 xiàkè
做 zuò 作业 zuòyè

第六课 学校生活

ORAL 什么课?

1. > **Écoutez et répétez** ce que vous entendez.

语文课
yǔwén

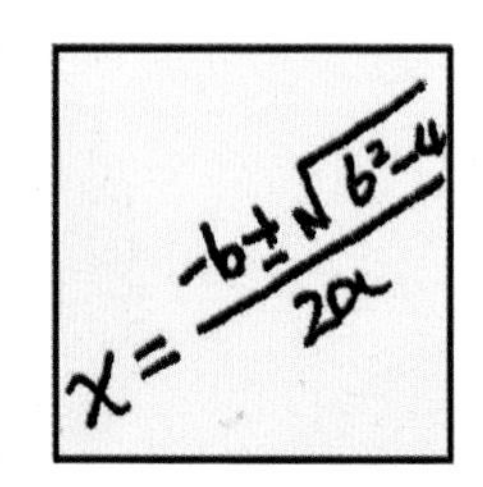

数学课
shùxué

历史课
lìshǐ

体育课
tǐyù

法语课
fǎyǔ

化学课
huàxué

英语课
yīngyǔ

物理课
wùlǐ

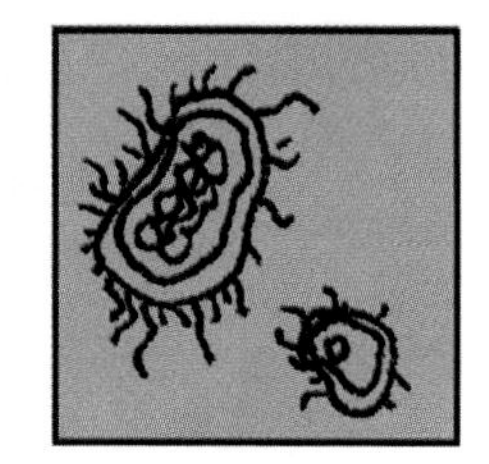

生物课
shēngwù

地理课
dìlǐ

> **Écoutez et trouvez** dans l'emploi du temps le jour dont les élèves parlent.

> Madame 白 vient annoncer à la classe des changements dans l'emploi du temps, **trouvez-les**. → **Cahier**

高一 (3) 班课表			星期一	星期二	星期三	星期四	星期五
上午	8:05 - 8:45	第 dì 一节 jié	fǎyǔ	yīngyǔ	shùxué	fǎyǔ	shùxué
	8:55 - 9:35	第二节	shùxué	shùxué	yǔwén	shùxué	yǔwén
	9:45 - 10:25	第三节	yīngyǔ	yǔwén	fǎyǔ	yīngyǔ	huàxué
	10:25 - 10:50	课间操					
	10:50 - 11:30	第四节	yǔwén	dìlǐ	wùlǐ	shēngwù	lìshǐ
	11:30 - 13:30	午饭 和 午休					
下午	13:30 - 14:10	第五节	wùlǐ	shēngwù	lìshǐ	dìlǐ	fǎyǔ
	14:20 - 15:00	第六节	tǐyù	yīnyuè	huàxué	tǐyù	shēngwù
	15:10 - 15:50	第七节					
	16:00 - 16:40	第八节					

ORAL 喜欢什么课?

2. > **Écoutez et répétez** ce que vous entendez.

> **Écoutez** la conversation et **dites** quelles sont les matières que Zhāng Shuǐxīn préfère. → **Cahier**

> **Écoutez** encore une fois : **dites** quelles sont les raisons pour lesquelles elle aime ces matières ? → **Cahier**

棒 bàng
漂亮 piàoliang
帅 shuài
酷 kù
凶 xiōng
有意思 yǒu yìsi
无聊 wúliáo
讨厌 tǎoyàn
听不懂 tīng bù dǒng

3. > **Écoutez et mettez** les images dans l'ordre.

> **Écoutez** encore une fois et **répondez** aux questions :

- Qu'arrive-t-il à Liú Yáng ?
- A-t-il fait ses devoirs ? Pourquoi ?

A.

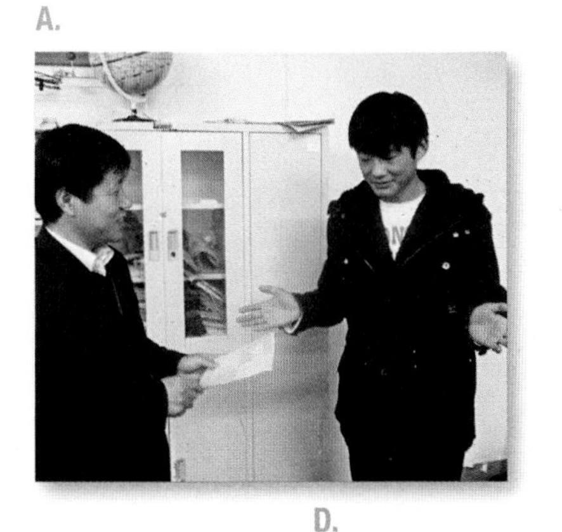

B.

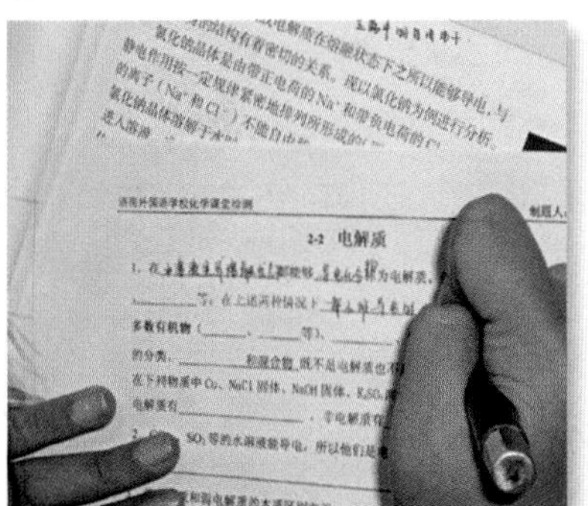

C.

D.

E.

该你了！

Quelle est votre journée de classe préférée ? Décrivez-la et dites pourquoi.

ORAL

考得怎么样?
Kǎo de zěnmeyàng ?

4. > **Écoutez et répétez** ce que vous entendez.

100分	95	90	85	80	75	70	65	60	55

很好 · 不错 (búcuò) · 还可以 (hái kěyǐ) · 马马虎虎 (mǎmǎhūhū) · 不太好 · 不好

> **Écoutez** la conversation entre Liú Yáng et Zhāng Yīlín, **retrouvez** le bulletin de chacun d'eux.
> **Écoutez** encore une fois : que disent-ils à propos de leur bulletin de notes ? → **Cahier**

成绩单

班级：高一 (3) 班

姓名：

yǔwén	88
shùxué	60
yīngyǔ	92
fǎyǔ	89
lìshǐ	76
dìlǐ	74
huàxué	73

成绩单

班级：高一 (3) 班

姓名：

yǔwén	80
shùxué	60
yīngyǔ	96
fǎyǔ	92
lìshǐ	72
dìlǐ	78
huàxué	82

成绩单

班级：高一 (3) 班

姓名：

yǔwén	79
shùxué	94
yīngyǔ	82
fǎyǔ	89
lìshǐ	74
dìlǐ	76
huàxué	60

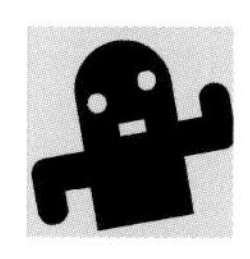

该你了

Commentez les bulletins scolaires ci-dessus.

漫画 « IL PARAÎT QUE… »

À vous de lancer quelques « informations » sur l'école, les cours…

ÉCRIT

1. **Lisez** le texte ci-dessous et **complétez** l'emploi du temps. → **Cahier**

我不喜欢星期二，星期二上午有两节(jié)数(shù)学课，下午有历史(lìshǐ)。历史和数学都很无聊(wúliáo)。我喜欢星期四。星期四上午没有我不喜欢的课。有语文，英(yīng)语，生物(wù)和法语。星期四下午有音乐(yīnyuè)课，有体育(tǐyù)课，可以打篮(lán)球。

		星期一	星期二	星期三	星期四	星期五
8:20 - 9:00	第一节	法语	英语	数学	语文	数学
9:10 - 9:50	第二节		法语			语文
10:00 - 10:40	第三节	数学	数学	语文	英语	
10:50 - 11:30	第四节	语文		化学 (huà)	生物	历史 (lìshǐ)
11:30 - 1:30	午休					
1:30 - 2:10	第五节		生物			
2:20 - 3:00	第六节	体育 (tǐyù)				化学
3:10 - 3:50	第七节	活动				
4:00 - 4:40	第八节	活动				

2. **Associez** une question à une réponse.

一 他中文学得怎么样？

二 你们星期四上午第一节(jié)上什么课？

三 你们星期二下午几点下课？

四 你作业做了吗？

五 你们什么时候考试(kǎoshì)？

六 你姐姐英语考得好吗？

A. 她英语考(kǎo)得很好。

B. 我做了。你呢？

C. 老师说两个星期以后。

D. 他学得还可以。

E. 五点半。

F. 我们上数学课。

3. **Lisez** les bulletins de notes et **dites** quels sont les points forts et les points faibles de chaque élève.

班级：高一(8)班	姓名：李东	学号：0516					
语文	数学 shù	英语 yīng	化学 huà	历史 lìshǐ	生物 wù	地理 dìlǐ	体育 tǐyù
上	中	中上	中下	上	中	中下	上

班级：高一(8)班	姓名：王文星	学号：0514					
语文	数学	英语	化学	历史	生物	地理	体育
中	上	中下	中	下	中下	上	中上

班级：高一(8)班	姓名：张林林	学号：0519					
语文	数学	英语	化学	历史	生物	地理	体育
上	中上	上	中下	中	中上	中	下

4. > **Lisez** ce mail et **notez** les informations concernant la famille de Vincent, l'emploi du temps de l'école et les loisirs. → **Cahier**

> **Expliquez** ce qui étonne Chén Xī.

小月：

我现在在 Rennes，住在法国同学家。他叫 Vincent。他的爸爸妈妈太酷了！我们每天晚上都可以很晚睡觉。
kù shuìjiào

他学习不忙，作业不多。他们每个星期三下午都不上课！每天早上，
yè

我和 Vincent 一起上学，有时八点上课，有时十点，有时上午没有课。可是他们的每节课都很长：五十五分钟！下课以后，我们打篮球，看电影，上网...... 每个星期五、六晚上我们都在朋友家过夜，因为有
yǐng guòyè

派对！
pàiduì

他们这个星期考试了。Vincent 数学考得最好，得了十八分，他语文学得不太好，得了九分。

也祝你考试顺利！

陈西

二月十日

该你了！

Faites votre emploi du temps d'une semaine. → **Cahier**

工具箱 ATELIER DE PRONONCIATION

Les nouvelles initiales

sì se prononce comme en français → 四
cuò se prononce « ts » → 错
zài se prononce « dz » → 在

Les nouvelles finales

huà se prononce /ou-a/ → 化
xué se prononce comme dans « h**uer** » → 学
xià se prononce /i-a/ → 下
xiōng se prononce /i-ong/ → 凶

 Attention

- La finale « ue » est notée « üe » après les initiales « n » et « l ».
- La finale « i » se prononce avec la pointe de la langue vers le palais dans : si, ci et zi, comme dans : zhi, chi, shi et ri.

Lisez à voix haute

Lisez les phrases à voix haute et **vérifiez** votre prononciation avec le CD.

1. Zhège huàjiā yě dǒngde diāosù hé shīcí. 这个画家也懂得雕塑和诗词。
2. Wǒ xiǎoshíhou zài zhège xuéxiào xuéguo huàhuàr.
   我小时候在这个学校学过画画儿。
3. Zìcóng tā sīzì zèngsòngle wǒ de zuòpǐn gěi biérén, wǒ jiù zài bù sòng huàr gěi tā le.
   自从他私自赠送了我的作品给别人，我就再不送画儿给他了。

工具箱 ATELIER D'ÉCRITURE

Vous les reconnaissez déjà, vous devez maintenant savoir les écrire :

星	voir leçon 5	你星期二上什么课？
期	voir leçon 5	我星期二打篮球。
呢	voir leçon 1	我有很多朋友，你呢？

因	voir leçon 5	我晚上出去玩儿因为明天没有课。
为	voir leçon 5	今天不上语文课因为老师不在。
课	voir leçon 5	你们明天几点上课几点下课？

Apprenez à les écrire :

graphie	pinyin	français	aide	exemple
语	*yǔ*	langue	讠+五+口	英语和法语，哪个好学?
了	*le*	achèvement de l'action		你上午上了几节课?
对	*duì*	exact	又 + 寸 *cùn* pouce	老师，我说得对不对?
文	*wén*	écriture, langue, lettres	torse tatoué d'un homme	他是文人。
朋	*péng*	ami	deux 月	我有不少中国朋友。
友	*yǒu*	amitié	une main gauche et une main droite	我的朋友姓王，叫王一林。

Apprenez à les reconnaître :

graphie	pinyin	français	aide	exemple
得	*dé* *de*	obtenir ; complément de degré	彳+日+一+寸	我考得不太好，他考得不错。
同	*tóng*	identique	冂+一+口	我同学叫马月，十六岁。
第	*dì*	préfixe ordinal "N-ième"	竹 *zhú* + 弓 *gōng* arc + un trait vertical et un trait lancé vers la gauche	第一节课、第二节课我都上了！
错	*cuò*	être faux	钅métal + 龷 + 一 + 日	你考得不错，得了十六分。
忙	*máng*	être occupé	忄 cœur debout + 亡 *wáng* disparition El.Ph.	我星期四很忙，你呢?
放	*fàng*	libérer ; laisser, mettre	方 *fāng* espace + 攵	你们什么时候放学?
怎	*zěn*	怎么	乍+心	他中文说得怎么样?
样	*yàng*	manière, façon	木+羊	这样可以吗?
意	*yì*	sens, signification	立+日+心	英语课有没有意思?
思	*sī*	pensée	田+心	法语的语什么意思?
说	*shuō*	dire	讠+兑(丷+口+儿)	老师说明天不上课，他有事。
写	*xiě*	écrire	冖 toit sans point + 与	你看，我写得对不对?
字	*zì*	caractère	宀+子	她字写得很好看！
老	*lǎo*	être âgé	耂+匕	我爷爷很老。
师	*shī*	maître, professeur	couteau + 一 + 巾	我老师叫王小红。
每	*měi*	chaque	deux traits + 母 *mǔ* mère	中国孩子每天学写字。
最	*zuì*	le plus	日 + 耳 oreille + 又	英语课最有意思！

工具箱 GRAMMAIRE

Premier, deuxième…

第	一	本	书。	*Le premier livre.*
第	三	节 jié	课。	*Le troisième cours.*
préfixe ordinal	**chiffre**	**cl.**	**nom**	

Chaque

我们	每		天	都	上	课。	*Nous avons cours chaque jour.*
王月	每	个	星期三	都	有	课。	*Wang Yue a cours chaque mercredi.*
sujet	**chaque**	**(cl.)**	**nom**	**tout**	**verbe**	**nom**	

Le plus

马星	最		喜欢	上	网。	*Ce que Ma Xing aime le plus est d'aller sur Internet.*
sujet	**le plus**		**adorer**	**verbe**	**nom**	
孙文	最	不	喜欢	打	球。	*Ce que Sun Wen déteste le plus, ce sont les jeux de ballon.*
sujet	**le plus**	**nég.**	**adorer**	**verbe**	**nom**	

Changement

同学们，我们上课	了。	*Camarades, le cours commence.*
老师，对不起 duìbuqǐ，我迟到 chídào	了。	*Pardon professeur, je suis en retard.*
phrase	**part. modale**	

* La particule modale (en fin de phrase) 了 exprime qu'un changement vient de se produire.

Trop !

他的头发		太	长。		*Ses cheveux sont trop longs.*
sujet		**trop**	**adj. verbal**		
马朋	不	太	想买	这本中文书。	*Ma Peng n'a pas trop envie d'acheter ce livre en chinois.*
sujet	**(nég.)**	**trop**	**verbe**	**nom**	

这	本	书	太	贵	了！	*Ce livre est trop cher !*
dém.	**cl.**	**nom**	**trop**	**adj.verbal**	**part. modale**	

* L'adverbe 太 seul exprime un jugement objectif, alors qu'ajouté à la particule 了, il exprime un jugement personnel subjectif.

Comment ?

王月	考 kǎo	得	怎么样？	*Comment Wang Yue a-t-elle réussi son contrôle ?*
你的朋友	学	得	怎么样？	*Comment ton ami étudie-t-il ?*
sujet	**verbe**	**part. struct.**	**comment**	
她	考	得	好。	*Elle a bien réussi son contrôle.*
我的朋友	学	得	不错。	*Mon ami étudie assez bien.*
sujet	**verbe**	**part. struct.**	**adj. verbal**	

* Le complément qui suit la particule structurale 得 donne une appréciation sur le verbe.

工具箱 LEXIQUE

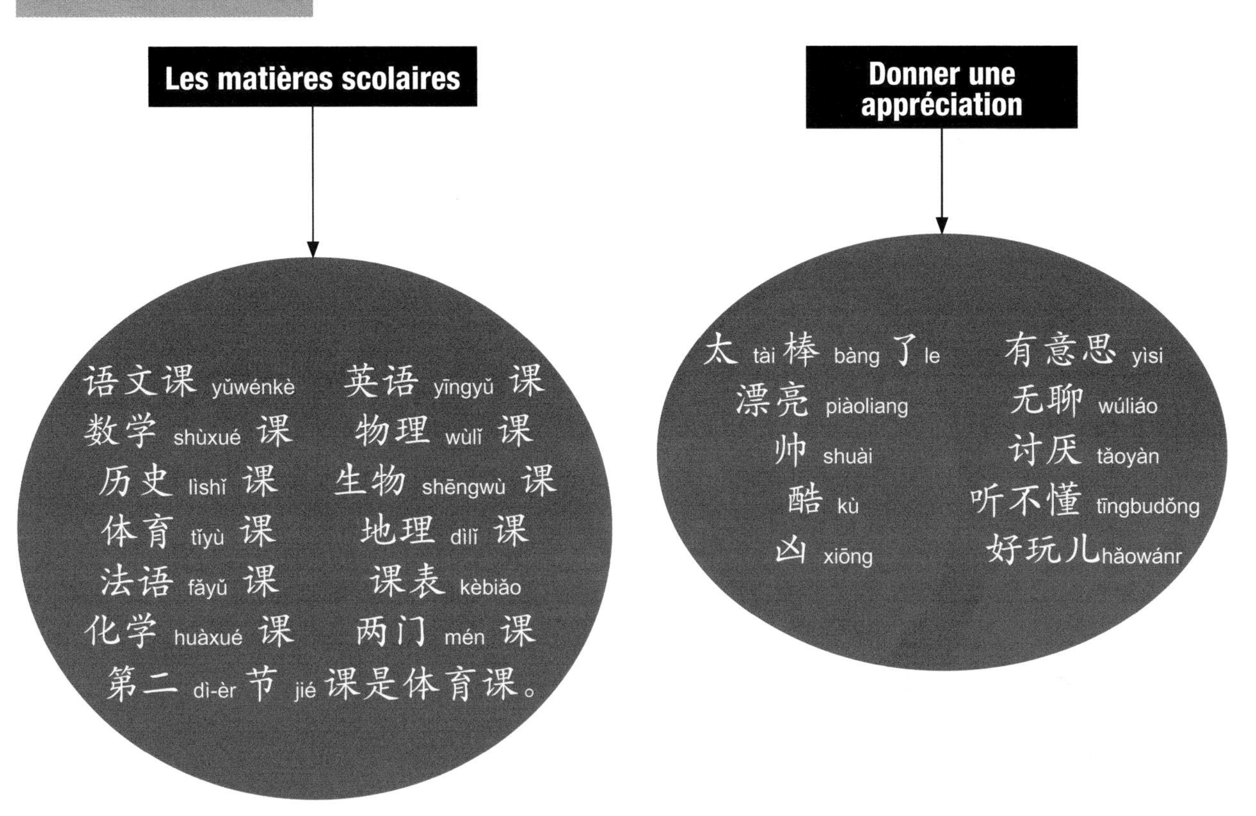

Le cours commence

到 dào 了吗？

没到。

对不起 duìbuqǐ，我迟到 chídào 了。

Commenter les résultats d'un devoir

他学得 de 很好。

你考 kǎo 得怎么样 zěnmeyàng ？

得 dé 了 le 78分 fēn

很好

不错 cuò

还可以

马马虎虎 mǎmahūhū

不太好

不好

考试 kǎoshì

上个星期

下个星期

CULTURE

百宝箱

中国学校 L'école en Chine

En Chine, il y a 3 cycles jusqu'à 十八岁 :

école primaire	小学	6 ans	小学一年级, niánjí 小学二年级......
collège	初中 chū	3 ans	初中一年级 = 初一
lycée	高中 gāo	3ans	高中一年级 = 高一

À la fin du collège, 学生们 passent un concours 中考 (kǎo) dans leur municipalité pour entrer dans un lycée. L'affectation dans tel ou tel lycée, se fait en fonction des résultats obtenus.

Le concours d'entrée à 大学, le 高考 (gāokǎo) se passe à la fin de la terminale. Les élèves de 初三 et 高三 ont très peu de loisirs, ils se concentrent sur la préparation du concours afin d'intégrer les meilleurs établissements. 从早上七点到

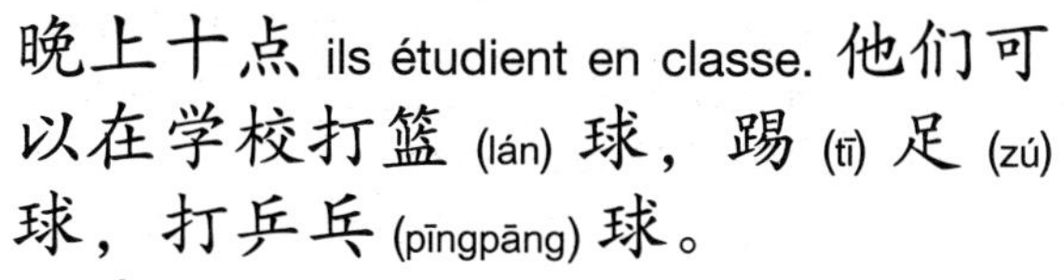

晚上十点 ils étudient en classe. 他们可以在学校打篮 (lán) 球，踢 (tī) 足 (zú) 球，打乒乓 (pīngpāng) 球。

En 高三, la plupart des élèves 住校 (xiào). Chaque classe 有 environ 五十个学生. Les options sont rares. Les élèves ne changent pas de salle.

一个老师 est plus particulièrement responsable d'une classe. Un comité de 学生 est élu pour gérer la classe, avec à sa tête un chef de classe et son adjoint, les autres membres s'occupent de la communication, des arts, des sports, des études, de la santé et de la sécurité. De plus, 一个学生 est chargé de ramasser 本子和作业 (zuòyè) et se charge de la communication entre l'ensemble du groupe et le 老师 de la discipline concernée.

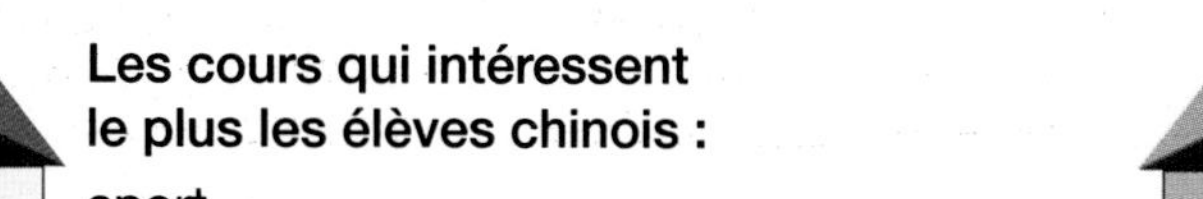

Les cours qui intéressent le plus les élèves chinois :

1. sport
2. mathématiques
3. musique
4. chinois
5. histoire
6. langues étrangères

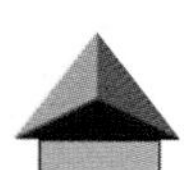

Les cours que les élèves jugent les plus importants :

1. langues étrangères
2. mathématiques
3. chinois

在学校的一天

Une journée à l'école

- 学生早上从七点到七点半到学校。
- révision des leçons, remise des devoirs : 三十分钟
- gymnastique matinale : 二十分钟
- 上课 : 上午有四节，一节四十分钟，下午也一样。

Les cours sont entrecoupés d'une pause de 十分钟 pendant laquelle 女学生聊 (liáo) 天 ou 踢毽子 (tī jiànzi) , alors que les garçons 喜欢打篮球，踢足球。

上午的课 et les deux premiers de l'après-midi sont des cours magistraux. Les deux derniers sont consacrés à des activités collectives le plus souvent sport, réunions, associations d'élèves. Ceux qui n'y participent pas restent en classe 做作业.

- 他们下午五点以后可以回家.

Les élèves de 初三 et 高三 restent plus tard 到晚上九点、十点。

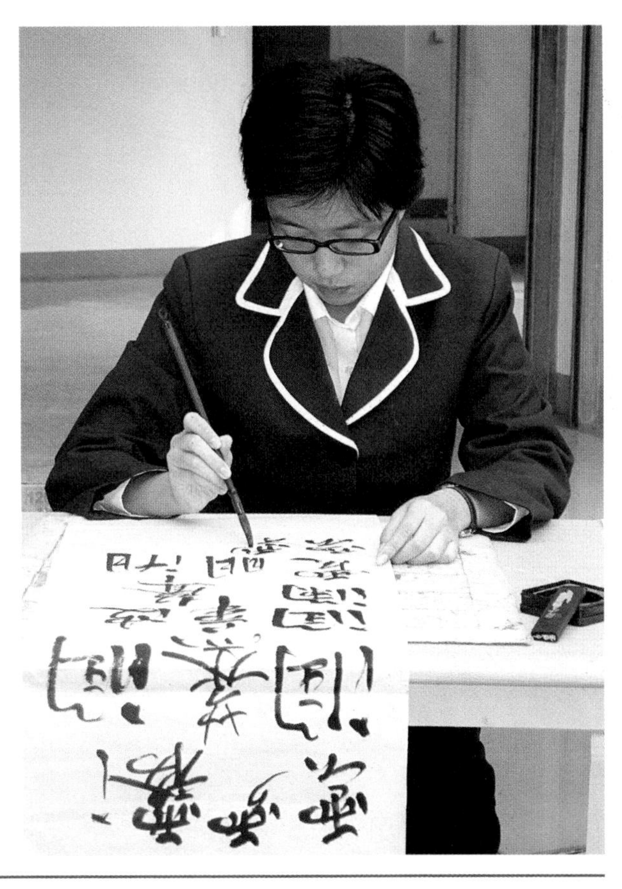

Dites dans quelle année vous êtes.
À quelles classes du système français les classes de 初三, 高二 correspondent-elles ?

Les loisirs des élèves chinois :

1	lire
2	regarder la télé
3	réviser les leçons
4	jouer avec des amis
5	faire du sport
6	écouter de la musique
7	faire du rangement
8	bavarder ou tchater
9	artisanat
10	dormir
11	regarder des films
12	aller au parc

JE PEUX...

- comprendre les activités essentielles de la vie quotidienne.
- comprendre certains événements de la classe.

- dire ce que je fais dans la journée et à quelle heure.
- m'exprimer sur mon emploi du temps et mes professeurs.
- laisser un message simple sur un répondeur.

- échanger sur l'heure.
- proposer un rendez-vous à quelqu'un.
- échanger sur mes cours.

- repérer quelques éléments composants nouveaux.
- reconnaître et lire à haute voix 150 caractères environ.
- lire un texte sur la vie quotidienne à la maison et à l'école.

- maîtriser les règles de l'écriture (ordre et orientation des traits).
- compter les traits de caractères que je n'ai jamais rencontrés.
- écrire un texte relatant ma journée à l'aide du pinyin si besoin.
- écrire près de 80 caractères.
- effectuer une dictée de pinyin de mots inconnus.

我的主角 Je crée ma BD !

Vous savez déjà présenter une personne, parler de sa nationalité, ses activités, son lieu d'habitation, sa famille, ses affaires, son quotidien, ses habitudes…
Vous pouvez donc créer un personnage !

D'abord...

- Vous imaginez un personnage de fiction : un robot, un extraterrestre…
- Vous en faites le portrait pour vous préparer au récit :

Ensuite...

En chinois :
- 姓名 nom
- 年龄 âge
- 国籍 nationalité
- 样子 aspect physique
- 喜欢 activités
- 家 famille

A présent...

vous pouvez :

- créer une bande dessinée pour mettre en scène votre personnage,
- prendre des notes sur le déroulement d'une journée habituelle de ce personnage et la raconter à la classe.

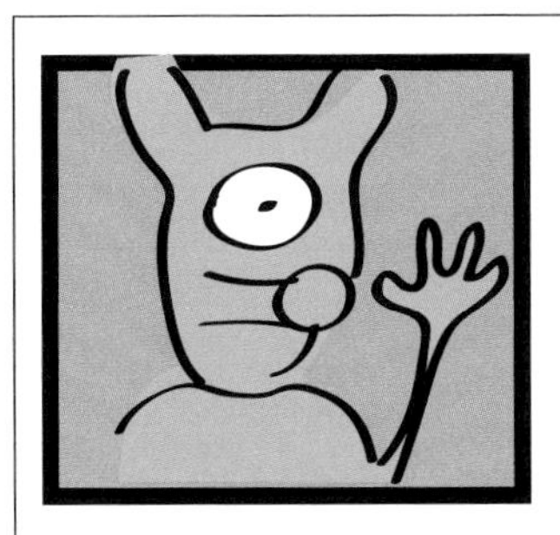

第七课 一年四季
第八课 回家过春节

Mon contrat d'apprentissage

Pour...

- comprendre un court bulletin météo,
- présenter le climat d'une région selon la saison,
- dire la date et le temps qu'il fait,
- comprendre une conversation sur les moyens de transport,
- faire une liste d'achats simple et échanger avec le vendeur,
- parler de la fête du Nouvel An chinois,

... j'apprends :

les termes liés à la météo, l'interrogatif 多少？ , la probabilité 会, les 4 saisons, quelques noms de villes, 常常、天天, la date, les prépositions 从……到……, le futur proche, les verbes 可以, 回去, 回来, les moyens de transport et leurs prépositions 坐 et 骑, les prix, l'action accomplie.

Mes stratégies

	Lorsque je ne comprends pas une phrase entière, je ne me décourage pas et réécoute. Car au fur et à mesure des écoutes, le sens s'éclaircira.
	J'apprends un virelangue par leçon.
	Les éléments composants des caractères m'aident à comprendre les mots.
	Après avoir écrit une suite de caractères (des mots, des phrases), je la relis à voix haute.

春夏秋冬

第七课 一年四季

ORAL 天气怎么样？
tiānqì

1. > **Écoutez et répétez** ce que vous entendez.

> **Écoutez** le bulletin météo et **dites** quel temps il fait à Beijing, Nanjing, Harbin, Paris et Rome. → **Cahier**

> **Écoutez** encore une fois. **Notez** la température minimum et maximum pour chaque ville.

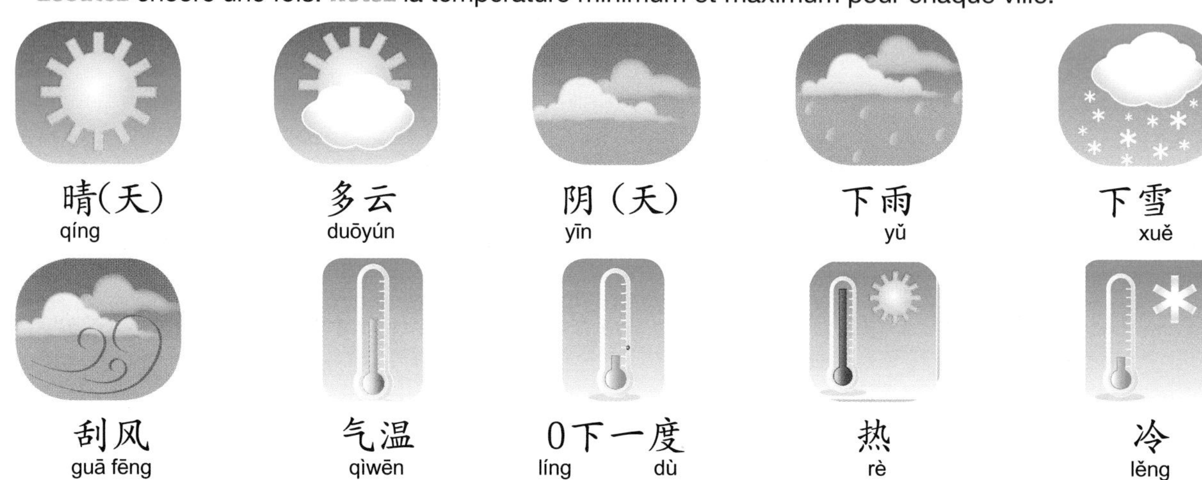

2. > **Écoutez** la conversation et **dites** quel temps il fait à Jinan et à Guangzhou.

3. > **Écoutez et répétez** les questions que vous entendez.

> **Écoutez** encore une fois, **regardez** les photos ci-dessous et **répondez** aux questions. → **Cahier**

> **Décrivez** en détail le temps représenté sur chaque photo.

A.

Tokyo

B.

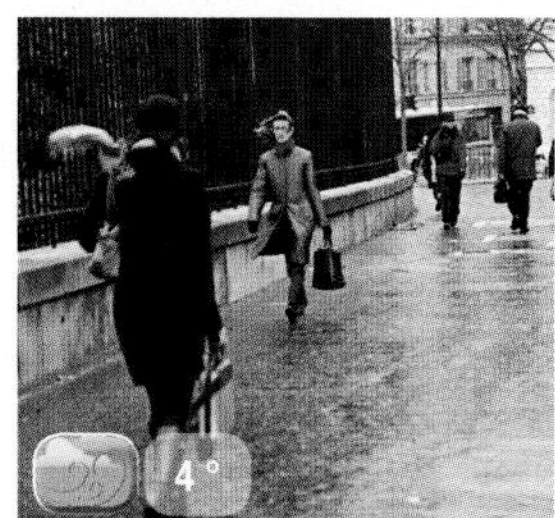

Paris

C.

Hong-Kong

D.

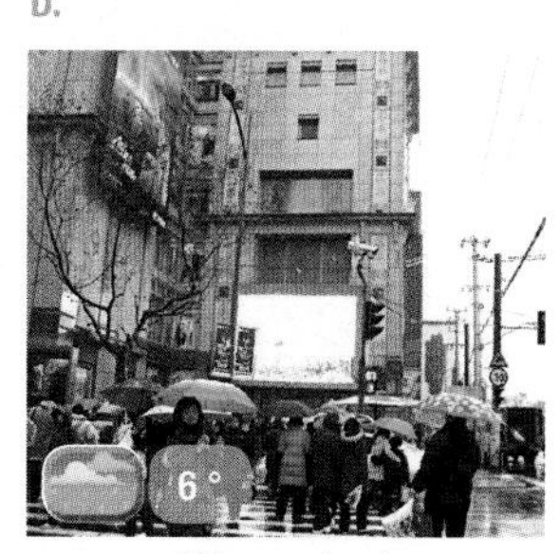

Shanghai

天气怎么样？
tiānqì

气温是多少度？
qìwēn duōshao dù

该你了

Questionnez votre voisin sur le temps qu'il fait.

ORAL 春夏秋冬
chūn xià qiū dōng

4. > **Écoutez et répétez** les noms des saisons que vous entendez.

> **Écoutez** la description des quatre saisons à Beijing et **trouvez** les informations suivantes :
- les caractéristiques du printemps,
- les caractéristiques de l'été,
- la meilleure saison de l'année,
- la température qu'il fait en hiver et l'activité pratiquée.

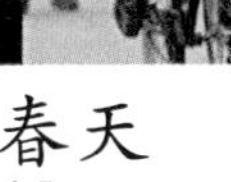

春天
chūn

夏天
xià

秋天
qiū

冬天
dōng

5. > **Écoutez** l'enregistrement et **trouvez** sur la carte les endroits où se trouvent les personnes et quelle saison elles évoquent. → **Cahier**

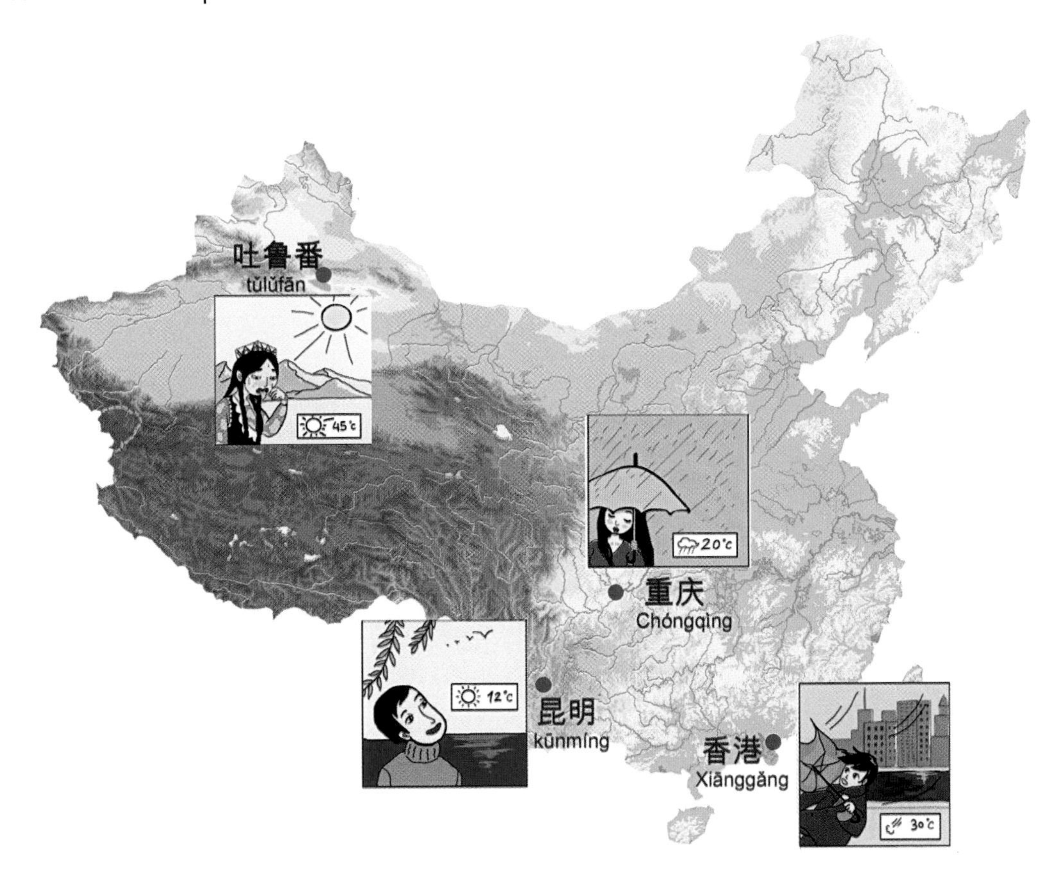

该你了

Choisissez un pays ou une région et décrivez le climat en hiver.
Votre voisin devine d'où il s'agit.

ORAL

你喜欢什么季节？
jìjié

6. > **Écoutez et répétez** ce que vous entendez.

一月，二月，三月，四月……/ 昨天 今天 明天
zuó jīn míng

> **Écoutez et répondez** aux questions selon les modèles donnés.

Exemple : – 今天是几月几号？ 今天是二月四号。
hào

– 你们几月几号放假？ 我们六月三十号放假。
fàngjià

7. > **Écoutez et dites** quand commence et finit chaque saison à Beijing.

> **Parlez** des saisons à Harbin à l'aide des photos ci-dessous. → **Cahier**

一月 ⟶ 四月 ⟶ 六月 ⟶ 九月 ⟶ 十一月 ⟶ 十二月

8. > **Écoutez** la conversation et dites quelle saison préfèrent Xiǎoxuě et Wáng Yuè, pourquoi ?

晒太阳
shài tàiyang

游泳
yóuyǒng

去海边
hǎibiān

滑雪
huáxuě

滑冰
huábīng

旅游
lǚyóu

该你了

Après avoir choisi votre saison préférée, vous inventez à deux un dialogue sur le modèle de celui que vous venez d'entendre. Jouez-le devant la classe.

漫画 UNE DRÔLE DE MÉTÉO

Les bulletins entendus à la radio sont-ils exacts ? Rectifiez-les.

ÉCRIT

1. Trouvez l'intrus.

下雨　　冬天　　天气　　昨天　　春天　　多云

2. Associez chaque texte à une ville.

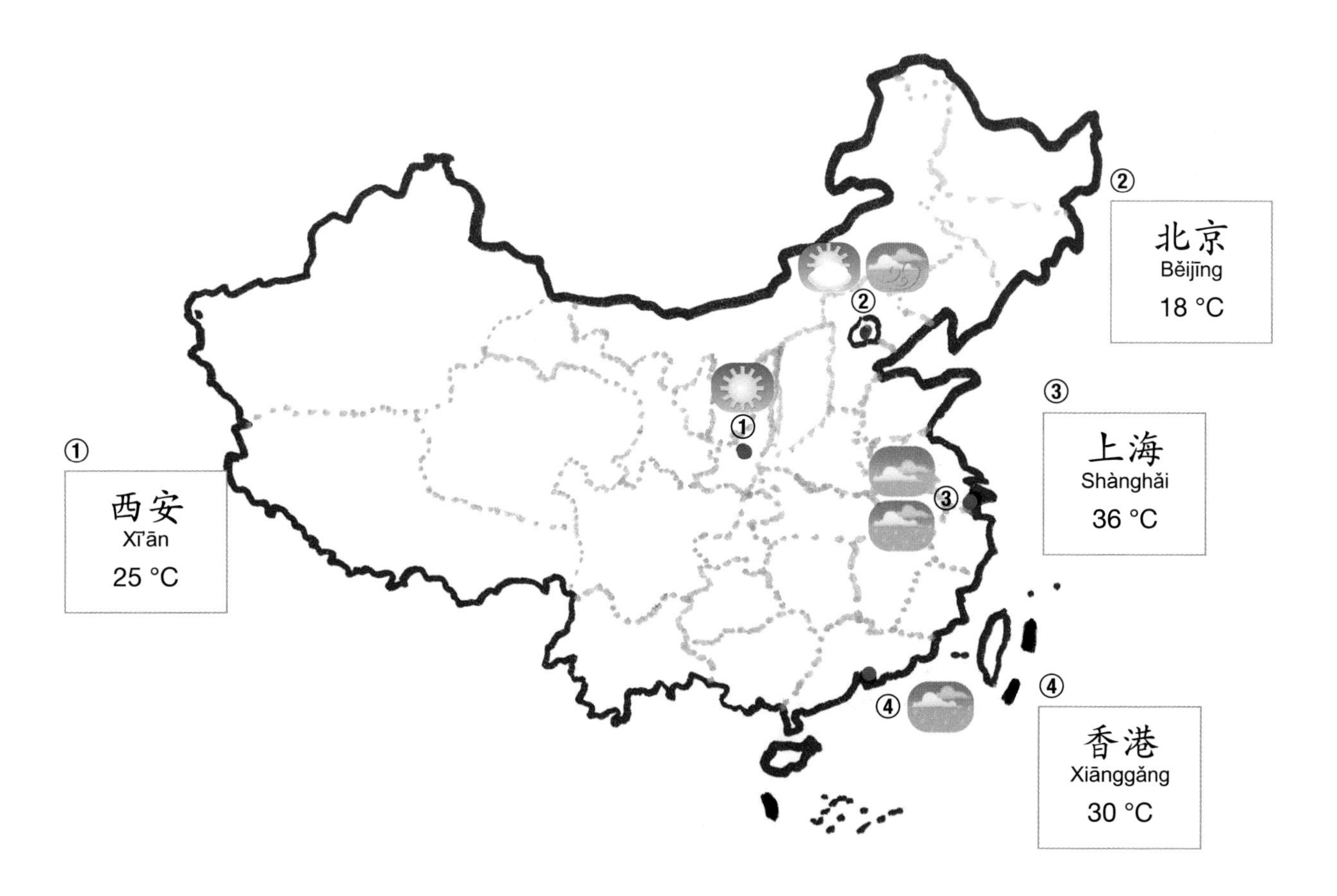

一　今天天气很好，晴天，不冷也不热，不下雨也不刮风。
qíng (晴) ; guāfēng (刮风)

二　今天天气不好，下大雨，也很热，气温三十度。
wēn (温) ; dù (度)

三　今天天气不太好，很热，有三十几度，上午阴天，下午下雨。
yīn (阴)

四　今天天气还不错，有时晴，有时多云，可是风很大。

3. **Lisez** le prospectus et **répondez** aux questions : Quel est le climat de cet endroit ? Quelles activités peut-on y pratiquer ? Auriez-vous envie d'y aller ? Pourquoi ? → **Cahier**

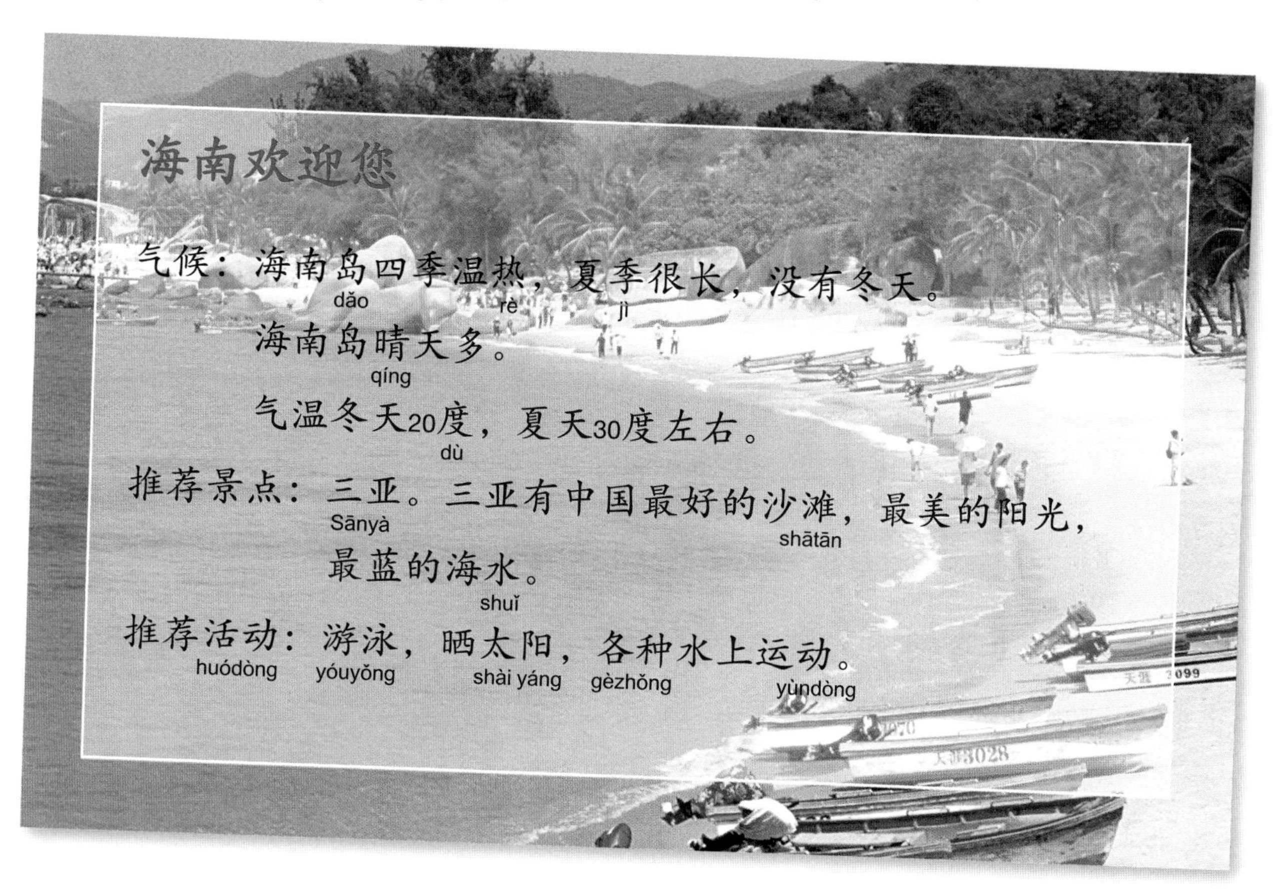

4. **Lisez** le mail que Zhāng Yīlín a envoyé à son amie pendant les vacances et **trouvez** :
– le climat de sa ville d'origine ; ce qu'elle fait pendant les vacances. → **Cahier**

亲爱的小月：

你好！

我回老家了，在上海，我爷爷奶奶家。上海很好，有很多大商店。(shāngdiàn) 我和奶奶常常去商店买东西。有的东西很贵，有的还可以。

上海这几天晴天，有三十八度，一点儿风也没有，热死了。我和朋友们常常去游泳。

你那儿天气怎么样？你和朋友出去玩吗？去游泳池游泳吗？

不多写了。祝你暑假好！

一林

该你了

Répondez au mail de Zhāng Yīlín.

工具箱 ATELIER DE PRONONCIATION

Virelangues 绕口令

一

- **Attention à la prononciation de** « p » - « b »

Chī pútao bù tǔ pútao pír,	吃葡萄不吐葡萄皮儿，
bù chī pútao dào tǔ pútao pír.	不吃葡萄倒吐葡萄皮儿。

二

- **Attention à la prononciation de** « b » - « p », « o » - « u »

Bǔ pò pírùzi bùrú bù bǔ pò pírùzi.	补破皮褥子不如不补破皮褥子。

三

- **Attention à la prononciation de** « s » - « sh », « en » - « eng » - « an »

Sānyuè sān, shūshu shěnshen qù dēngshān ;	三月三，叔叔婶婶去登山；
shàng shān yòu xià shān,	上山又下山，
xià shān yòu shàng shān ;	下山又上山；
dēng wán sān zuò shān,	登完三座山，
pǎole sānshísān lǐ sān ;	跑了三十三里三；
chūle sān shēn hàn, shīle sān jiàn shān ;	出了三身汗，湿了三件衫；
shūshu shān shàng dàshēng hǎn :	叔叔山上大声喊：
« lí tiān zhǐ yǒu sān chǐ sān ».	“离天只有三尺三”。

四

- **Attention à la prononciation de** « ang » - « eng » - « ing »

Zhāng Líng hé Zhèng Yíng, shàngjiē mǎi língdang.	张玲和郑莹，上街买铃铛。
Zhāng Líng mǎi de língdang xiǎng dīngdāng,	张玲买的铃铛响叮当，
Zhèng Yíng mǎi de língdang dīngdāng xiǎng.	郑莹买的铃铛叮当响。

工具箱 ATELIER D'ÉCRITURE

Vous les reconnaissez déjà, vous devez maintenant savoir les écrire :

明	voir leçon 1	明天天气怎么样？
东	voir leçon 4	东京在日本。
时	voir leçon 6	上海有时候下大雨。
可	voir leçon 4	这儿四季可以游泳。
怎	voir leçon 6	今天天气怎么样？
日	voir leçon 5	今天三十一日。

北	voir leçon 2	从北京到南京，怎么去？
京	voir leçon 2	北京冬天很冷。
西	voir leçon 4	西安很有意思。
候	voir leçon 6	北京什么时候很冷？
听	voir leçon 2	我听说后天会下雪。
样	voir leçon 6	法国的冬天怎么样？

多	voir leçon 1	上海有多少度？

月	voir leçon 1	九月到十月是秋天。
天	voir leçon 5	今天白天不太冷。

Apprenez à les écrire :

graphie	pinyin	français	aide	exemple
气	*qì*	souffle, énergie	trois couches de vapeur s'éle-vant vers le ciel	法国天气不冷也不热。
雨	*yǔ*	pluie	一 le ciel et quatre gouttes de pluie dans un nuage	雨大了。
今	*jīn*	actuel		我今天不想上地理课。
昨	*zuó*	hier	日 + 乍	昨天没有课。
少	*shǎo*	être peu nombreux	小 et un trait lancé vers la gauche	今天晴天，云很少。

Apprenez à les reconnaître :

graphie	pinyin	français	aide	exemple
号	*hào*	numéro	口 + 2 traits	今天几月几号？
云	*yún*	nuage	二 + 厶	现在天上的云多吗？
热	*rè*	être chaud	扌 + 丸 + 灬	今天天气很热。
冷	*lěng*	être froid	冫 glace + 令 *lìng* El. Ph.	昨天天气很冷。
常	*cháng*	fréquent, souvent	尚 *shàng* El. Ph. + 巾 *jīn* tissu	北京不常下雨。
海	*hǎi*	mer	氵 + 每	上海天气怎么样？
春	*chūn*	printemps	三 + 人 + 日	春天,孩子们喜欢打球。
秋	*qiū*	automne	禾 + 火 *huǒ* feu	我听说北京的秋天最好。
夏	*xià*	été	一 + 自 + 夊 pied renversé	法国夏天很热吗？
冬	*dōng*	hiver	夂 + 冫 glace	冬天,大家常常在家看书。
从	*cóng*	de, depuis	deux 人	我上午从八点到十一点半上课。
到	*dào*	à, jusqu'à	至 atteindre + 刂 *dāo* couteau, El. Ph.	我朋友下午从两点到五点有课。
会	*huì*	v. modal (probabilité) ; être capable de	人 + 云	明天会不会下雨？
南	*nán*	sud		我很想去南京。
安	*ān*	paix, tranquillité	宀 + 女	西安很有意思。
地	*dì*	sol	土 + 也	下雨了，地上有水。
左	*zuǒ*	gauche	la main gauche + 工	今天二十五度左右。
右	*yòu*	droite	la main gauche + 口	手机三千五百块左右。
再	*zài*	de nouveau		老师再见！
见	*jiàn*	voir, percevoir	見 目 l'œil au-dessus de 儿 deux jambes	我们中午见！

工具箱 GRAMMAIRE

Quand ?

今天	几	月	几	号?		*Quelle est la date d'aujourd'hui ?*
我们	几	月	几	号	放假? jià	*Quand sommes-nous en vacances ?*
	combien	**mois**	**combien**	**jour**		
今天	二	月	三	号。		*Nous sommes le 3 mars.*
我们	十二	月	二十	号	放假。	*Nous sommes en vacances le 20 décembre.*
	nombre	**mois**	**nombre**	**jour**		

春天	天天/常常/有时候	下	雨。	*Au printemps, il pleut chaque jour/souvent/parfois.*
	adv. de fréquence	**verbe**		

De quand à quand ?

从	六月	到	八月	是	夏天。	*De juin à août, c'est l'été.*
从	九月	到	十一月	是	秋天。	*De septembre à novembre, c'est l'automne.*
de	**temps**	**à**	**temps**			

Combien ?

香港气温是 Xiānggǎng wēn	多少			度? dù	*Quelle est la température à Hong-Kong ?*
北京气温是	多少			度?	*Quelle est la température à Beijing ?*
	combien			**nom**	
北京气温是	五			度。	*La température à Beijing est de 5 degrés.*
	nombre			**nom**	
香港气温是	十二	到	十八	度。	*La température à Hong-Kong est de 12 à 18 degrés.*
	nombre	**à**	**nombre**	**nom**	

Pouvoir

夏天	可以	游泳。 yóuyǒng	*En été, on peut nager.*
冬天	可以	滑雪。 huáxuě	*En hiver, on peut skier.*
	pouvoir	**verbe**	

Environ

北京气温有	十二度	左右。		*La température à Beijing est d'environ 12 degrés.*
他	十五号	左右	放假。	*Il est en vacances autour du 15.*
	nombre	**environ**		

Probabilité

明天	会	下	雪。	*Demain il est probable qu'il neige.*
八月	会	有	30度。	*En août, il est probable qu'il fasse 30 degrés.*
	verbe modal	**verbe**		

* Le verbe modal 会 exprime que l'action du verbe qui le suit va peut-être se produire.

工具箱 LEXIQUE

Le climat

La météo

气温 qìwēn
热 rè
冷 lěng
天气 tiānqì
天气预报 yùbào
气温多少 duōshao 度?
0 líng 下一度 dù 左右 zuǒyòu

晴天 qíngtiān
多云 duōyún
阴天 yīntiān
下雨 xiàyǔ
下雪 xiàxuě
刮风 guāfēng

La fréquence

有时候 yǒushíhou 会 huì 下雪
常常 chángcháng
天天

Les saisons et les dates

Les saisons

季节 jìjié
春天 chūntiān
夏天 xiàtiān
秋天 qiūtiān
冬天 dōngtiān
从 cóng 三月到 dào 五月是春天。
这儿 zhèr 冬天可以滑冰 。
这儿 zhèr /这里 zhèli
那儿 nàr /那里 nàli

Les dates

今天是几月几号 hào?
今天是二月四号。
一月 yīyuè
二月
三月
……
十一月
十二月

昨天 zuótiān
今天 jīntiān
明天 míngtiān

Les activités de vacances

圣诞节 Shèngdànjié
生日 shēngri
放寒假 fàng hánjià
放暑假 fàng shǔjià

晒太阳 shài tàiyáng
游泳 yóuyǒng
去海边 qù hǎibiān
滑雪 huáxuě
滑冰 huábīng
旅游 lǚyóu
回老家 huí lǎojiā

第八课 回家过春节

ORAL 春节了，回老家吗？

chūnjié huí

1. > **Écoutez et répétez** ce que vous entendez.

坐火车
zuò huǒchē

坐飞机
fēijī

坐船
chuán

坐大巴
dàbā

> **Écoutez et dites** comment les élèves rentrent chez eux pour le Nouvel An.
L'un d'entre eux ne rentre pas chez lui. Qui est-ce et que fera-t-il ? → **Cahier**

该你了

Inspirez-vous de la conversation pour créer votre propre saynète.

ORAL 去买东西

2. > **Écoutez et répétez** ce que vous entendez.

> **Écoutez** les échanges et **dites** comment Shuāngchūn et sa mère vont faire les courses. → **Cahier**

坐公交车
zuò gōngjiāochē

坐地铁
dìtiě

骑自行车
qí zìxíngchē

骑摩托车
mótuōchē

坐小轿车
xiǎojiàochē

3. > **Écoutez** et **répétez** ce que vous entendez.

> **Écoutez et dites** quels éléments de la liste n'ont pas été achetés.

> **Écoutez** encore une fois : combien coûte chaque produit ? → **Cahier**

多少钱一斤?
qián jīn ?
多少钱一个?

该你了

Vous devez acheter des bonbons, des fruits, du chocolat, du thé et des pâtes.
Imaginez un dialogue entre le vendeur et vous et jouez-le avec votre voisin.

ORAL 过春节!

guò chūnjié

4. > **Écoutez** et **répétez** ce que vous entendez.

> **Écoutez** la première conversation : que disent les Chinois lorsqu'ils se rencontrent pendant la fête du Printemps (le Nouvel An chinois) ?

> **Écoutez** la deuxième conversation : quel est le plat traditionnel de la fête du Printemps ? Avec quelle fête occidentale Zhāng Yīlín compare-t-elle la fête du Printemps ?

> **Écoutez** la troisième conversation : qu'a fait Marie pendant la fête du Printemps ?

> **Écoutez** l'ensemble des conversations, **repérez** les informations concernant la fête du Printemps. Ensuite, **résumez** ce que Liú Yáng et Zhāng Yīlín ont fait pendant la fête. → **Cahier**

该你了

À l'aide des conversations que vous avez entendues et des illustrations de cette page, présentez la fête du Printemps à votre voisin.

漫画 L'IMMEUBLE EN FÊTE !

Racontez ce que chacun fait pour le Nouvel An.

ÉCRIT

1. **Trouvez l'intrus.**

包饺子　　过年　　得红包　　上中文课　　吃年夜饭 (yè)

2. > **Lisez** la liste de courses : quel panier correspond à la liste (A) ?

> **Faites** le calcul d'après le panneau d'affichage (B) : combien doit-on payer ?

(B)

(A)

三斤白菜
一斤牛肉
半斤茶叶
两斤水果

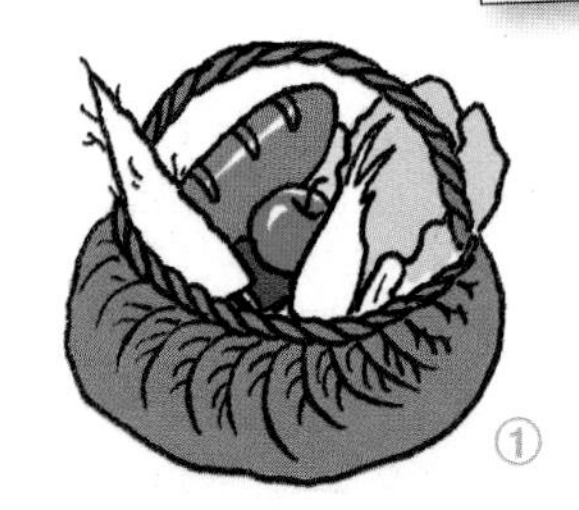

3. **Reliez** les deux morceaux de phrases. → **Cahier**

一　春节
二　包饺子
三　坐火车
四　一斤苹果 (píng)

A. 三块钱。
B. 是中国的新年。
C. 要猪肉和白菜。(zhū, cài)
D. 要十二个小时。

4. 对不对? Vrai ou faux ?

一　过年的时候，天气很热。
二　中国的孩子秋天可以得很多红包。
三　中国人在春节时，常常说“新年好”。
四　中国人四月份发很多新年短信。(fèn, duǎn)

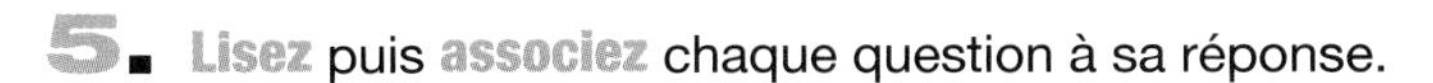

5. **Lisez** puis **associez** chaque question à sa réponse.

一	你怎么回老家?	A.	三十八块一斤。
二	你买了什么? 贵不贵?	B.	包了。
三	多少钱?	C.	坐火车。
四	你们包了饺子吗？	D.	买了茶叶（yè），有一点儿贵。
五	你会不会包饺子?	E.	不会。
六	你们什么时候要去看朋友?	F.	明天去。

6. **Lisez** le texto : qui écrit à qui ? Que comprenez-vous ?

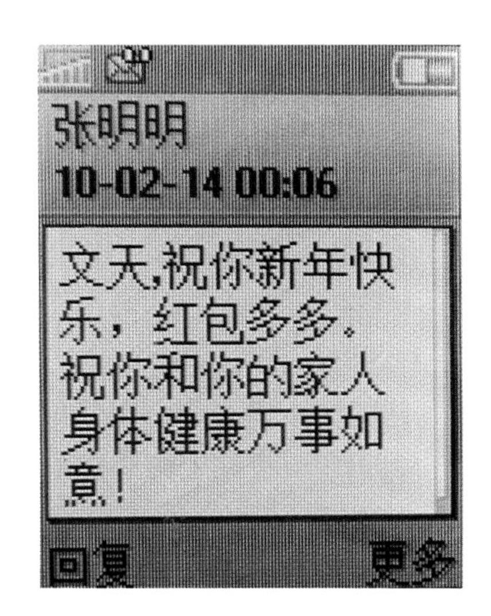

7. **Lisez** la carte :

> **Trouvez** le destinataire, l'expéditeur et leurs villes respectives.

> **Dites** ce que Marie a fait pendant la fête du Printemps et ce qu'elle souhaite à son amie.

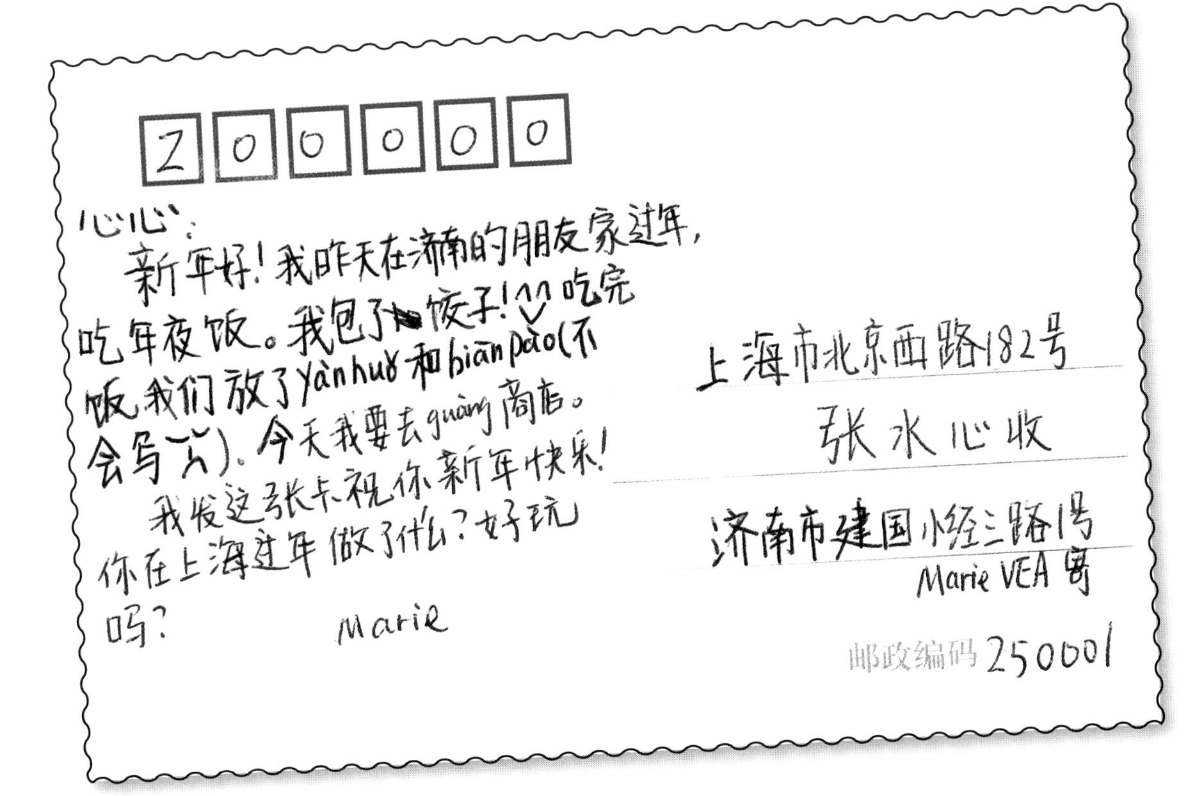

200000

心心：
新年好！我昨天在济南的朋友家过年，吃年夜饭。我包了饺子！吃完饭，我们放了yànhuǒ和biānpào（不会写）。今天我要去guàng商店。
我发这张卡祝你新年快乐！你在上海过年做了什么？好玩吗？
Marie

上海市北京西路182号
张水心 收
济南市建国小经三路1号
Marie VEA 寄
邮政编码 250001

该你了

Rédigez une réponse à la carte. → Cahier

工具箱 ATELIER DE PRONONCIATION

Virelangues 绕口令

一

- **Attention à la prononciation de « t » - « d », « p » - « b ».**

Dùzi bǎo le, tùzi pǎo le. 肚子饱了，兔子跑了。

二

- **Attention à la prononciation de « d » - « t ».**

Dà tùzi, dà dùzi, 大兔子，大肚子，
dà dùzi de dà tùzi, 大肚子的大兔子，
yào yǎo dà tùzi de dà dùzi. 要咬大兔子的大肚子。

三

- **Attention à la prononciation de « -n » - « -ng ».**

Bǎndèng kuān, biǎndan cháng, 板凳宽，扁担长，
bǎndèng bǐ biǎndan kuān, 板凳比扁担宽，
biǎndan bǐ bǎndèng cháng, 扁担比板凳长，
biǎndan yào bǎngzài bǎndèng shang, 扁担要绑在板凳上，
bǎndèng bù ràng biǎndan bǎngzài bǎndèng shang, 板凳不让扁担绑在板凳上，
biǎndan piān yào bǎndèng ràng biǎndan bǎngzài bǎndèng shang.
扁担偏要板凳让扁担绑在板凳上。

四

- **Attention à la prononciation de « en » - « eng ».**

Chén Zhuāng Chéng Zhuāng dōu yǒu chéng, 陈庄程庄都有城，
Chén Zhuāng chéng tōng Chéng Zhuāng chéng. 陈庄城通程庄城。
Chén Zhuāng chéng hé Chéng Zhuāng chéng, 陈庄城和程庄城，
liǎng zhuāng chéngqiáng dōu yǒu mén. 两庄城墙都有门。
Chén Zhuāng chéng jìn Chéng Zhuāng rén, 陈庄城进程庄人，
Chén Zhuāng rén jìn Chéng Zhuāng chéng. 陈庄人进程庄城。

工具箱 ATELIER D'ÉCRITURE

Vous les reconnaissez déjà, vous devez maintenant savoir les écrire :

会	voir leçon 7	我不太会包饺子，奶奶会！
贵	voir leçon 4	飞机票太贵了。
得	voir leçon 6	小孩子得了很多红包。
妈	voir leçon 3	妈妈说过年时要去拜年。
吧	voir leçon 4	妈！我们坐爸爸的车吧！

爸	voir leçon 3	我爸妈是中年人。
块	voir leçon 4	我有二十三块五毛钱。
买	voir leçon 4	我要买五斤肉。
想	voir leçon 4	她想坐飞机回家，可是太贵！
打	voir leçon 2	明天过年，我给你打电话。

Apprenez à les écrire :

graphie	pinyin	français	aide	exemple
回	*huí*	revenir, retourner	囗+口	你春节也要回老家吗？
火	*huǒ*	feu	un feu avec ses flammèches	到南京的火车几点出发？
车	*chē*	véhicule	車 véhicule vu de haut (habitacle, roues et essieu)	很多中国人有小汽车。
年	*nián*	année	représentation très ancienne de céréales 禾 et du chiffre 十	你们法国人怎么过年？
要	*yào*	falloir, vouloir, marque de futur	西 + 女	你要不要吃点儿水果？
来	*lái*	venir	一 + 丷 + 木	孩子们都要回家来过年。
水	*shuǐ*	eau	une rivière et son courant	过年时要吃水果。

Apprenez à les reconnaître :

graphie	pinyin	français	aide	exemple
过	*guò*	passer, traverser	寸 + 辶	过年的时候，中国人喜欢做什么？
飞	*fēi*	voler	飛 un oiseau avec ses deux ailes déployées à l'arrière	我不想坐飞机，因为我怕。
钱	*qián*	argent	錢 钅 métal + 戋 (戔) *jiān* El. Ph. simplification des deux 戈	这个多少钱？
毛	*máo*	1/10 de l'unité monétaire	représentation d'un poil	三块六毛钱。
父	*fù*	père	八 + 乂	我父亲不会包饺子。
母	*mǔ*	mère	femme 女 avec deux tétons	春节时，中国人都要回父母家。
果	*guǒ*	fruit	田 + 木	你喜不喜欢吃水果？
饺	*jiǎo*	ravioli	饣+ 交 *jiāo* croisement El. Ph.	中国人过年时都包饺子。
肉	*ròu*	viande	冂 + deux 人	半斤肉二十三块钱。
鱼	*yú*	poisson	魚 un poisson, sa tête, ses écailles et sa queue	年夜饭要吃鱼。
斤	*jīn*	la livre	représentation d'une hache	一斤鱼多少钱？
新	*xīn*	nouveau	亲 (立 *lì* station debout + 木) + 斤	新年快乐！
茶	*chá*	thé	艹 herbe + 人 + 木	你昨天买了茶叶没有？
坐	*zuò*	s'asseoir, prendre un moyen de transport	deux 人 + 土	我不想坐火车，我想坐飞机。
发	*fā*	émettre, envoyer (mail, sms)	représentation des cheveux + 又	中国人在大年夜发很多短信。
花	*huā*	dépenser, fleur	艹 + 化 *huà* El. Ph.	我昨天花了八百块。
信	*xìn*	lettre	亻+ 言 la parole	我的手机可以发短信。

工具箱 GRAMMAIRE

Se déplacer

我	回	家	去。	*Je rentre à la maison.*
他	回	学校	来。	*Il revient à l'école.*
sujet	**retourner**	**lieu**	**aller/venir**	

你	怎么		回	家?	*Comment rentres-tu chez toi ?*
sujet	**comment**		**verbe**	**nom**	
我	坐	火车	回	家。	*Je rentre chez moi en train.*
我	骑	自行车	回	家。	*Je rentre chez moi en vélo.*
sujet	**en**	**véhicule**	**verbe**	**nom**	

你	坐	火车	还是	坐	大巴?	*Prends-tu le train ou le car ?*
sujet	**verbe**	**nom**	**ou**	**verbe**	**nom**	
我	坐	火车。				*Je prends le train.*
sujet	**verbe**	**nom**				

* Les prépositions 坐 et 骑 peuvent aussi s'employer seules en tant que verbe : « prendre un moyen de transport ».

Je vais…

我	要	回	家过春节。	*Je vais rentrer chez moi passer le Nouvel An.*
	verbe modal	**verbe**		

* Le verbe modal 要 indique que l'action va se produire dans un futur proche.

Savoir faire

我	会	包	饺子。	*Je sais faire des raviolis.*
	savoir	**verbe**		

* Le verbe modal 会 se place devant un autre verbe pour dire que l'on sait faire cette action.

Faire les courses

鱼	多少	钱?			*Combien coûte le poisson ?*
nom	**combien**	**argent**			
十六	块	三	(毛)	(钱)。	*16 yuans et 30 centimes.*
unité	**cl.**	**unité décime**	**(cl.)**	**(argent)**	

Action accomplie

他昨天		买	了	两斤肉。	*Hier, il a acheté deux livres de viande.*
		verbe	**part. asp.**	**nom**	
他昨天	没	买	肉。		*Il n'a pas acheté de viande hier.*
	nég.	**verbe**	**nom**		

* La particule aspectuelle 了 exprime que l'action est accomplie (dans le passé ou le futur). La négation se fait au moyen de 没 ou de 没有, 了 disparaît alors de la phrase.

工具箱 LEXIQUE

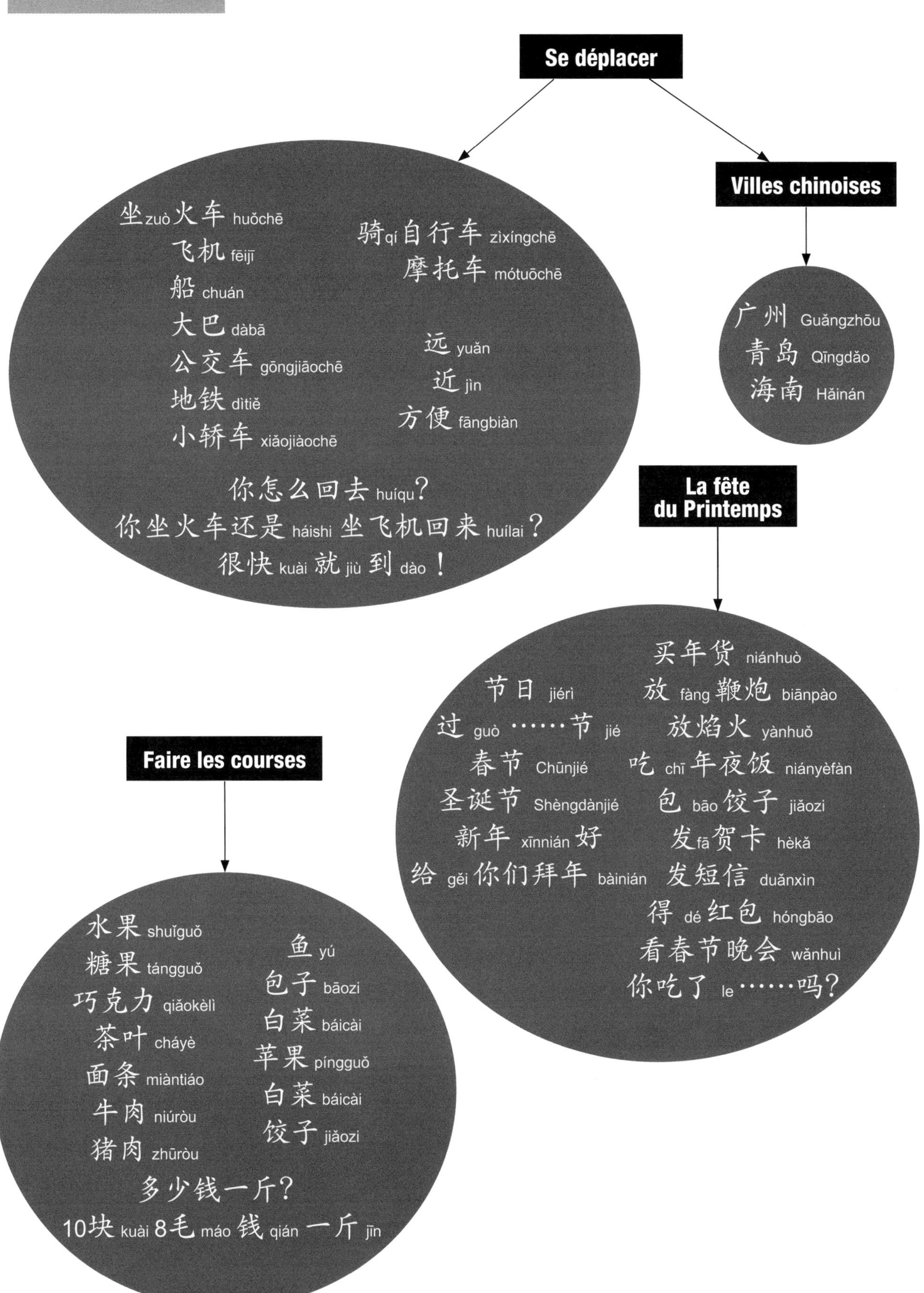

Se déplacer
坐 zuò 火车 huǒchē
飞机 fēijī
船 chuán
大巴 dàbā
公交车 gōngjiāochē
地铁 dìtiě
小轿车 xiǎojiàochē
骑 qí 自行车 zìxíngchē
摩托车 mótuōchē
远 yuǎn
近 jìn
方便 fāngbiàn
你怎么回去 huíqu？
你坐火车还是 háishi 坐飞机回来 huílai？
很快 kuài 就 jiù 到 dào！
Villes chinoises
广州 Guǎngzhōu
青岛 Qīngdǎo
海南 Hǎinán
La fête du Printemps
买年货 niánhuò
节日 jiérì
放 fàng 鞭炮 biānpào
过 guò ……节 jié
放焰火 yànhuǒ
春节 Chūnjié
吃 chī 年夜饭 niányèfàn
圣诞节 Shèngdànjié
包 bāo 饺子 jiǎozi
新年 xīnnián 好
发 fā 贺卡 hèkǎ
给 gěi 你们拜年 bàinián
发短信 duǎnxìn
得 dé 红包 hóngbāo
看春节晚会 wǎnhuì
你吃了 le……吗？
Faire les courses
水果 shuǐguǒ
糖果 tángguǒ
巧克力 qiǎokèlì
茶叶 cháyè
面条 miàntiáo
牛肉 niúròu
猪肉 zhūròu
鱼 yú
包子 bāozi
白菜 báicài
苹果 píngguǒ
白菜 báicài
饺子 jiǎozi
多少钱一斤？
10块 kuài 8毛 máo 钱 qián 一斤 jīn

CULTURE

百宝箱

中国的节日 Les fêtes chinoises

Fête du Printemps à Paris

Fête du Printemps à Londres

Fête du Printemps à New-York

La fête du Printemps

Dans le calendrier lunaire, 春节是一月一号，春节也叫过年。春节是中国新年的第一天。每年春节以前的几个星期，人们commencent à préparer 过年. Ils nettoient à fond la maison, collent le caractère du bonheur 福 (fú) sur les murs, ainsi que des images du Nouvel An et des papiers découpés, ils préparent 很多好吃的东西 : 他们也给小孩买de nouveaux habits, 给他们买des habits 红. La veille du Nouvel An, 中国人晚上吃年夜 (yè) 饭，北方人喜欢吃饺 (jiǎo) 子， les gens du sud 喜欢吃 des gâteaux du Nouvel An faits avec de la farine de riz glutineux mélangée à du sucre et de la graisse et toutes sortes de fruits séchés. 春节那天, 中国人 font exploser des pétards et lancent des feux d'artifice pour effrayer les mauvais esprits. 他们给孩子红包，红包里面有钱. Les rues sont alors très animées, les tambours accompagnant les défilés et les danses du dragon et des lions ne cessent de résonner.

La fêtes des Lanternes

灯节 (Dēngjié) ou 元宵节 (Yuánxiāojié) 是中国新年的第十五天. On la célèbre au moment de la première nuit de pleine lune 月亮 (yuèliang) qui suit 春节. 那天晚上，中国人出去看月亮，他们一家人都吃 des boulettes de riz glutineux farcies de sucre, graisse, noix et sésame qui symbolisent l'union et l'harmonie familiale. Ce jour-là, ils suspendent des lanternes colorées et s'amusent à lire des devinettes qui y sont inscrites. 灯节 marque la fin des festivités de 春节, 人们 reprennent leurs activités professionnelles, 孩子们上学.

La fête des Clartés

Dans le calendrier lunaire, 从四月四日到六日，是清明节 (Qīngmíngjié). Les principales activités consistent à honorer ses ancêtres, à nettoyer leur tombe et à leur faire des offrandes. On brûle de l'encens et des imitations de papier monnaie pour qu'ils ne manquent de rien, c'est la « fête des morts ». 因为这个节日在春天，所以每家人出去玩，他们吃菜、水果，不吃热的东西.

Faites des recherches :
- **quelles sont les autres fêtes chinoises importantes ?**
- **trouvez une légende liée à la fête de la Lune ou celle du Printemps et racontez-la.**

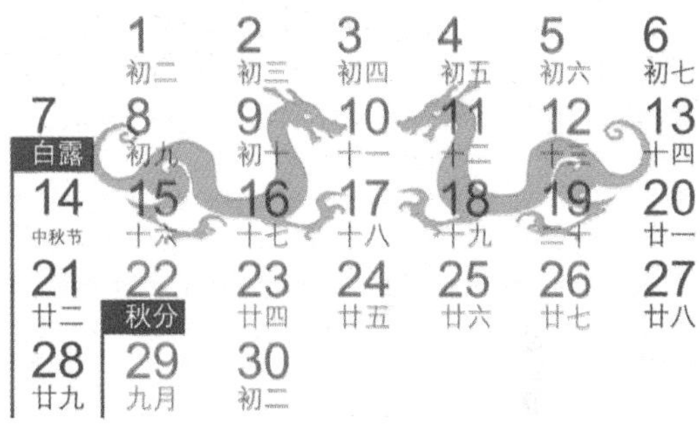

La fête de la Lune ou la fête de la Mi-automne

中秋节 (Zhōngqiūjié) 是八月十五日 du calendrier lunaire. C'est une fête dédiée à la Lune.过这个节日的时候是每年秋天的中期，所以这个节日也叫中秋。那个时候月亮 (yuèliang) est très ronde et très brillante，晚上人们出去看月亮，他们吃水果和月饼 (bǐng) des galettes de Lune rondes comme elle. Les adultes ne manquent pas de raconter aux enfants des contes et légendes célèbres comme « Cháng'é se réfugie sur la lune » ou « Le lièvre de la lune ».

中国国庆节 Le fête nationale

国庆节 (guóqìng jié) 是十月一日，因为一九四九年十月一日，毛泽 (zé) 东在北京 a proclamé la fondation de la République Populaire de Chine 中华人民共和国, au terme d'une guerre civile qui aura duré plusieurs décennies entre les deux principaux partis politiques de l'époque : le parti communiste et le parti nationaliste. Tchang Kai-shek, chef du parti vaincu, partit sur l'île de Taiwan, au sud de la Chine, où il installa son gouvernement.

Recherchez la date de la fête nationale de Taïwan - à quoi correspond-elle ?

JE PEUX...

- comprendre des informations sur les moyens de transport.
- repérer des noms de villes inconnues.
- comprendre le récit d'une fête de Nouvel An.

- présenter le climat d'une région.
- présenter la météo du jour.
- parler de ce que l'on fait en vacances.

- faire des achats : échanger avec un vendeur.
- parler du Nouvel An chinois avec un interlocuteur.
- échanger sur le temps qu'il fait.

- reconnaître et lire à haute voix environ 200 caractères.
- lire des informations concernant le climat d'une région et ce que l'on peut y faire selon la saison.
- lire quelques informations sur les fêtes de Nouvel An.
- lire une liste d'achats très simple et repérer quelques panneaux dans un magasin.

- repérer dix nouveaux éléments composants.
- écrire environ 110 caractères.
- écrire la date.
- écrire une carte de vœux pour le Nouvel An en copiant les caractères qui me sont inconnus.
- écrire un court récit de voyage en ayant recours au pinyin, si besoin.
- écrire en pinyin les mots du module que j'entends et que je dis mais dont la graphie m'est inconnue.

四季如画 L'année

Sur le modèle de cette page, vous créez votre « frise des saisons ».

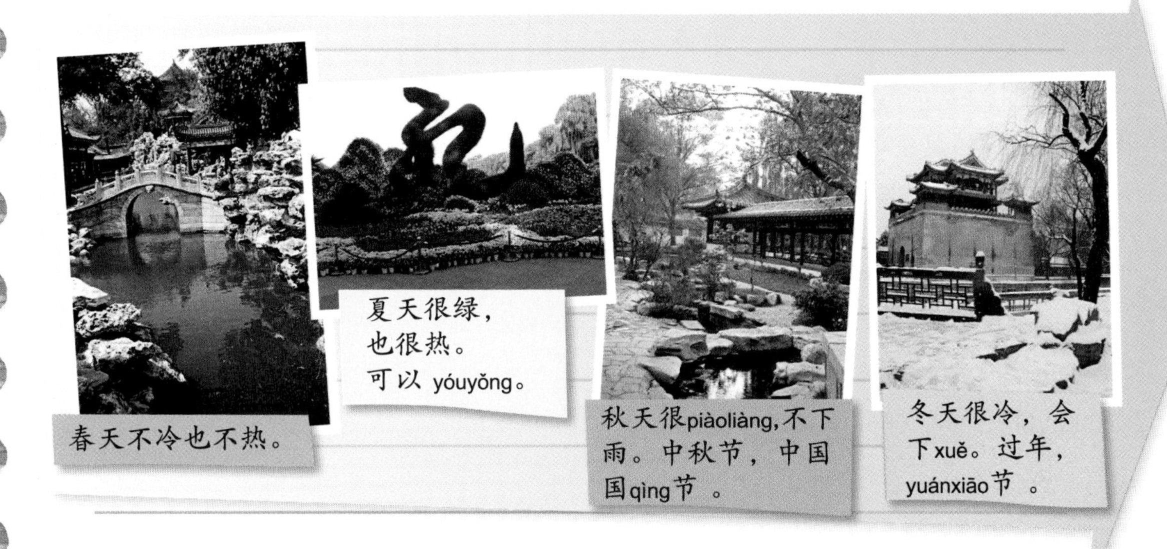

D'abord...

Il vous faut des photos représentatives des quatre saisons chez vous ou en Chine. Vous les légendez comme dans le modèle.

Ensuite...

Pour chaque saison, vous inscrivez ce qui la caractérise et les fêtes calendaires, ainsi que ce à quoi elle est liée dans votre vie (vacances, activités particulières, etc.).

A présent...

Vous présentez à la classe votre frise des saisons en la complétant oralement et en expliquant quelle est votre saison préférée.

第九课　　我的新家
第十课　　我的新朋友

Mon contrat d'apprentissage

Pour…

- compléter ce que je sais dire sur mon environnement en décrivant ma chambre,
- dire ce qui s'y trouve et l'emplacement des objets les uns par rapport aux autres,
- échanger sur un plan de quartier,
- échanger à propos de mes amis,
- décrire les personnes d'une photo,
- raconter une soirée et dire si je l'ai aimée et pourquoi,

… j'apprends :

le lexique de la chambre, des classificateurs supplémentaires, les locatifs suivis de 边 et 面,
la structure locative, lexique de la ville, les vêtements,
la description physique, les qualificatifs des personnes, 我觉得……,
la structure 是……的, le comparatif de supériorité, d'infériorité et d'égalité.

Mes stratégies

	J'écoute à nouveau les enregistrements des leçons passées : je vais pouvoir les comprendre plus finement et réactiver ce que j'ai appris.
	J'apprends par cœur des phrases, des textes, des dialogues. Cela me servira pour exprimer plus clairement mes idées lorsque mon niveau sera meilleur. Mon «savoir-parler» s'appuie sur des automatismes.
	Dans un texte, je repère les mots les plus importants, car ce sont les clés qui donneront son sens au texte.
	Visualiser dans ma tête des caractères m'aide à savoir les écrire.

新生活

第九课 我的新家

ORAL 我的新房间

fángjiān

1. > **Écoutez et répétez** les noms d'objets.

> **Écoutez et dites** quelle photo correspond à la chambre de Lǐ Mòmo.

> Vous devez aménager votre chambre, **faites la liste** de ce dont vous avez besoin. → **Cahier**

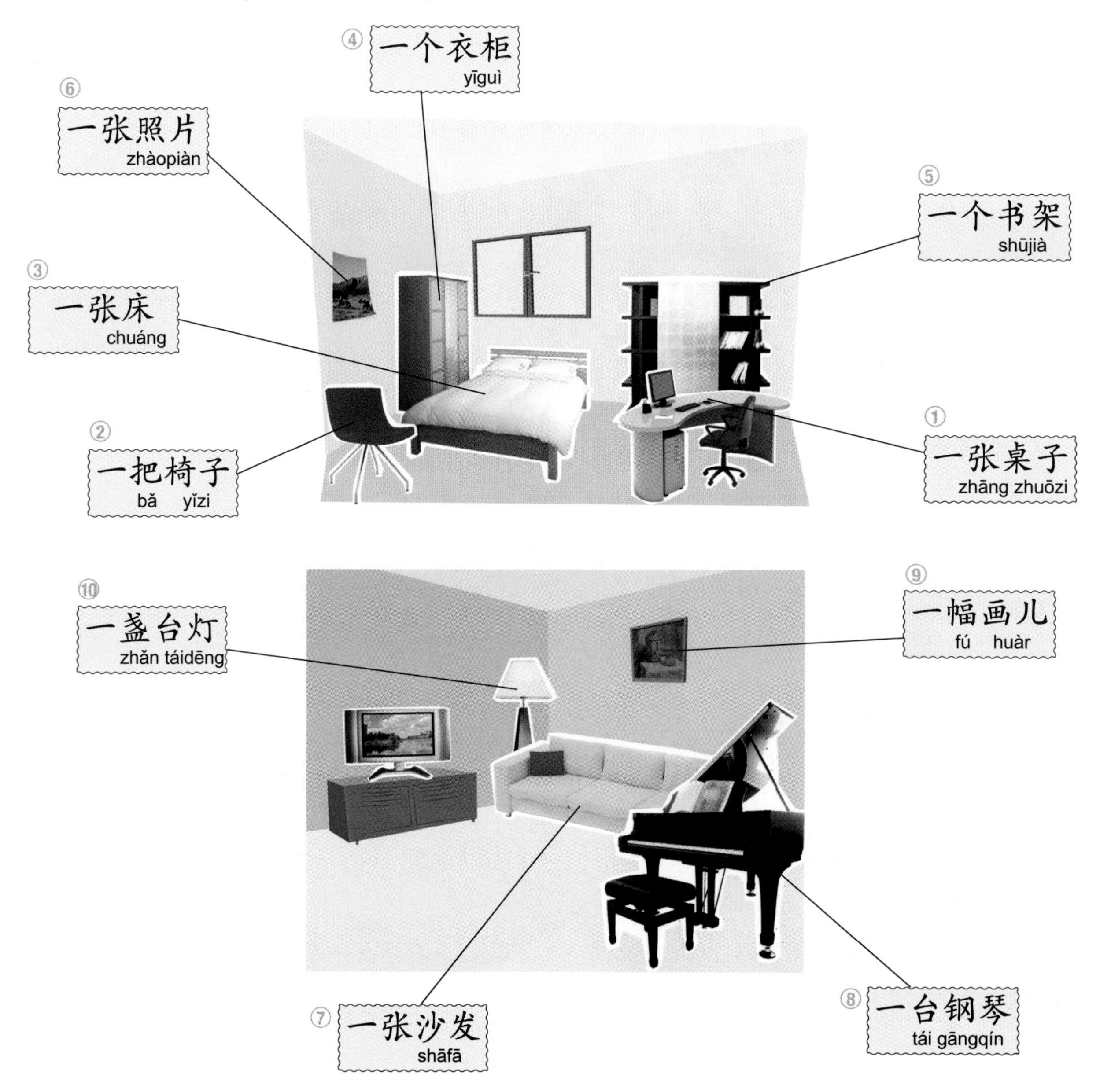

该你了

Questionnez votre voisin sur ce qu'il a dans sa chambre.

手机在桌子上面

zhuōzi shàngmian

2. > **Écoutez et répétez** les mots que vous entendez.

> **Écoutez et dites** si les phrases que vous entendez correspondent au dessin A.

> À présent, **regardez** les deux dessins et **trouvez** 7 différences.

A.

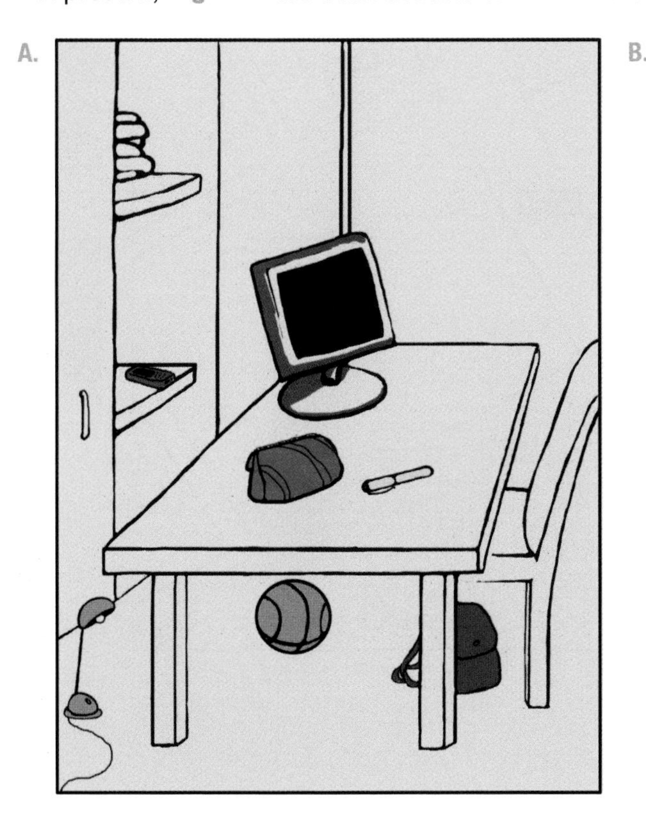

B.

该你了

Décrivez à votre voisin l'emplacement des meubles et des objets dans votre chambre, il doit en dessiner le plan d'après la description. Puis inversez les rôles.

3. > **Écoutez et répétez** ce que vous entendez.

> **Regardez** le plan et **situez** les différents lieux les uns par rapport aux autres.

后面
hòumian

前面
qiánmian

对面
duìmian

附近
fùjìn

4. > **Écoutez** les interviews et **trouvez** sur le plan où habitent ces personnes.

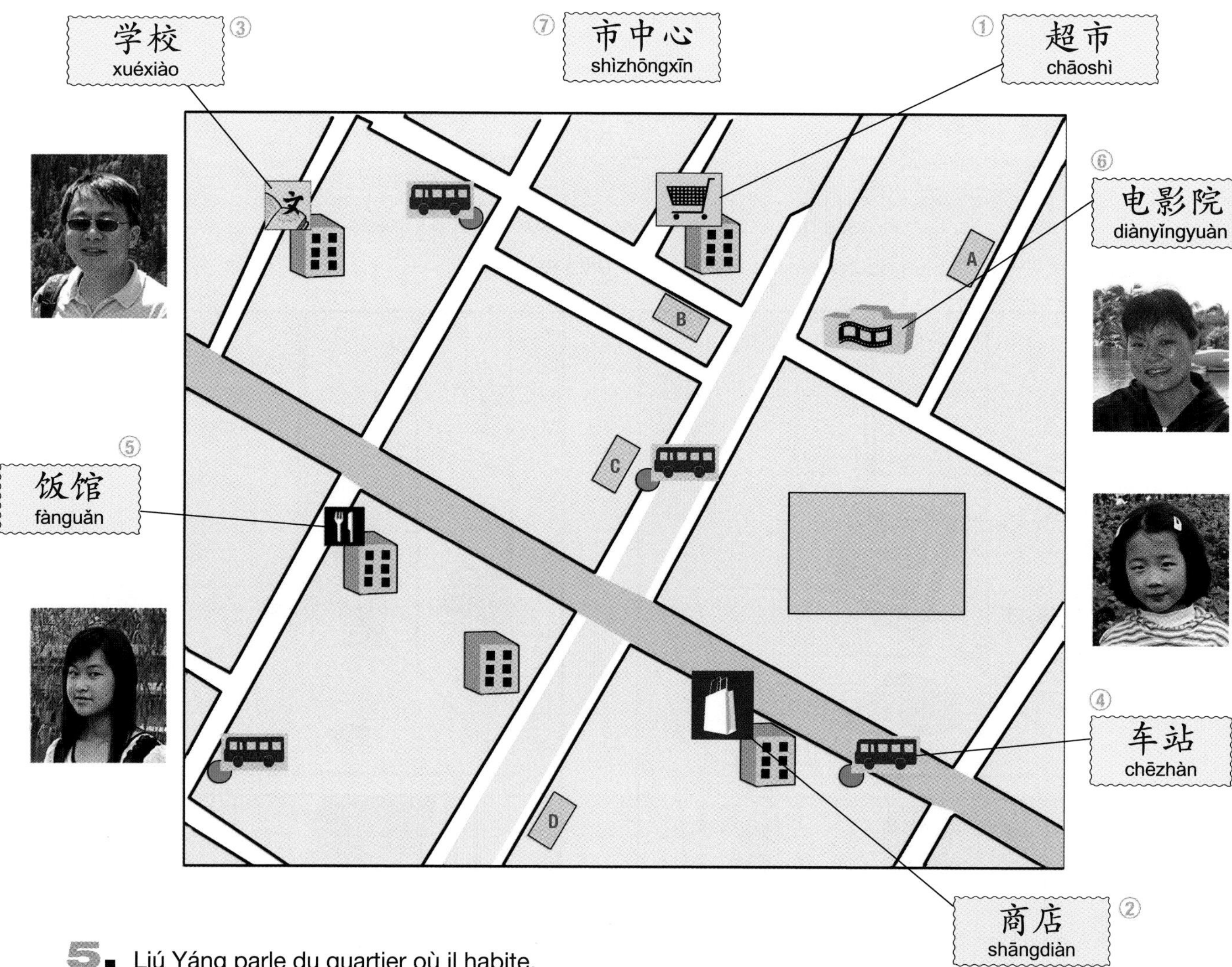

5. Liú Yáng parle du quartier où il habite.

> **Écoutez** l'enregistrement et **faites** le plan de son quartier d'après ce que vous entendez. → **Cahier**

> **Écoutez** encore une fois : que pensent Liú Yáng et ses parents de leur quartier ? → **Cahier**

该你了

Imaginez que vous habitez quelque part sur le plan.
En vous posant des questions, votre voisin doit trouver l'emplacement de votre maison.

漫画 UNE CHAMBRE DE RÊVE

Décrivez la chambre du garçon telle qu'elle est en réalité.

ÉCRIT

1. **Rangez** les mots selon les différentes catégories. → **Cahier**

meubles	particules locatives	lieux

2. **Lisez** les annonces ci-dessous : lesquelles concernent des meubles d'occasion ?

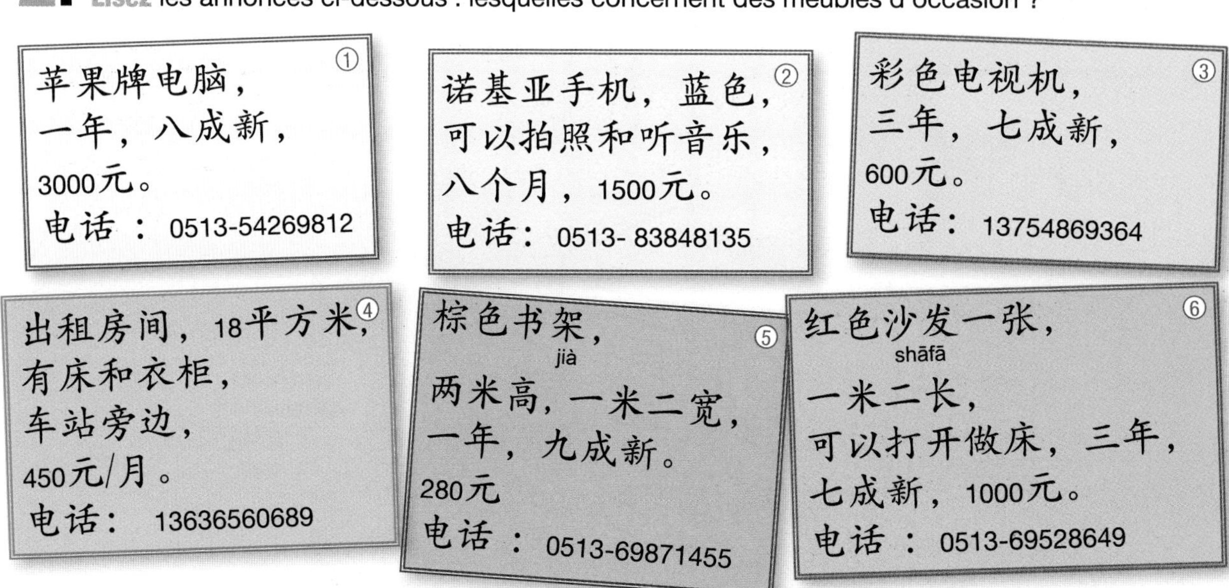

① 苹果牌电脑，
一年，八成新，
3000元。
电话：0513-54269812

② 诺基亚手机，蓝色，
可以拍照和听音乐，
八个月，1500元。
电话：0513- 83848135

③ 彩色电视机，
三年，七成新，
600元。
电话：13754869364

④ 出租房间，18平方米，
有床和衣柜，
车站旁边，
450元/月。
电话：13636560689

⑤ 棕色书架，
jià
两米高，一米二宽，
一年，九成新。
280元
电话：0513-69871455

⑥ 红色沙发一张，
shāfā
一米二长，
可以打开做床，三年，
七成新，1000元。
电话：0513-69528649

3. **Lisez** les phrases de la p. 119 et **dites** de quels objets il s'agit pour chaque question.

一　这个东西在桌子上，在书的左边，不是尺子，是什么？
chǐ

二　这个东西在床下面，不是包，在篮球前面，包旁边，是什么？
lán

三　这个东西在床下面，不是鞋子，在鞋子后面，最左边，是什么？
xié

四　这个东西在桌子上，在台灯前面，书的右边，是什么？

4. **Lisez** la description ci-dessous et **trouvez** le quartier correspondant. → **Cahier**

张书家附近有电影院和很多商店。电影院在他家对面。电影院左边是一家超市，张书的妈妈每天都去那儿买东西。电影院右边是一家CD店。张书上学很方便，学校离他家很近，在他家后面。从他家到学校要走五分钟。学校旁边有几家饭馆。中午，张书有时回家吃午饭,有时在饭馆吃。

fù　chāo　fāngbiàn

一

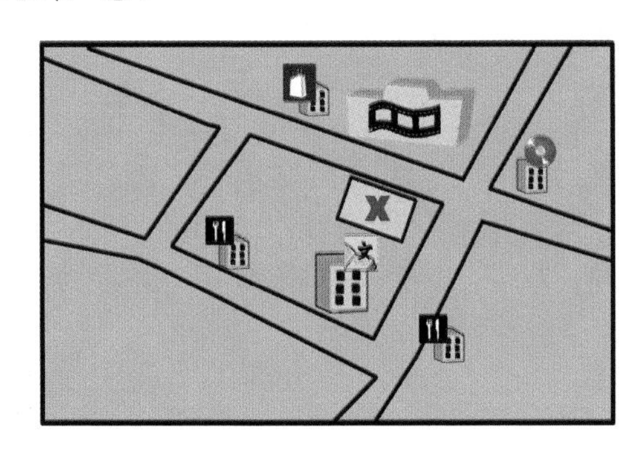

二

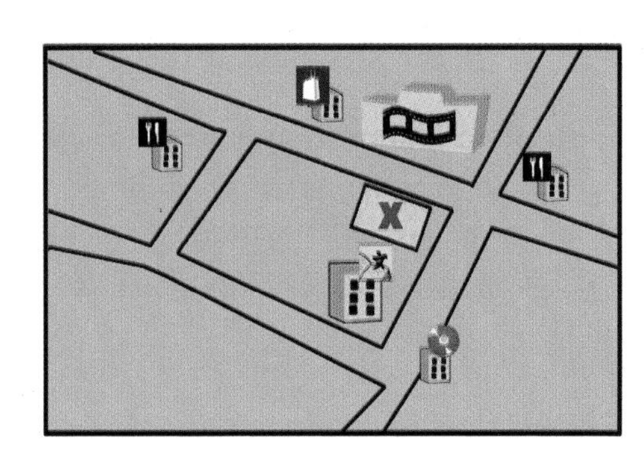

5. Dans ce tableau, il y a un certain nombre de phrases, **trouvez**-en au moins dix. → **Cahier**

我	去	买	东	西	六	菜	夏	各	大	很	子	房	他	包
去	学	校	要	走	半	个	小	时	法	黑	路	率	计	书
床	主	英	还	海	的	罗	手	机	在	电	脑	后	面	的
下	跑	语	面	便	饭	馆	在	书	店	左	边	帕	就	你
面	步	老	对	焕	那	个	女	孩	考	得	很	好	黄	有
有	条	师	店	双	课	语	汉	欢	喜	她	说	她	她	边
他	龙	很	商	走	路	发	头	红	有	她	库	弟	车	旁
的	看	好	在	财	字	庞	西	东	买	去	我	弟	被	机
球	路	必	校	横	你	的	球	在	床	下	面	很	乡	视
法	落	比	学	竖	北	京	的	冬	天	很	冷	帅	反	电

该你了

Votre correspondant chinois va arriver chez vous.
Décrivez par écrit le quartier où vous habitez.

工具箱 ATELIER DE PRONONCIATION

Virelangues 绕口令

一

- **Attention à la prononciation de « g » - « k »**

Gē kuà guā kuāng guò kuān gōu,	哥挎瓜筐过宽沟，
gănkuài guò gōu kàn guài gǒu.	赶快过沟看怪狗。
Guāng kàn guài gǒu guā kuāng kòu,	光看怪狗瓜筐扣，
guā gŭn kuāng kōng gē guài gǒu.	瓜滚筐空哥怪狗。

二

- **Attention à la prononciation de « g » - « k » - « h »**

Wáng pó mài guā yòu mài huā,	王婆卖瓜又卖花，
yībiān mài lái yībiān kuā.	一边卖来一边夸。
Yòu kuā huā, yòu kuā guā,	又夸花，又夸瓜，
kuā guā dà, dà kuā huā,	夸瓜大，大夸花，
kuā lái kuā qù méi rén lái lĭ tā.	夸来夸去没人来理她。

三

- **Attention à la prononciation de « ou » - « u »**

Shān qián yǒu zhī hŭ, shān hòu yǒu zhī hóu.	山前有只虎，山后有只猴。
Hŭ niăn hóu, hóu dòu hŭ ;	虎撵猴，猴斗虎；
hŭ niăn bù shàng hóu, hóu dòu bùliăo hŭ.	虎撵不上猴，猴斗不了虎。

四

- **Attention à la prononciation de « ou » - « uo »**

Duōduō lǒu lĭ zhuāng bōluó,	多多篓里装菠萝,
Shòushòu shǒu lĭ ná tuóluó.	瘦瘦手里拿陀螺。
Shòushòu ná shǒu lĭ de tuóluó	瘦瘦拿手里的陀螺
huàn Duōduō lǒu lĭ de bōluó,	换多多篓里的菠萝,
Duōduō shuō Shòushòu de tuóluó tài pò,	多多说瘦瘦的陀螺太破,
bù yuàn ná lǒu lĭ de bōluó	不愿拿篓里的菠萝
huàn Shòushòu shǒu lĭ de tuóluó.	换瘦瘦手里的陀螺。

工具箱 ATELIER D'ÉCRITURE

Vous les reconnaissez déjà, vous devez maintenant savoir les écrire :

还	voir leçon 4	我的房间里还有一张大书桌。
从	voir leçon 7	从北京到上海远吗？
分	voir leçon 5	现在两点二十分。

地	voir leçon 7	地上有很多东西。
到	voir leçon 7	我到你家去吃饭，好吗？
机	voir leçon 4	我们家没有电视机。

Apprenez à les écrire :

graphie	pinyin	français	aide	exemple
里	*lǐ*	dans, dedans	田 + 土	房间里有什么?
边	*biān*	côté	力 + 辶	学校旁边有很多商店。
间	*jiān*	chambre, pièce	门 + 日	我很喜欢我的房间。
外	*wài*	étranger, extérieur	夕 + 卜 divination	外语不好学。
门	*mén*	porte ; cl. des matières scolaires	une porte scellée à son gond	门口有没有人?

Apprenez à les reconnaître :

graphie	pinyin	français	aide	exemple
前	*qián*	devant, avant	丷 + 一 + 月 + 刂	车站前面有超市。
面	*miàn*	face, farine		红包里面有多少钱?
旁	*páng*	côté, latéral, à côté	方 El. Ph	他在我的旁边。
远	*yuǎn*	être loin	元 *yuán* El. Ph. + 辶	从你家到车站远不远?
近	*jìn*	être proche	斤 El. Ph. + 辶	不远，很近。
离	*lí*	distant de	élément droit de 脑 + 冂 + 厶 (肉)	离学校不远有火车站。
馆	*guǎn*	établissement	饣 + 官 *guān* El. Ph. fonctionnaire	你今天晚上想不想去饭馆吃饭?
商	*shāng*	commerce		我爸爸是商人。
店	*diàn*	magasin	广 abri + 占	上海的商店最多。
房	*fáng*	maison	户 battant de porte + 方 El. Ph.	我爸妈的房子很漂亮。
校	*xiào*	école	木 + 交 *jiāo* El. Ph.	学校对面有什么?
城	*chéng*	muraille, ville	土 + 成 *chéng* El. Ph. devenir	城市里有很多商店。
市	*shì*	marché, ville	亠 + 巾	上海这个城市很好玩儿!
影	*yǐng*	ombre	日 + 京 + 彡	我很喜欢和朋友一起去看电影。
院	*yuàn*	établissement, cour	阝 + 完	电影院远不远 ?
画	*huà*	dessiner, peindre	一 + 田 + 凵	床上面有妹妹的画儿。
视	*shì*	vision, vue, regarder	礻(示 *shì* El. Ph.) + 见 vision	爸爸天天晚上看电视。
张	*zhāng*	cl. des objets à surface plane, n. de f.	弓 arc + 长 *zhǎng* El. Ph.	我房间里有一张桌子，两张床 。
床	*chuáng*	lit	广 + 木	床旁边有桌子。
钟	*zhōng*	cloche, horloge	钅 + 中 El. Ph.	走几分钟就到电影院了。
走	*zǒu*	marcher	représentation d'un homme qui se penche pour marcher	那个地方很远，要走一个小时。

工具箱 GRAMMAIRE

Localiser

房间	里面	有	电脑。	*Il y a un ordinateur dans la pièce.*
床	上面	有	书。	*Il y a des livres sur le lit.*
nom	**particule locative**	**avoir**	**nom**	
书	在	床	下面。	*Le livre est sous le lit.*
王月	在	刘星	前面。	*Wang Yue est devant Liu Xing.*
nom	**se trouver à**	**nom**	**particule locative**	

* Le suffixe 面 peut parfois être omis.

De… à….

从	我家	到	电影院	不太远。	*Le cinéma n'est pas très loin de chez moi.*
从	学校	到	我家	很近。	*L'école est proche de chez moi.*
de	**lieu**	**à**	**lieu**		

* Les prépositions 从 et 到 peuvent porter sur le temps et l'espace.

Distant de

学校	离	我家	很近。	*L'école est proche de chez moi.*
饭馆	离	电影院	不远。	*Le restaurant n'est pas loin du cinéma.*
nom	**être distant de**	**nom**	**adj. verbal**	

La durée

两	(个)		小时			*deux heures*
三	(个)		小时	四十	分钟	*trois heures et quarante minutes*
半	(个)		小时			*une demi-heure*
一	个	半	小时			*une heure et demie*
chiffre	**cl.**	**demi**	**heure**	**chiffre**	**minute**	

他每天下午	睡	半小时。	*Il dort une demi-heure chaque après-midi.*
我每天早上	走	两个小时。	*Je marche deux heures chaque matin.*
	verbe	**durée**	

* L'expression de la durée d'une action se place après le verbe, contrairement au moment de l'action qui se place avant le verbe.

Ne plus

我家里	没有	电脑	了。	*Il n'y a plus d'ordinateur chez moi.*
我	没有	电视机	了。	*Je n'ai plus de télévision.*
	nég.	**nom**	**part. modale**	

* La particule modale finale 了 indique le changement aussi dans la négation : « il y avait », mais « il n'y a plus ».

工具箱 LEXIQUE

Ma chambre

一张 zhāng 书桌 shūzhuō
一个书架 shūjià
一本漫画书 mànhuàshū
一台 tái 电视机 diànshìjī
一张桌子 zhuōzi
一把 bǎ 椅子 yǐzi
一张床 chuáng
一个衣柜 yīguì

一张沙发 shāfā
一台钢琴 gāngqín
一张照片 zhàopiàn
一幅 fú 画儿 huàr
一盏 zhǎn 台灯 táidēng

房间 fángjiān
房子 fángzi
搬家 bānjiā

Mon quartier

商店
超市 chāoshì
学校 xuéxiào
车站 chēzhàn
饭馆 fànguǎn
电影院 diànyǐngyuàn
市中心 shìzhōngxīn

Mon trajet

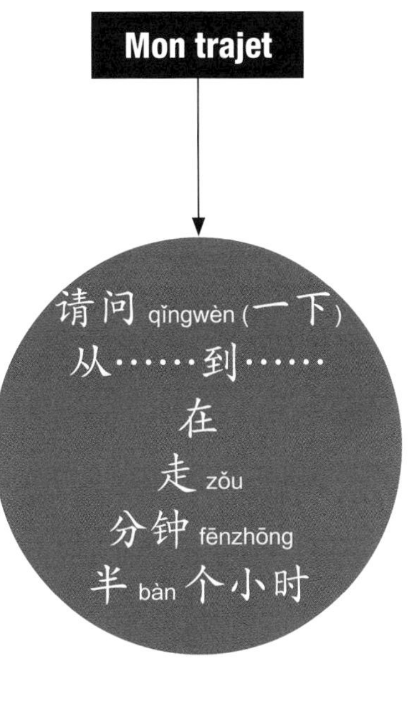

Où ?

第十课 我的新朋友

ORAL 她穿什么衣服？

chuān yīfu

1. > **Écoutez et répétez** les noms de vêtements que vous entendez.

> **Écoutez et répondez** aux questions que vous entendez. → **Cahier**

2. > **Écoutez et répétez** ce que vous entendez.

> Lǐ Mòmo montre à Shuāngchūn une photo de ses amis de 北京.

Écoutez la conversation et **trouvez** sur la photo laquelle est sa meilleure amie.

个子高
gèzi gāo

瘦
shòu

个子不高

胖
pàng

该你了

Décrivez les habits d'un camarade, les autres doivent deviner de qui il s'agit.

ORAL

学校的晚会
xuéxiào wǎnhuì

3. > **Écoutez et répétez** ce que vous entendez.

> Deux élèves commentent la soirée de l'école. **Écoutez** leur conversation et **dites** quel est l'avis de Mǎ Xīn sur la soirée de samedi. Qui n'est pas venu ? Pour quelles raisons ? → **Cahier**

4. > **Écoutez** la conversation entre les deux élèves. **Trouvez** les dessins qui correspondent à ce que chacune raconte sur la soirée.

> **Résumez** les commentaires de Qián Xiǎomǐ à l'aide des dessins. → **Cahier**

该你了

Racontez une soirée que vous avez aimée :
les activités, les personnes que vous avez rencontrées…

ORAL 我的新生活
xīn shēnghuó

5. **Écoutez** ce que raconte Lǐ Mòmo sur sa nouvelle vie, **notez** ses opinions sur sa chambre, son quartier, son école, le climat de Jinan et son impression générale sur la ville. **Remplissez** ensuite le tableau du cahier. → **Cahier**

6. **Écoutez** la deuxième partie du récit de Lǐ Mòmo, **notez** ses opinions sur ses camarades de Jinan.

→ **Cahier**

+	北京比这儿热。 bǐ
–	这儿没有北京（那么）热。
=	这儿跟/和北京一样热。 gēn

该你了

À votre tour de décrire votre vie : chambre, quartier, école, amis.

漫画 AVIS ET COMMENTAIRES...

À votre tour de commenter : que pourraient dire les garçons à propos des filles ?

ÉCRIT

1. Lisez ces petites annonces et trouvez l'intrus.

①
男士大衣
大号，蓝色，400元。
电话：1328569954

②
连衣裙
qún
中号，绿色和白色，
85元。
电话：0519-88594873

③
鞋子
xié
女式、男式，
各种尺码和颜色，
50~300元。
电话：1300000011

④
小猫
māo
棕色，六个星期大，80元。
电话：1399899567

2. Trouvez les personnages correspondant aux descriptions.

A. 那个人又高又胖。他穿黑色的裤子和蓝衬衣，他的鞋子是白色的。
kù lán chèn

B. 那个人个子不高，很瘦。她的头发很长，是黑色的。她长得很好看。她穿黄裙子和红毛衣。
shòu

C. 那个人不胖也不瘦，她的头发不长也不短，她长得不太好看。她穿牛仔裤和绿毛衣，她也戴绿围巾。
niúzǎi dài

3. Associez une phrase de la colonne de gauche à une phrase de celle de droite.

A. 我十六岁，他也十六岁，她已经十七岁了。
B. 这件毛衣九十块，那件八十五块。
C. 小李考试得了九十七分，小高得了七十分。
D. 今天气温二十五度，昨天气温三十度。
E. 他七点半起床，我八点起床。

1. 小高考得没有小李好。
2. 我起得比他晚。
3. 今天没有昨天那么热。
4. 他跟我一样大。
5. 这件毛衣比那件贵。

4. Vous voulez rapporter des tee-shirts de vacances pour faire des cadeaux, vous faites imprimer une inscription, laquelle **choisiriez-vous** pour : → **Cahier**

男朋友　女朋友　爸爸　妈妈　姐姐　爷爷　哥哥　最好的朋友

最用功 (yònggōng)　最可爱　最凶 (xiōng)　最热心　最聪明 (cōng)

最漂亮 (piàoliang)　最话多　最帅 (shuài)　最爱开玩笑 (xiào)

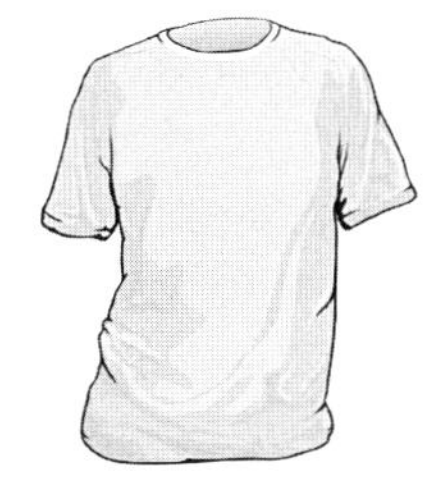

5. Test : 你是不是一个 «fashion victim» ?

1. 你有几件衬衣或T恤?
   chèn huò xù
   - 六到十件　一分
   - 十一到十五件　两分
   - 十六到二十件　三分

2. 你有几双鞋?
   shuāng xié
   - 两到七双　一分
   - 八到十二双　两分
   - 十三到三十双　三分

3. 你有几条裤子?
   kù
   - 五到十条　一分
   - 十到十五条　两分
   - 十五到三十条　三分

4. 你常常买衣服吗?
   - 很少买。　一分
   - 每个月都买。　两分
   - 每个星期都买。　三分

5. 你过生日的时候想要什么礼物?
   lǐwù
   - 书或CD　一分
   - 游戏或漫画 (yóuxì màn)　一分
   - 衣服　两分

6. 你去朋友的晚会，每次都穿新衣服。
   cì
   - 不是　一分
   - 有时候是　两分
   - 是　三分

7. 时装杂志[1]上说"今年流行[2]绿裙子!"
   qún
   - 你觉得没什么。　一分
   - 你有点儿想买一条绿裙子。　两分
   - 你马上就去买好几条绿裙子。　三分

你得了	7~10分	你不是个 fashion victim
你得了	11~14分	你是个小 fashion victim
你得了	15~20分	你是个大 fashion victim

1. 时装杂志 : magazine de mode
2. 流行 liúxíng : être à la mode

工具箱 ATELIER DE PRONONCIATION

Virelangues 绕口令

一

- **Attention à la prononciation de « j » - « q » - « x »**

Qīngqīng kàn xīngxing, xīngxing liàngjīngjīng. 青青看星星，星星亮晶晶。
Qīngqīng shǔ xīngxing, xīngxing shǔbuqīng. 青青数星星，星星数不清。

二

- **Attention à la prononciation de « ou »**

Hū tīng mén wài rén yǎo gǒu, 忽听门外人咬狗，
náqǐ mén lái kāi kāishǒu ; 拿起门来开开手；
shíqǐ gǒu lái dǎ zhuāntóu, 拾起狗来打砖头，
yòu bèi zhuāntóu yǎole shǒu ; 又被砖头咬了手；
cónglái bù shuō diāndǎo huà, 从来不说颠倒话，
kǒudài tuózhe luózi zǒu. 口袋驮着骡子走。

三

- **Attention à la prononciation de « iao »**

Shuǐ shàng piāozhe yī zhī biǎo, 水上漂着一只表，
biǎo shàng luòzhe yī zhī niǎo. 表上落着一只鸟。
Niǎo kàn biǎo, biǎo dèng niǎo, 鸟看表，表瞪鸟，
niǎo bù rènshi biǎo, biǎo yě bù rènshi niǎo. 鸟不认识表，表也不认识鸟。

四

- **Attention à la prononciation de « iu »**

Yī húlu jiǔ, jiǔ liǎng liù. 一葫芦酒，九两六。
Yī húlu yóu, liù liǎng jiǔ. 一葫芦油，六两九。
Liù liǎng jiǔ de yóu, yào huàn jiǔ liǎng liù de jiǔ. 六两九的油，要换九两六的酒。
Jiǔ liǎng liù de jiǔ, bù huàn liù liǎng jiǔ de yóu. 九两六的酒，不换六两九的油。

工具箱 ATELIER D'ÉCRITURE

Vous les reconnaissez déjà, vous devez maintenant savoir les écrire :

朋	voir leçon 6	张一林的朋友很多。
手	voir leçon 4	你手里有什么？
毛	voir leçon 8	我觉得穿毛衣太热。
喜	voir leçon 2	我太喜欢这件毛衣了。

友	voir leçon 6	她是我最好的朋友。
点	voir leçon 5	李明有一点儿不高兴。
谁	voir leçon 3	谁想看报？
欢	voir leçon 2	我很喜欢打乒乓球。

Apprenez à les écrire :

graphie	pinyin	français	aide	exemple
男	*nán*	homme, masculin	田 + 力	小王有没有男朋友？
女	*nǚ*	femme, féminin	une personne à genoux	我听说他有女朋友。
心	*xīn*	cœur	représentation du cœur	我考得很好，父母很开心。
跟	*gēn*	suivre ; en compagnie de	足 + 艮 *gèn* El. Ph.	你是跟谁去的？
让	*ràng*	laisser faire ; faire faire	讠+ 上 El. Ph.	妈妈不让我在房间里放电脑。
比	*bǐ*	comparer, plus que	deux hommes	小李比小张爱开玩笑。
开	*kāi*	ouvrir, conduire, bouillir	deux mains jointes 廾 soulevant la barre 一 de verrouillage d'une porte	打开书！

Apprenez à les reconnaître :

graphie	pinyin	français	aide	exemple
报	*bào*	journal	扌+ 卩 + 又	你觉得看报有意思吗？
认	*rèn*	reconnaître	讠+ 人 El. Ph.	我不认识你的日本朋友。
识	*shí*	connaître	讠+ 只 *zhǐ* El. Ph.	以前中国不识字的人很多。
衣	*yī*	vêtement	un vêtement avec ses manches	你有没有大衣？
服	*fú*	vêtement, uniforme	月 + 卩 + 又	这件衣服，我可以穿吗？
件	*jiàn*	cl. des vêtements	亻 + 牛 *niú* bœuf	这件衣服没有那件好看。
条	*tiáo*	cl. des objets longs et sinueux	夂 + 木	这条裤子和那条一样长吗？
穿	*chuān*	enfiler ; porter des vêtements	穴 grotte + 牙 dent	你说我穿得怎么样？
觉	*jué* *jiào*	ressentir ; sommeil	haut du caractère 学 + 见	我觉得小文太喜欢睡觉了。
爱	*ài*	aimer	爪 griffe + 冖 + 友	张一林的妹妹最可爱了！
音	*yīn*	son	立 station debout + 日	你们法国学生上音乐课吗？
乐	*yuè* *lè*	musique ; joie	樂 instrument de musique monté sur meuble en bois	他不太喜欢我喜欢的音乐。
黄	*huáng*	être jaune	艹 herbe + 一 + 由 + 八	小王的姐姐穿黄毛衣。
黑	*hēi*	être noir	口 + 丷 + 土 + 灬 feu	中国人都有黑头发吗？
李	*lǐ*	prune ; (ici) n. de f.	木 + 子	李一名是我的新朋友。
高	*gāo*	être grand en taille	représentation d'un bâtiment élevé	白大明个子很高。
兴	*xìng*	être content		可以去中国，我很高兴！
话	*huà*	langue, parole	讠+ 舌 la langue	她最爱说话！
已	*yǐ*	déjà		我已经看完了这本书。
经	*jīng*	已经	纟 + El. Ph.	谁已经吃完饭了？
就	*jiù*	alors, dès	京 + 尤 *yóu* El. Ph.	明天就回老家，好吗？

工具箱 GRAMMAIRE

Falloir

去他家	要	坐	公交车。	*Pour aller chez lui, il faut prendre le bus.*
	falloir	**verbe**		

Dès

晚会没意思，	我八点	就	走了。	*La soirée était ennuyeuse, je suis parti dès 20 heures.*
他家很远，	七点	就	回去了。	*Il habite loin d'ici, il est rentré dès 19 heures.*
	temps	**dès**	**verbe**	

* L'adverbe 就 exprime que l'action s'est produite tôt.

Le résultat

我		看到	了	李欢	*J'ai vu Li Huan.*
		verbe-verbe	**part. asp.**		
我	没	看到		李欢。	*Je n'ai pas vu Li Huan.*
	nég.	**verbe-verbe**			

* Le deuxième verbe exprime que le premier verbe a atteint son résultat, l'action de « regarder » arrive au résultat de « voir ». La négation de l'action se fait avec 没, 了 disparaît alors de la phrase.

Un peu

王林	有(一)点儿	胖。	*Wang Lin est un peu gros.*
sujet	**un peu**	**adj. verbal**	

Ensemble

我们			一块儿	去	晚会。	*Nous allons ensemble à la soirée.*
sujet pluriel			**ensemble**	**verbe**		
王月	跟	高友	一块儿	跳	舞	*Wang Yue et Gao You dansent ensemble.*
nom	**avec**	**nom**	**ensemble**	**verbe**		

* La préposition 跟 peut être remplacée par la préposition 和.

Comparer

北京	比	济南	大。		*Pékin est plus grand que Jinan.*
nom	**plus que**	**nom**	**adj. verbal**		
济南	没有	北京	(那么)	大。	*Jinan n'est pas aussi grand que Pékin.*
nom	**moins que**	**nom**	**(autant)**	**adj. verbal**	
我	跟/和	刘星	一样	高。	*Je suis aussi grand que Liu Xing.*
nom	**avec**	**nom**	**pareil**	**adj. verbal**	

Insister sur quelque chose

我们	是	十一点半	走	的。	*Nous sommes partis à 11h30.*
我	是	和刘洋一块儿	走	的。	*Je suis partie avec Liu Yang.*
	être	**complément**		**particule**	

* La structure « 是……的 » marque l'insistance sur un temps, un lieu, une personne, etc. par rapport à une action qui a eu lieu dans le passé.

工具箱 LEXIQUE

Les vêtements

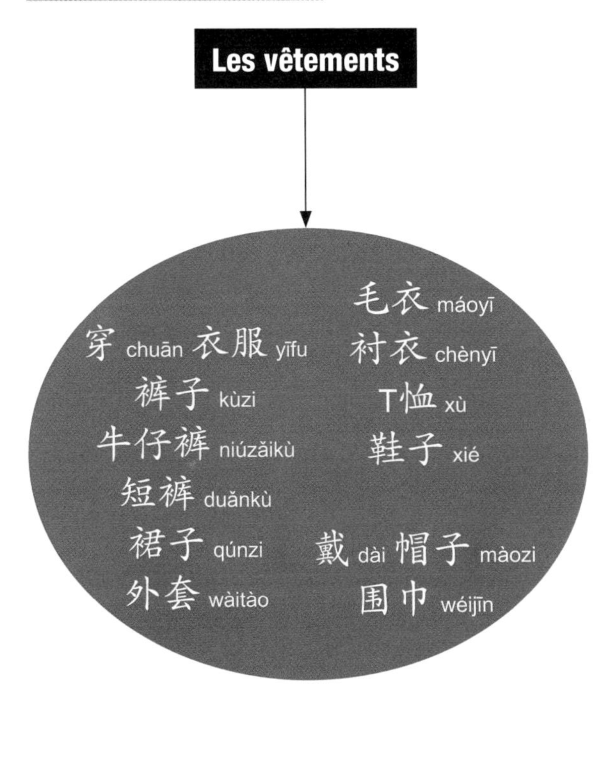

Comparer

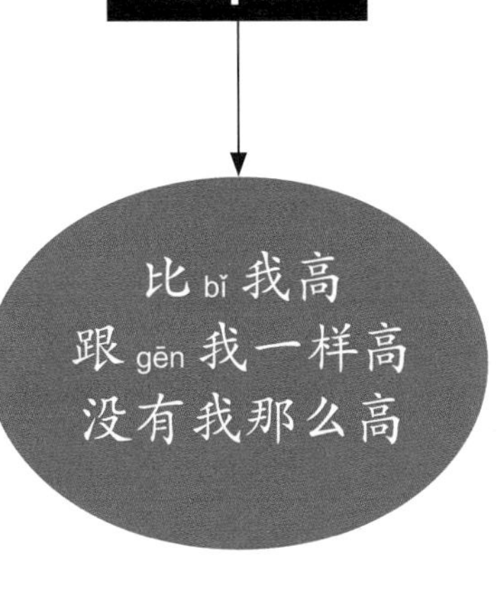

Parler de quelqu'un

L'apparence physique

高 gāo
胖 pàng
瘦 shòu
个子 gèzi
高 gāo
一米 mǐ 六五
长得 zhǎng de

Qualité morale, sentiment

热心 rèxīn
用功 yònggōng
聪明 cōngmíng
爱 ài 开 kāi 玩笑 wánxiào

有点儿可怜 kělián
高兴 gāoxìng
开心 kāixīn
难过 nánguò

La soirée

晚会 wǎnhuì
认识 rènshi
觉得 juéde
八点半就走了
没看到他们
我是十一点半走的。
跟 gēn 你一块儿去
觉 jué 得没意思 yìsi
已经 yǐjīng

CULTURE
百宝箱

中国住宅 L'habitat en Chine – Tradition et modernité

Dans les maisons traditionnelles chinoises, l'espace était organisé en harmonie avec le système traditionnel de la structure familiale. Chaque membre de la famille occupait dans la maison une place en fonction de son âge et de son rang.

Maison du Nord à cour carrée

Maison du Nord des grandes familles

Hútong

在中国的北方 (fāng), les bâtiments sont entourés d'un mur et disposés autour d'une cour carrée : le 四合院 (sìhéyuàn), l'orientation est sud-nord. Les ouvertures des pièces ne donnent pas sur la ruelle 胡同 (hútong), mais sur la cour. C'est aussi un moyen de se protéger du froid et du vent violent qui souffle au printemps.

À 上海, des gratte-ciel cotoyent des maisons traditionnelles, des autoroutes à étages traversent les quartiers historiques de la ville qui a changé de visage depuis 二十年。

À 上海 comme à 香港 (Xiānggǎng), un grand nombre d'exemples exceptionnels d'architecture et de design émergent de l'océan, certains édifices atteignent une hauteur de 500 米.

上海

Maison du Sud-Est

Dans les villes du Sud, 很多房子 présentent une façade sur rue, avec un balcon au premier étage et des murs mitoyens avec les maisons voisines. Il n'y a qu'une seule 房间 très profonde qui débouche généralement sur une arrière-cour. 因为 toute l'année 都很热，所以人们的生活 (shēnghuó) 也可以 se dérouler 在房子的前面 ou 外面.

L'art des jardins a joué un rôle très important dans l'architecture traditionnelle chinoise. Les jardins constituent un lieu de repos, de méditation, de lecture, d'amusement. 在南方，因为天气热，雨水多， la végétation est abondante toute l'année. Cette luxuriance a favorisé l'aménagement de jardins.

Rue du Sud

Jardin de Suzhou

L'espace y est rythmé par des murs ou galeries, des rochers, des bassins. Le jardin, œuvre de l'homme, est une reconstitution de l'univers, de la nature, les pierres ou les monticules symbolisent la montagne, les bassins, les fleuves et les rivières.

Vue panoramique de Hong-Kong

Faites des recherches : citez les plus grandes et plus hautes réalisations architecturales en Asie du 东南.

JE PEUX...

- comprendre la description de la nouvelle chambre de mon ami.
- comprendre ce qui se dit sur la soirée passée avec des amis.

- parler de ma chambre.
- décrire l'emplacement des meubles.
- parler de mes amis.

- parler de mon quartier avec mon interlocuteur.
- échanger sur l'emplacement des objets de ma chambre.
- échanger sur mes amis.

- repérer huit nouveaux éléments composants.
- reconnaître et lire à haute voix 190 caractères.
- lire quelques noms de couleurs.
- lire des informations concernant des objets.
- lire la description d'un quartier.

- écrire 140 caractères.
- décrire quelqu'un en ayant recours au pinyin si besoin.
- écrire en pinyin les mots du module que j'entends et que je dis mais dont les caractères me sont encore inconnus.

第五城市 Une ville virtuelle

Vous créez une ville virtuelle et imaginez ses habitants.

D'abord...

Il vous faut : un plan de ville sur lequel vous indiquez une dizaine d'endroits à l'aide de panneaux.

Ensuite...

Vous imaginez quatre habitants d'âges différents, chacun ayant des caractéristiques bien précises (vêtements, activités, etc.).

A présent...

Vous faites évoluer ces personnages dans leur ville : selon la saison, ils se déplacent, s'activent du matin au soir...

第十一课 吃饭去
第十二课 注意身体

Mon contrat d'apprentissage

Pour…

- faire un sondage sur les goûts alimentaires dans la classe,
- dire si je préfère manger chez moi ou à la cantine,
- comparer les petits déjeuners chinois et français,
- commander dans un restaurant quelques plats chinois,
- énoncer quelques raisons d'absence en cours et lire un mot d'absence,
- parler du grignotage et dire pourquoi ce n'est pas bon pour la santé,
- échanger sur la santé,

… j'apprends :

la préposition 用, des noms d'aliments chinois et occidentaux, le passé d'expérience (V + 过), la structure 又……又……, un menu, la comparaison, commander au restaurant, 所以, le verbe inviter 请, 一点儿, le lexique de la maladie, le verbe 能, quelques noms d'aliments à grignoter, 那么， l'adverbe 只, devoir 要, V. plus/moins, des verbes de mouvement, le directionnel, ne plus 不……了.

Mes stratégies

	Une fois que le sens général est clair, j'essaye d'identifier les éléments inconnus.
	Pour me faire comprendre, je fais des phrases courtes et simples.
	Lorsque je lis à voix haute, je m'appuie sur les éléments phonétiques des caractères que je peux repérer.
	Lorsque je ne suis pas chez moi, je m'entraîne en écrivant dans le creux de ma main.

吃和健康

第十一课 吃饭去

ORAL 你想吃什么？

1. > **Écoutez** et **répétez** ce que vous entendez.

> **Écoutez** la conversation entre Vincent et 陈西 Chén Xī : **dites** ce que chacun décide de manger ce matin au petit déjeuner. → **Cahier**

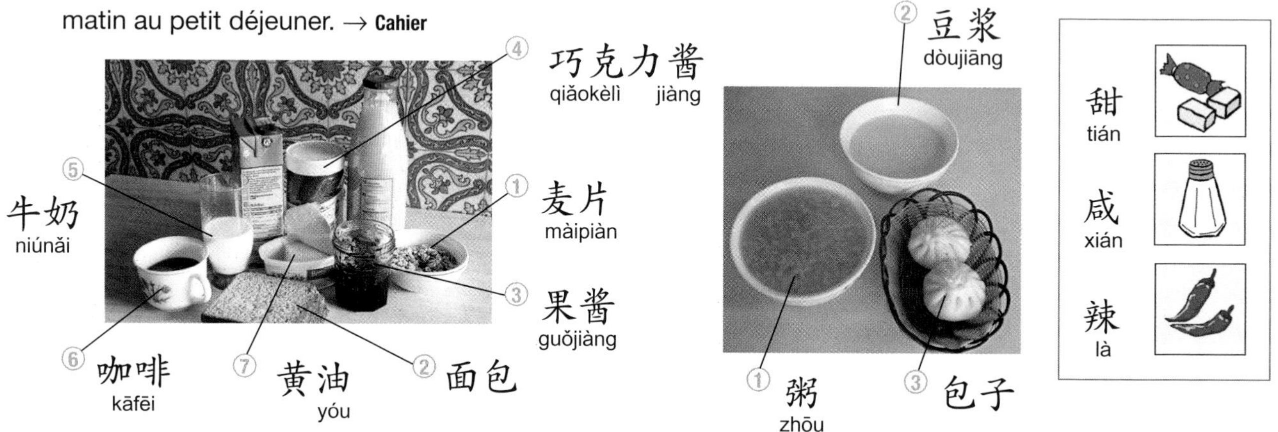

> **Choisissez** 5 aliments et **demandez** à votre voisin s'il les a déjà goûtés.

Exemple : – 你吃过面条吗？
guo miàntiáo

– 吃过。/ 没吃过。

2. > **Écoutez et répétez** ce que vous entendez.

> Deux élèves passent une commande dans un restaurant fast-food. **Écoutez** la conversation et **notez** ce que chacun choisit. Ensuite **calculez** pour chacun combien il devra payer. → **Cahier**

> Et vous ? Quel est votre choix ? Pourquoi ? → **Cahier**

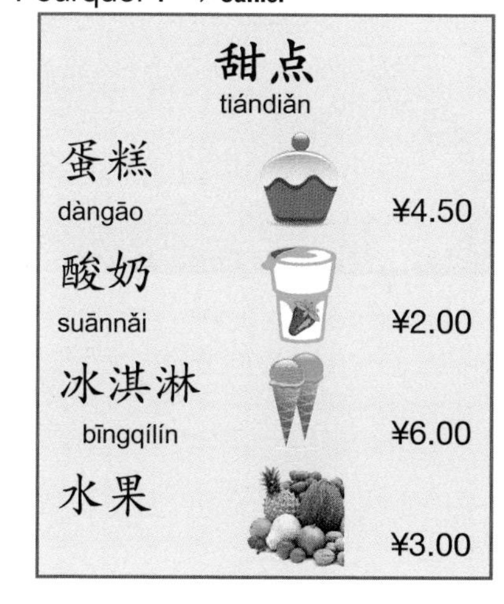

该你了

Faites un sondage sur les goûts alimentaires de vos camarades.

在家还是在食堂吃饭?

shítáng

3. > **Écoutez et répétez** ce que vous entendez.

> **Écoutez** la conversation et **dites** ce que les deux élèves mangent aujourd'hui à la cantine.

> **Écoutez** encore une fois : **notez** leurs commentaires sur les plats d'aujourd'hui et ceux d'hier. → **Cahier**

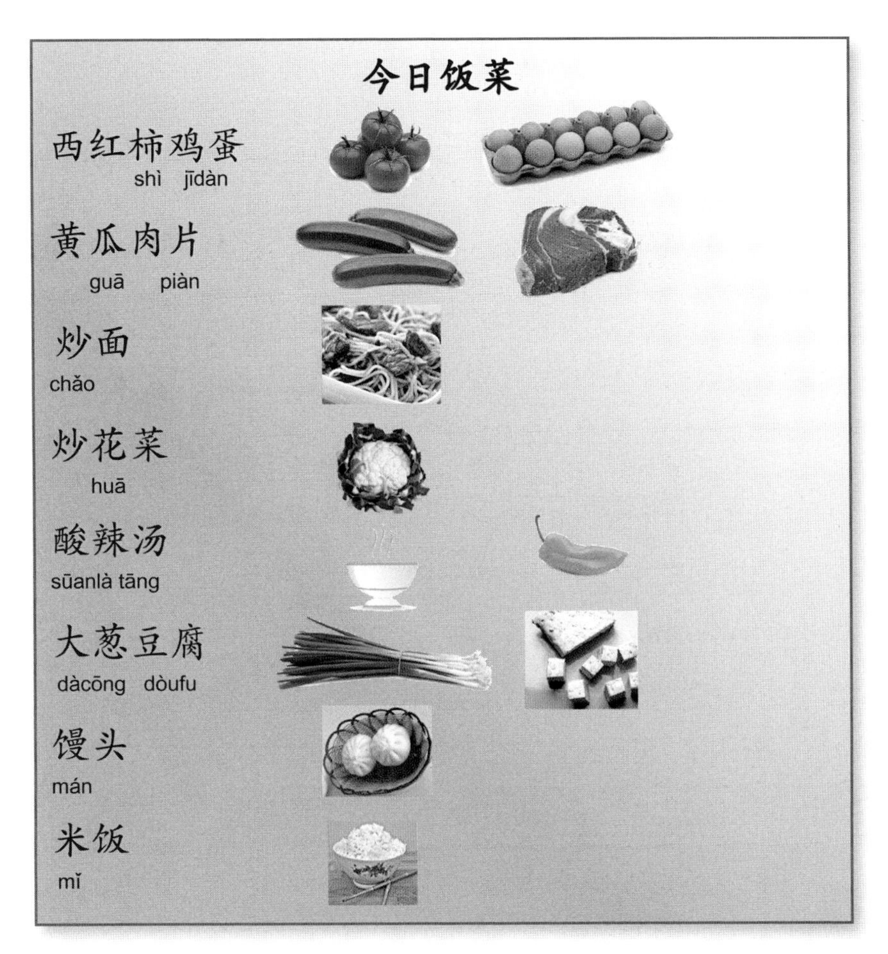

4. > **Écoutez** la conversation entre Shuāngchūn et sa mère et **dites** si Shuāngchūn a faim en rentrant et pourquoi. → **Cahier**

> **Écoutez** encore une fois et **notez** :

- les plats du dîner,
- la réaction de sa mère à propos de la soupe,
- la réaction de sa mère à propos du dîner. → **Cahier**

该你了

Où préférez-vous manger, chez vous ou à la cantine ? Dites pourquoi.

在饭馆吃饭

5. **Écoutez** le message que Liú Xīng a laissé sur la boîte vocale de son ami, que propose-t-il ?

6. > **Écoutez** et **répétez** ce que vous entendez.

> **Écoutez** la conversation et dites qui parle, quelles boissons et quelles viandes choisissent les personnages. Que dit Liú Xīng à la fin du repas ?

该你了

Jouez une scène dans un restaurant entre le serveur et les clients.

漫画 LE RESTAURANT PLONGÉ DANS LE NOIR

Racontez ce qui s'est passé ce soir-là au restaurant.

ÉCRIT

1. **Associez** les mots ou expressions deux par deux. → **Cahier**

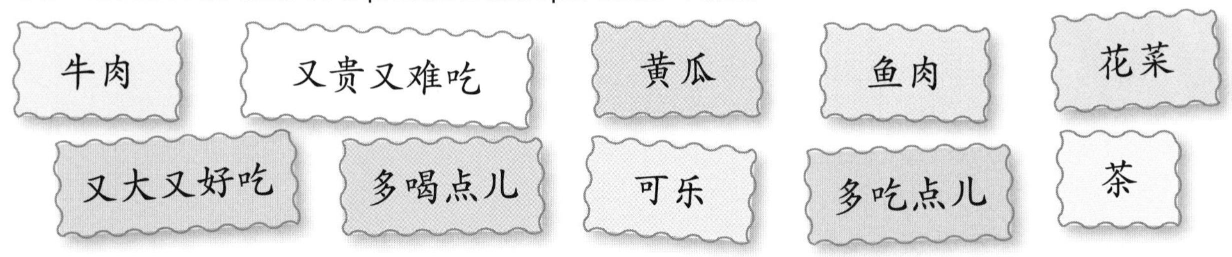

2. **Écoutez** et **dites** quelles phrases vous entendez. → **Cahier**

一　明天晚上他想请我去饭馆吃饭。

二　明天晚上我不想去你家吃饭。

三　我的法国朋友说他没去过中国饭馆吃饭。

四　我的法国朋友说他不想去中国饭馆吃饭。

五　我妹妹说她没有吃完饺子。

六　我妹妹说她吃过饺子。

3. Quels ingrédients faut-il pour faire un gâteau ? → **Cahier**

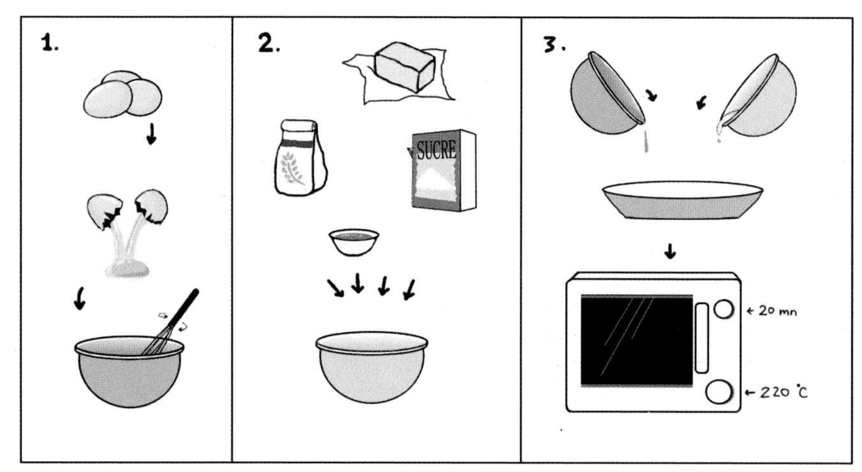

一　黄油 (yóu)

二　白面

三　猪肉 (zhū)

四　白糖 (táng)

五　米饭

六　鸡蛋 (jīdàn)

七　鸡肉

八　西瓜

九　水果

十　酸奶 (suān)

十一　牛奶

十二　咖啡 (kāfēi)

十三　牛肉

十四　鱼

十五　可乐

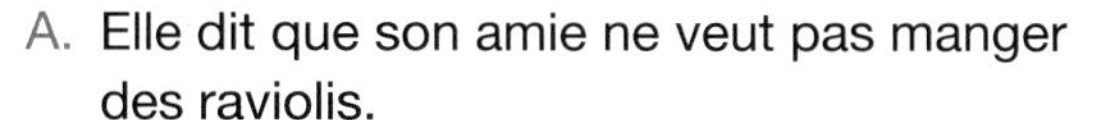

4. Associez chaque phrase française à une phrase chinoise. → **Cahier**

A. Elle dit que son amie ne veut pas manger des raviolis.
B. Elle dit que c'est la soupe qu'elle préfère.
C. Elle dit qu'elle n'a jamais mangé de raviolis.
D. Elle dit qu'elle a faim et qu'elle veut donc manger de tout.
E. Elle dit qu'elle ne sait pas manger avec des baguettes.

一　她说她很饿,所以什么都想吃。
二　她说这是她最喜欢的汤(tāng)。
三　她说她不会用筷子吃饭。
四　她说没有吃过饺子。
五　她说她朋友不想吃饺子。

5. Lisez les menus et **répondez** aux questions.

1 – Ce soir, Shuāngchūn a envie de manger du poisson, quel menu doit-elle choisir ?

2 – Xiǎolì n'aime que les légumes, quel menu doit-elle choisir ?

3 – Aujourd'hui Liú Yáng ne veut pas manger de viande, mais il veut un coca, quel menu doit-il choisir ?

套餐

供应时间：中午 11：00 — 13：30　晚上 17：30 — 20：00

12元	12元	10元
套餐 1	套餐 2	套餐 3
红烧牛肉	香辣鱼块	香菇菜心
肉末豆腐	炒青菜/炒白菜	酸辣白菜
酸辣汤	鸡蛋汤	海带青菜汤
炒面	米饭/炒饭	炒饭
可乐/红茶/水	可乐/绿茶/水	红茶/绿茶/水

该你了

Rédigez un menu.

工具箱 ATELIER DE PRONONCIATION

Virelangues 绕口令

一

- **Attention à la prononciation de « z » - « c » - « s »**

Cèsuǒ zuǒcè xiǎng zāi cōng,	厕所左侧想栽葱，
cèsuǒ yòucè xiǎng zāi sōng.	厕所右侧想栽松。
Shì cèsuǒ zuǒcè zāi cōng,	是厕所左侧栽葱，
háishi cèsuǒ yòucè zāi sōng.	还是厕所右侧栽松。

二

- **Attention à la prononciation de « i »**

Zhī zhī wéi zhī zhī, bù zhī wéi bù zhī.	知之为知之，不知为不知。
Bù yǐ bù zhī wéi zhī zhī,	不以不知为知之，
bù yǐ zhī zhī wéi bù zhī,	不以知之为不知，
wéi cǐ cáin éng qiú zhēnzhī.	唯此才能求真知。

三

- **Attention à la prononciation de « e »**

Pō shàng lìzhe yī zhī é, pō xià jiùshì yī tiáo hé.
坡上立着一只鹅，坡下就是一条河。

Kuānkuān de hé, féi féi de é,	宽宽的河，肥肥的鹅，
é yào guò hé, hé yào dù é.	鹅要过河，河要渡鹅。
Bù zhī shì é guò hé, háishi hé dù é.	不知是鹅过河，还是河渡鹅。

四

- **Attention à la prononciation de « zhi » - « zi » - « ri »**

Yī zhī bǐ, yī zhāng zhǐ, zhízi xué xiězì.	一支笔，一张纸，侄子学写字。
Xuéle zhěng shí rì, zhǐ huì xiě « zhī » zì.	学了整十日，只会写"之"字。
Shěnzi dèng zhízi, qì de liǎn fāzǐ.	婶子瞪侄子，气得脸发紫。

工具箱 ATELIER D'ÉCRITURE

Vous les reconnaissez déjà, vous devez maintenant savoir les écrire :

茶	voir leçon 8	那么多茶，你喝得完吗？
乐	voir leçon 10	你想不想喝杯可乐？
吃	voir leçon 5	你几点吃午饭？
馆	voir leçon 9	去日本饭馆吃生鱼吧！

肉	voir leçon 8	奶奶老了，不吃肉了。
包	voir leçon 4	法国人天天吃面包。
鱼	voir leçon 8	不吃肉的人可以吃鱼。
饭	voir leçon 5	吃炒饭还是白饭？

钱	voir leçon 8	炒白菜多少钱？		花	voir leçon 8	红茶，绿茶和花茶。
过	voir leçon 8	part. asp. d'expérience	你吃过日本生鱼吗？吃过！			

Apprenez à les écrire :

graphie	pinyin	français	aide	exemple
米	*mǐ*	riz	quatre grains de riz battus	中国南方人天天吃米饭。
用	*yòng*	se servir de, utiliser, au moyen de		我可不可以用你的手机？
杯	*bēi*	verre, cl. des tasses	木 + 不	喝杯茶吧！
水	*shuǐ*	eau	une rivière et la représentation de son courant	中国人常常喝开水。

Apprenez à les reconnaître :

graphie	pinyin	français	aide	exemple
喝	*hē*	boire	口 + 曷 El. Ph.	现在很多法国人喝茶。
饿	*è*	avoir faim	饣+ 我 El. Ph.	我饿了！
筷	*kuài*	baguette	竹 + 快 El. Ph.	你会不会用筷子吃饭？
又	*yòu*	et … et …, de nouveau	représentation d'une main droite	饺子又便宜又好吃。
汉	*hàn*	chinois, l'ethnie Han	氵+ 又	在中国，很多人是汉人。他们说汉语。
所	*suǒ*	所以	户 + 斤	他想去中国，所以学汉语。
请	*qǐng*	inviter	讠+ 青 *qīng* El. Ph.	昨天晚上，奶奶请我们吃饭。

On les lit souvent sur les menus des restaurants :

graphie	pinyin	français	décomposition	exemple
汤	*tāng*	soupe, potage	氵+ El. Ph.	中国饭菜最后有汤。
片	*piàn*	tranche	la moitié droite du dessin de l'arbre 木	给我一片面包吧！
菜	*cài*	plat	艹 + 爫 griffe + 木	我的西班牙朋友说她没吃过中国饭菜。
鸡	*jī*	poulet	又 + 鸟 *niǎo* oiseau	鸡肉比羊肉好吃。
蛋	*dàn*	œuf	疋 + 虫 *chóng* bestiole	我妈妈很会做鸡蛋汤。
牛	*niú*	bœuf	une tête de bœuf avec ses cornes	羊肉没有牛肉好吃。
鸭	*yā*	canard	鸟 + 甲 *jiǎ* El. Ph.	中国人常吃鸡蛋和鸭蛋。
炒	*chǎo*	faire sauter	火 + 少 El. Ph.	这个饭馆的炒面很有名。
瓜	*guā*	cucurbitacée	une courge sous de grandes feuilles	中国有西瓜、黄瓜、香瓜等瓜。
香	*xiāng*	parfumé, parfum	禾 + 日	我爱吃五香牛肉！很香！

工具箱 GRAMMAIRE

Déjà fait

我		喝	过	鸡蛋汤。	*J'ai déjà mangé du potage aux œufs.*
我	没	喝	过	鸡蛋汤。	*Je n'ai jamais mangé de potage aux œufs.*
	(nég.)	**verbe**	**part. asp.**		

* La particule aspectuelle d'expérience 过 exprime que l'action a déjà été réalisée au moins une fois par le passé.

Un peu

玩	(一)	玩	电脑吧！	*Joue un peu à l'ordinateur !*
verbe	**(un)**	**verbe**	**nom**	
他	喝	一点儿	茶。	*Il boit un peu de thé.*
	verbe	**un peu**	**nom**	
他	买	一些	包子。	*Il achète quelques pains farcis cuits à la vapeur.*
	verbe	**quelque**	**nom**	

Comme ceci et comme cela

香瓜	又	大	又	甜 tián。	*Ce melon est gros et sucré.*
炒面	又	咸 xián	又	辣 là。	*Ces nouilles sautées sont salées et pimentées.*
sujet	**à la fois**	**adj. verbal.**	**à la fois**	**adj. verbal**	

* Le sujet est qualifié par 2 adjectifs du même domaine (tous les 2 positifs ou négatifs).

Être capable de finir

香瓜不大，我	吃	得	完。	*Ce melon n'est pas gros, je peux le finir.*
Pizza很大，我	吃	不	完。	*Cette pizza est grande, je ne peux pas la finir.*
	verbe	**affirm./nég.**	**verbe**	

* Le composé verbal exprime la capacité ou non de réaliser l'action.

Par conséquent

炒面不好吃，	所以	我吃炒饭。	*Les nouilles sautées ne sont pas bonnes, par conséquent je mange du riz sauté.*
我没吃午饭，	所以	现在很饿。	*Je n'ai pas déjeuné, par conséquent j'ai maintenant très faim.*
	par conséquent	**proposition**	

Vouloir

你	要	(吃)	米饭	吗？	*Tu veux (manger) du riz ?*
他	要	(吃)	炒面。		*Il veut (manger) des nouilles sautées.*
	vouloir	**verbe**	**nom**		

* 要 a le sens de « vouloir » uniquement dans les phrases interrogatives à la 2e personne et les phrases affirmatives à la 1re et à la 3e personne. Dans l'autre cas, il a sens de « devoir » ou « falloir ».

Utiliser

中国人	用	筷子	吃	饭。	*Les Chinois mangent avec des baguettes.*
sujet	**avec**	**nom**	**verbe**		

工具箱 LEXIQUE

Petit déjeuner

麦片 màipiàn
面包 miànbāo
黄油 huángyóu
果酱 guǒjiàng
巧克力酱 qiǎokèlì jiàng
牛奶 niúnǎi
咖啡 kāfēi
果汁 guǒzhī
早饭 zǎofàn
粥 zhōu
豆浆 dòujiāng

Déjeuner

汉堡包 hànbǎobāo
披萨饼 pīsàbǐng
沙拉 shālā
薯条 shǔtiáo
蛋糕 dàngāo
酸奶 suānnǎi
冰淇淋 bīngqilín
矿泉水 kuàngquánshuǐ
可乐 kělè
西红柿鸡蛋 xīhóngshì jīdàn
黄瓜肉片 huánggua ròupiàn
炒面 chǎomiàn
炒花菜 chǎo huācài
酸辣汤 suānlàtāng
大葱豆腐 dàcōng dòufu
馒头 mántou
米饭 mǐfàn
一些 xiē 小笼包 xiǎolóngbāo

Au restaurant

请 qǐng 你吃饭
请来两杯可乐。
几位？
服务员 fúwùyuán
菜单 càidān
点菜 diǎncài
结账 jiézhàng
用筷子 yòng kuàizi
凉拌黄瓜 liángbàn huánggua
五香牛肉 wǔxiāng niúròu
炒茄子 chǎo qiézi
香菇菜心 xiānggū càixīn
烤鸭 kǎoyā
红烧肉 hóngshāoròu

Échanges à table

甜 tián
咸 xián
辣 là
好吃 hǎochī
难吃 nánchī
没吃过 guo
一般 yībān
没吃饱 bǎo
所以 suǒyǐ 饿 è 了
又 yòu 大又好吃
你吃得完吗？吃不完
少/多吃一点儿！

第十二课 注意身体

ORAL 我今天觉得不舒服。
shūfu

1. > **Écoutez et répétez** ce que vous entendez.

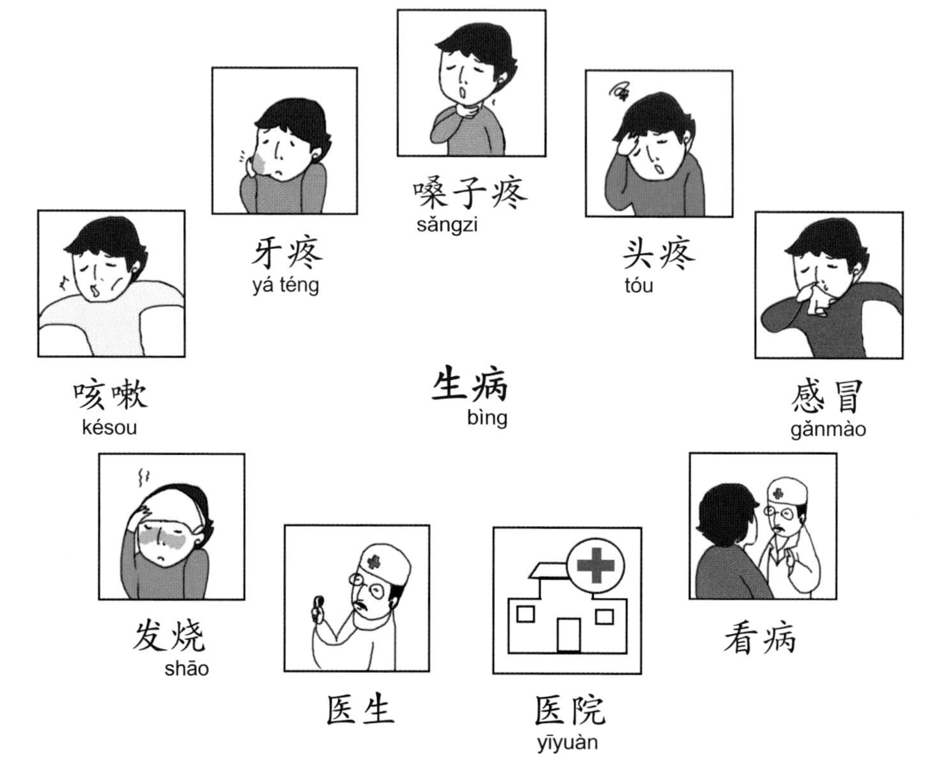

> **Écoutez** les conversations et **dites** quels élèves sont absents et pour quelles raisons. → **Cahier**

病假条

白老师：

因为牙疼，我今天上午要去医院看病，不能来上课。特请假半天。

希望老师准假！

学生：刘洋

12月3日

ORAL 你吃零食吗?
língshí

2. > **Écoutez et répétez** ce que vous entendez.

> 王月 a mal au ventre en cours. **Écoutez** la conversation et **dites** ce qu'elle demande à son professeur.

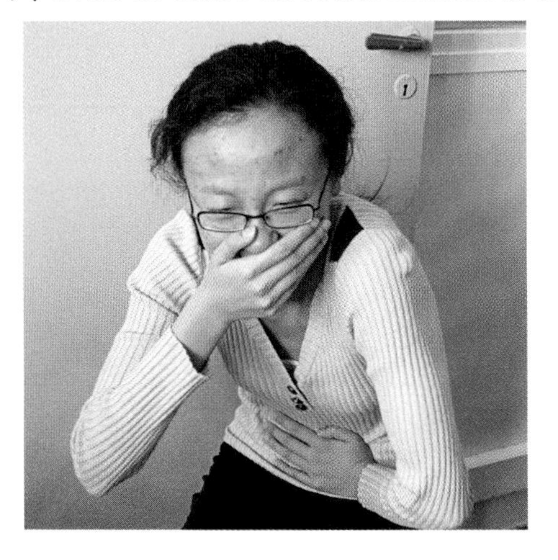

吐
tù

肚子疼
dùzi téng

拉肚子
lā

想上厕所
cèsuǒ

3. > **Écoutez et répétez** ce que vous entendez.

> **Écoutez** la conversation entre 王月 et l'infirmière et **dites** ce que 王月 a mangé et bu hier. → **Cahier**

> **Écoutez** la suite de la conversation et **relevez** les conseils et la prescription de l'infirmière. → **Cahier**

该你了

Faites une enquête parmi vos camarades : qu'aiment-ils grignoter ? À quel moment ? Que mangent-ils pendant les repas ?

要锻炼身体
duànliàn shēntǐ

4. > **Écoutez** la conversation entre Xiǎoxīn et son père et **dites** pourquoi Xiǎoxīn ne fait pas de sport. Que décide son père ? → **Cahier**

5. **Écoutez et répétez** ce que vous entendez.

A. 蹲下 dūn
B. 抬胳膊 tái gēbo
C. 手摸地 mō
D. 抬腿 tái tuǐ
E. 伸腰 shēnyāo
F. 跳 tiào
G. 站起来 zhàn
H. 坐下

该你了

Formez des groupes de quatre ou cinq, à tour de rôle, un camarade dit les mouvements que vous devez faire.

漫画 « DOCTEUR ! DOCTEUR ! »

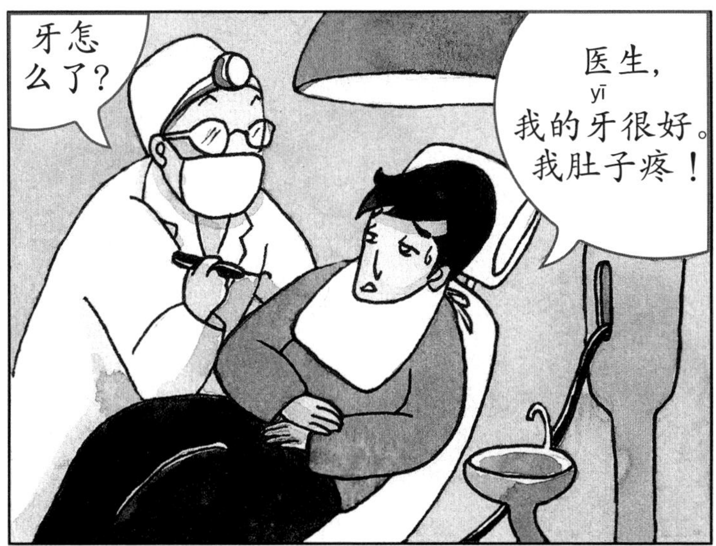

Rectifiez les questions des médecins en fonction de ce que disent les patients.

ÉCRIT

1. **Rangez** les mots sous la bonne catégorie. → **Cahier**

生病	运动 yùndòng	零食 língshí

头疼　牙疼　拉肚子 (lā dù)　感冒 (gǎnmào)　蹲下 (dūn)
巧克力 (qiǎokèlì)　坐下　饼干 (bǐnggān)　薯片 (shǔ)　发烧 (fāshāo)
站起来 (zhàn)　可乐　伸腰 (shēnyāo)　冰淇淋 (bīngqílín)　药

2. Quelques conseils en cas de problème de santé : **associez** chaque symptôme de la colonne de gauche à un conseil de la colonne de droite. → **Cahier**

一　嗓子疼	A. 要去看牙医。
二　拉肚子	B. 要休息，睡觉。
三　眼睛不舒服 (shū)	C. 要多做运动，少吃点儿东西。
四　发烧	D. 要休息，少说话。
五　太胖了 (pàng)	E. 要看医生，吃退烧药 (tuì)，要多喝水。
六　牙疼	F. 要少玩点儿电脑，少看点儿电视。
七　头疼	G. 不要吃冷的东西和生的东西。

3. **Lisez** les ordonnances et **dites** quelle quantité et à quelle fréquence ces malades doivent prendre leurs médicaments. → **Cahier**

济南市第一中心医院 **处方笺**
姓名：刘江　年龄：17岁
性别：男☑ 女☐　日期：2010年12月20日
电话：876542
诊断：感冒，发烧：38度
Rp: ①退烧药：10片。用法：发烧时吃。一次一片。每天最多吃四片。
②感冒药20片。用法：每天两次，早饭和晚饭后吃。一次两片。连吃五天。
医师(签名) 王萌

济南市第一中心医院 **处方笺**
姓名：王月
性别：男☐ 女☑　年龄：16岁
电话：882090　日期：2010年12月8日
诊断：拉肚子，肚子疼，肠炎。
Rp: 止拉肚子药：18片。
用法：每天三次，每次两片，
吃饭前半小时吃，
连吃三天。
医嘱：病好前不吃生、冷东西。
医师(签名) 陈新民

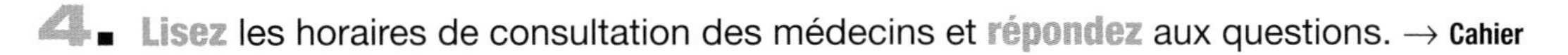

4. **Lisez** les horaires de consultation des médecins et **répondez** aux questions. → **Cahier**

济南市第八人民医院 医生坐诊时间表												
	星期一		星期二		星期三		星期四		星期五		星期六	
	8:00-12:00	13:30-17:00	8:00-12:00	13:30-17:00	8:00-12:00	13:30-17:00	13:30-17:00	13:30-17:00	8:00-12:00	13:30-18:00	8:00-12:00	13:30-17:00
牙科	王丽	王丽	王丽		王丽	王丽	张时	张春	王丽	张时	王丽	
儿科	刘中	李心	李心	李心	刘中	李心		刘中	李心		刘中	
心脏内科	李雪		王子文	李雪	李雪		王子文	王子文	李雪	王子文	李雪	

一　双春的爷爷心脏不舒服，他想星期六去医院，可以吗？
shuāng　zàng　shū

他要去看哪个医生？

二　今天是星期四。小弟弟今天发烧。他妈妈想带他去看医生。
shāo

她从下午一点到两点半有空。她和小弟弟要去看哪个医生？
kòng

三　刘洋牙疼，想去医院看病。他下午五点下课。他只能下课以后
Liú Yáng

去。他星期几能看到医生？他要看哪个医生？

5. Voici le mot d'excuse que la mère de Shuāngchūn a écrit pour son absence. **Lisez**-le et **dites** pourquoi elle a été absente.

白老师：

今天早上双春觉得不舒服，她头疼，发烧，还吐了。今天下午我要带她去医院看病，所以她不能来上课。请您原谅！

我想给她请两天假，让她在家休息。
jià

马双春家长：王新华

十二月六日

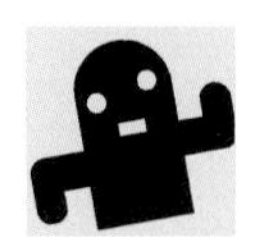

该你了

Vous êtes malade et vous avez rendez-vous avec le médecin cet après-midi. Vous ne pouvez plus sortir avec votre ami. Écrivez-lui un mot pour expliquer la situation et annuler votre sortie.

工具箱 ATELIER DE PRONONCIATION

Virelangues 绕口令

一

- **Attention à la prononciation de « zh » - « sh » - « z » - « s »**

Gōngyuán yǒu sì pái shí shīzi,	公园有四排石狮子，
měi pái shì shísì zhī dà shí shīzi.	每排是十四只大石狮子。
Měi zhī dà shí shīzi bèi shàng shì	每只大石狮子背上是
yī zhī xiǎo shí shīzi,	一只小石狮子，
měi zhī dà shí shīzi jiǎo biān shì	每只大石狮子脚边是
sì zhī xiǎo shí shīzi.	四只小石狮子。
Shǐ lǎoshī lǐng sìshísì gè xuésheng	史老师领四十四个学生
qù shǔ shí shīzi.	去数石狮子。
Nǐ shuō gòng shǔchū duōshao zhī dà shí shīzi	你说共数出多少只大石狮子
hé duōshao zhī xiǎo shí shīzi ?	和多少只小石狮子？

二

- **Attention à la prononciation de « ai » - « ei »**

Dàmèi hé xiǎomèi, yīqǐ qù shōu mài.	大妹和小妹，一起去收麦。
Dàmèi gē dàmài, xiǎomèi gē xiǎomài.	大妹割大麦，小妹割小麦。
Dàmèi bāng xiǎomèi tiāo xiǎomài,	大妹帮小妹挑小麦，
xiǎomèi bāng dàmèi tiāo dàmài.	小妹帮大妹挑大麦。
Dàmèi xiǎomèi shōuwán mài,	大妹小妹收完麦，
pīpī pāpā qí dǎmài.	噼噼啪啪齐打麦。

工具箱 ATELIER D'ÉCRITURE

Vous les reconnaissez déjà, vous devez maintenant savoir les écrire :

觉	voir leçon 10	你病了，要多睡觉。
姓 名	voir leçon 1	看医生前，先要在这儿写你的姓名。
冬	voir leçon 7	冬天很冷，很多人生病。
常	voir leçon 7	我不常生病。

话	voir leçon 10	很多法国人都不会说中国话。
前	voir leçon 9	前面就是医院。
头	voir leçon 3	哥哥不舒服，头疼。
后	voir leçon 5	医院后面有什么？
每	voir leçon 7	医生每天都来医院。

Apprenez à les écrire :

graphie	pinyin	français	aide	exemple
只	*zhǐ*	seulement, ne … que	口 + 八	我只吃了五块饼干，不多！
方	*fāng*	carré ; côté, direction ; ici : prescription	un espace divisé en quatre	药方上有不少药的名字。
能	*néng*	pouvoir	厶 + 月 + 2 匕	他生病了，不能去上课。

Apprenez à les reconnaître :

graphie	pinyin	français	aide	exemple
身	*shēn*	corps, 身体	un corps de femme enceinte	不要吃得太快，对身体不好。
体	*tǐ*	corps, 身体	亻+ 本	喝开水对老人的身体很好。
牙	*yá*	dent	représentation des canines	因为牙疼她没去上课。
病	*bìng*	être malade, maladie	疒 + 丙 *bǐng* El. Ph.	去看病了吗?
疼	*tèng*	avoir mal	疒 + 冬 El. Ph.	他头很疼，所以下午在家休息。
药	*yào*	médicament	艹 + 纟 + 勺	医生说我应该吃药。
医	*yī*	médecine, médecin	匚 + 矢	我最怕牙医。
睡	*shuì*	dormir	目 + 垂 El. Ph.	小王晚上十点就睡觉。
休	*xiū*	se reposer	亻+ 木	你好好休息，明天就会好多了。
息	*xī*	respirer	自 *zì* soi-même + 心	我今天上午看了病以后就回家休息。
应	*yīng*	devoir, 应该	广 + 心 cœur déformé	生病的人应该吃药。
该	*gāi*	devoir, 应该	讠+ 亥 El. Ph.	考试以前应该好好学习。
快	*kuài*	être rapide, vite	忄+ 夬 El. Ph.	小男孩吃得太快，所以生病了。
带	*dài*	porter	passants de la ceinture + 巾	小孩子牙疼就要带他们去看牙医。
次	*cì*	cl., fois	冫+ 欠	小孩子每天吃两次药就可以了。
谢	*xiè*	merci, remercier	讠+ 身 + 寸	多谢多谢！谢谢你！
亲	*qīn*	parents, proche	立 + 木	父亲和母亲都很高兴。
民	*mín*	peuple		快到人民医院去看病！

工具箱 GRAMMAIRE

Seulement

我今天	只	喝了	一杯水。	*Aujourd'hui, je n'ai bu qu'un verre d'eau.*
	seulement	**verbe**		

Devoir

你		要	吃	药。	*Tu dois prendre tes médicaments.*
你	不	要	喝	那么多可乐。	*Tu ne dois pas boire autant de Coca.*
tu	**nég.**	**devoir**	**verbe**		

* 要 exprime un ordre et a le sens de « devoir » dans les phrases à la 2e personne.

Faire plus, faire moins

你要	多	睡	觉！	*Tu dois dormir plus !*
你要	少	吃	药！	*Tu dois prendre moins de médicaments !*
	plus/moins	**verbe**	**nom**	

Autant

我不想吃	这么/那么	难吃	的	药！	*Je ne veux pas prendre un médicament aussi mauvais !*
	autant	**adj. verbal**			

Envers

睡觉	对	身体	好。		*Dormir est bon pour la santé.*
冬先民	对	医生	说	他病了。	*Dong Xianmin dit au médecin qu'il est malade.*
sujet	**envers**	**nom**	**v./adj. verbal**		

Ne plus…

我	不	疼	了。	*Je n'ai plus mal.*
小新明天	不	出去	了。	*Xiaoxin ne sort plus demain.*
	nég.	**verbe**	**part. modale**	

Bouger

请您	坐	下。			*Asseyez-vous.*
	站	起	来！		*Debout !*
他	(走)	出	去	了。	*Il est sorti (en marchant).*
	verbe	**verbe**	**verbe**		

* Les 3 verbes forment un ensemble qui exprime un déplacement dans l'espace,
l'ordre de ces 3 groupes de verbes est invariable : 1. posture/manière - 2. direction - 3. aller/venir.

Pouvoir

冬先民		能	睡	一天。	*Dong Xianmin peut dormir toute une journée.*
你	不	能	吃	这个药！	*Tu ne peux pas prendre ce médicament !*
	nég.	**pouvoir**	**verbe**		

* Le verbe modal 能 exprime la capacité de faire l'action ; dans une phrase négative,
il exprime une interdiction légère.

工具箱 LEXIQUE

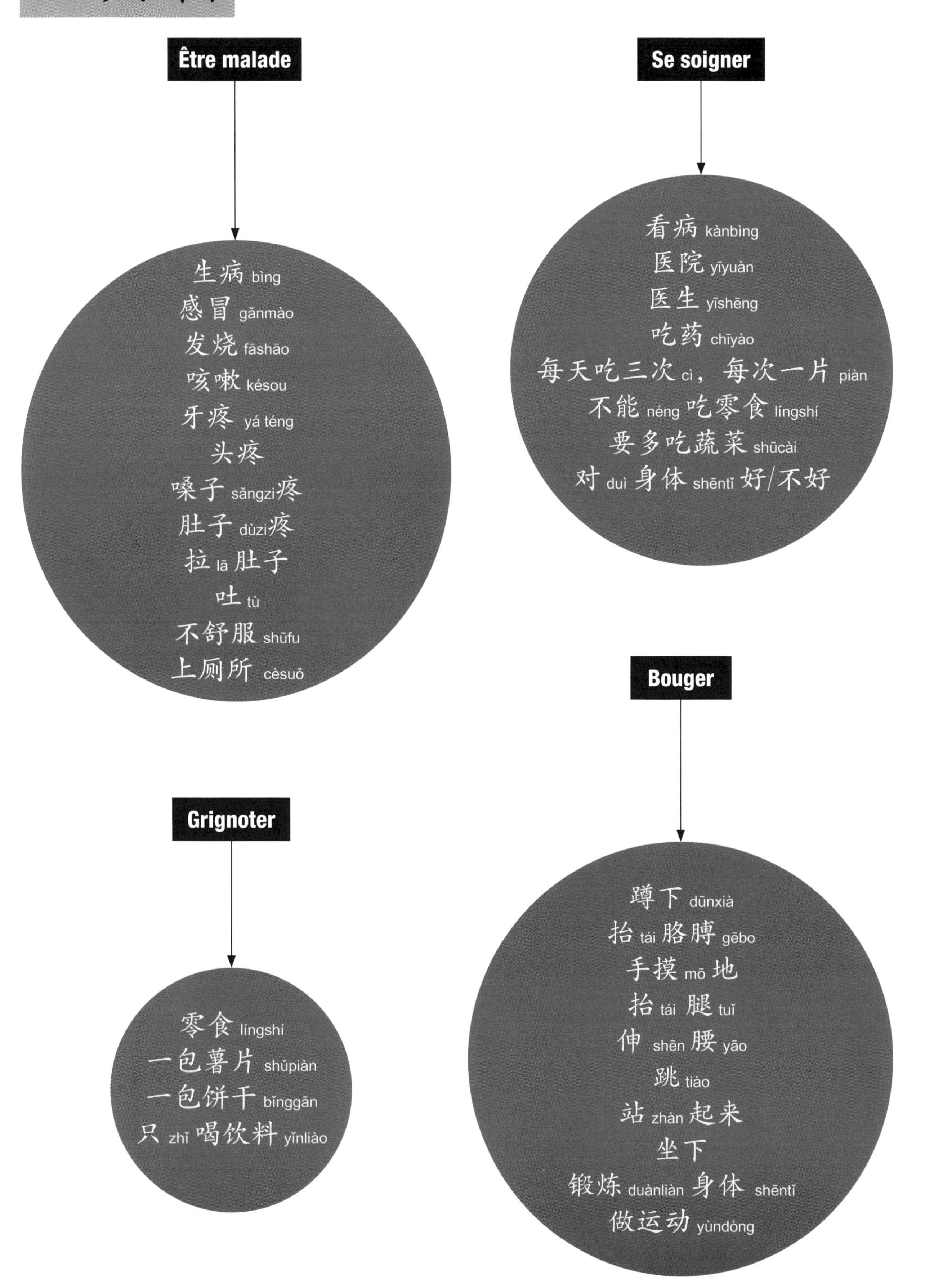

Être malade
生病 bìng
感冒 gǎnmào
发烧 fāshāo
咳嗽 késou
牙疼 yá téng
头疼
嗓子 sǎngzi疼
肚子 dùzi疼
拉 lā 肚子
吐 tù
不舒服 shūfu
上厕所 cèsuǒ
Se soigner
看病 kànbìng
医院 yīyuàn
医生 yīshēng
吃药 chīyào
每天吃三次 cì，每次一片 piàn
不能 néng 吃零食 língshí
要多吃蔬菜 shūcài
对 duì 身体 shēntǐ 好/不好
Grignoter
零食 língshí
一包薯片 shǔpiàn
一包饼干 bǐnggān
只 zhǐ 喝饮料 yǐnliào
Bouger
蹲下 dūnxià
抬 tái 胳膊 gēbo
手摸 mō 地
抬 tái 腿 tuǐ
伸 shēn 腰 yāo
跳 tiào
站 zhàn 起来
坐下
锻炼 duànliàn 身体 shēntǐ
做运动 yùndòng

CULTURE

百宝箱

饮食和养生 La philosophie du bien-être

Potage pékinois

La médecine chinoise considère qu'une personne est en bonne santé lorsque son équilibre entre le Yin 阴 et le Yang 阳 est respecté. Elle a donc classé les aliments suivant leur teneur en Yin 阴 et en Yang 阳.

Parmi les cinq saveurs référencées : acide, amère, douce, piquante et salée, certaines renforcent le 阴 et d'autres le 阳. Chaque aliment est aussi, en lui-même, chaud, tiède ou froid.
D'autre part, l'univers est composé de 5 éléments qui s'équilibrent les uns les autres.

Racine de lotus

ÉLÉMENTS	木 mù BOIS	火 huǒ FEU	土 tǔ TERRE	金 jīn METAL	水 EAU
SAISONS	春	夏	fin de l'été	秋	冬
ASPECT CLIMATIQUE	风 fēng	热	humidité	干 gān sécheresse	冷
COULEUR	绿	红	黄	白	黑
ORGANE YIN	foie	心	rate	poumons	reins
ORGANE YANG	vésicule biliaire	intestin grêle	estomac	colon	vessie
SAVEUR	acide	amère	douce	piquante, âcre	salée

Dòufu

1. 什么时候 est-il conseillé de manger un plat à base de lotus ?
2. Vous souffrez du foie, 你要吃什么东西?

La diététique chinoise propose de fortifier le corps selon l'alternance des saisons.
Un cuisinier chinois qui prépare un repas prend en compte l'état physique des convives et les conditions climatiques tout en respectant les règles des saveurs et des couleurs. Chacune doit nourrir un organe spécifique.

Répartition des aliments selon les 5 éléments

ÉLÉMENTS	木	火	土	金	水
CÉRÉALES	blé vert épeautre	blé noir seigle	millet maïs orge 米饭	avoine 米饭	avoine orge
VIANDES POISSONS FRUITS DE MER	母鸡肉 faisan	羊肉 agneau crevette	牛肉 poulet viande maigre chair de tortue thon œufs	鱼 fruits de mer	鸭肉 猪肉 chien 鱼肉 crabe carapace de tortue serpent
LÉGUMES	choux igname tomate	épinards lotus rhubarbe asperge	dòufu champignons aubergine igname nid d'hirondelle	oignons gingembre coriande radis	céleri algues navets haricots noirs
FRUITS	agrumes mangue poire litchi	fraises cucurbitacées amandes d'abricot	jujubes bananes kakis pousses de bambou	raisins amandes séchées kakis	cacahuètes
CONDIMENTS	vinaigre persil	sésame, poivre rouge	sésame safran	poivre piment ail	sel sauce de soja

La santé pour les Chinois se définit par la libre circulation des souffles : 气 (qì) . La perturbation de cette libre circulation entraîne des troubles qui se manifestent soit par une stagnation des souffles, soit une plénitude ou encore par un vide d'énergie.

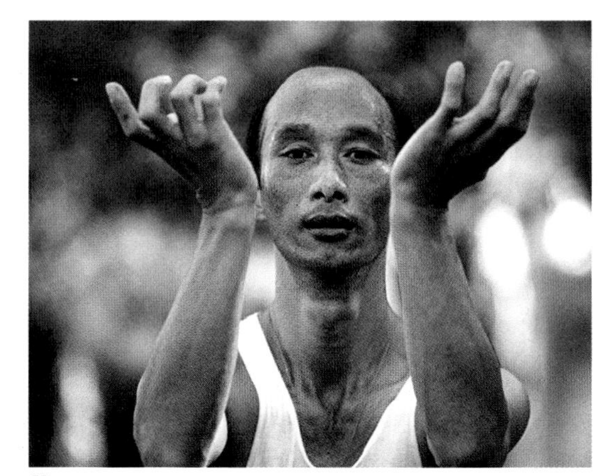
Qigong

Le Qigong 气功 désigne un ensemble de pratiques énergétiques qui visent à favoriser cette libre circulation et l'harmonie entre le corps et l'esprit.

Le Qigong 气功 utilise des mouvements, des exercices de respiration, la mobilisation des souffles ainsi que la concentration de l'esprit.
Son but est de faire circuler l'énergie dans le corps et de la renforcer.

Trouvez des informations sur une autre pratique reposant sur les mêmes principes de la médecine chinoise.

JE PEUX...

- comprendre des noms de plats occidentaux en m'aidant de la similitude phonétique.
- comprendre les conseils d'une infirmière.

- expliquer pourquoi j'ai été absent.
- décrire les différences entre certaines habitudes alimentaires françaises et chinoises.

- choisir avec d'autres personnes un menu au restaurant.
- échanger sur la santé.

- reconnaître et lire à haute voix près de 300 caractères.
- lire quelques noms sur un menu.
- lire une ordonnance simplifiée.
- lire un mot d'absence.

- écrire environ 170 caractères.
- rédiger un menu en copiant certains caractères.
- écrire un mot d'absence.
- écrire en pinyin les mots du module que j'entends et que je dis mais dont les caractères me sont encore inconnus.

接龙游戏 Le « jeu du dragon »

Règle :

Chacun lit sa question à voix haute au groupe avant d'effectuer ce qui est demandé.

Le joueur lance le dé et avance. S'il lit la question correctement et agit en fonction de ce qui est demandé, il peut rester sur la case, dans le cas contraire, il doit retourner à la case précédente.

第十三课　我要去中国
第十四课　到了中国

Mon contrat d'apprentissage

Pour…

- présenter la Chine,
- parler de Beijing, Shanghai, Hong-Kong et échanger sur tout ce que l'on peut y faire,
- comprendre des conseils touristiques,
- faire un jeu de piste,
- communiquer avec ma famille d'accueil,

… j'apprends :

des termes de géographie, les structures 不…..也不……, 有的 …… 有的…… ,

des noms de monuments et spécialités culinaires, prendre un moyen de transport,

comparer, 一定，如果, l'imminence 要……了，一共，le double 了,

la succession d'actions 先/然后, 请, la préposition 往, la phrase en 把.

Mes stratégies

	Je m'appuie sur le contexte pour mieux comprendre.
	Pour m'exprimer sur des sujets nouveaux, je pars de ce que je maîtrise.
	Dans un texte nouveau, je repère les mots (constitués d'un ou plusieurs caractères) et les isole avant d'aborder le reste.
	Lorsque j'ai oublié comment écrire un caractère, je le revois en l'écrivant plusieurs fois tout en le prononçant à haute voix.

去中国

第十三课 我要去中国

1. > **Écoutez et répétez** ce que vous entendez.

> **Écoutez** les descriptions des cinq régions de Chine. En vous aidant de la carte, **dites** à quelle partie de la Chine correspond chaque enregistrement. → **Cahier**

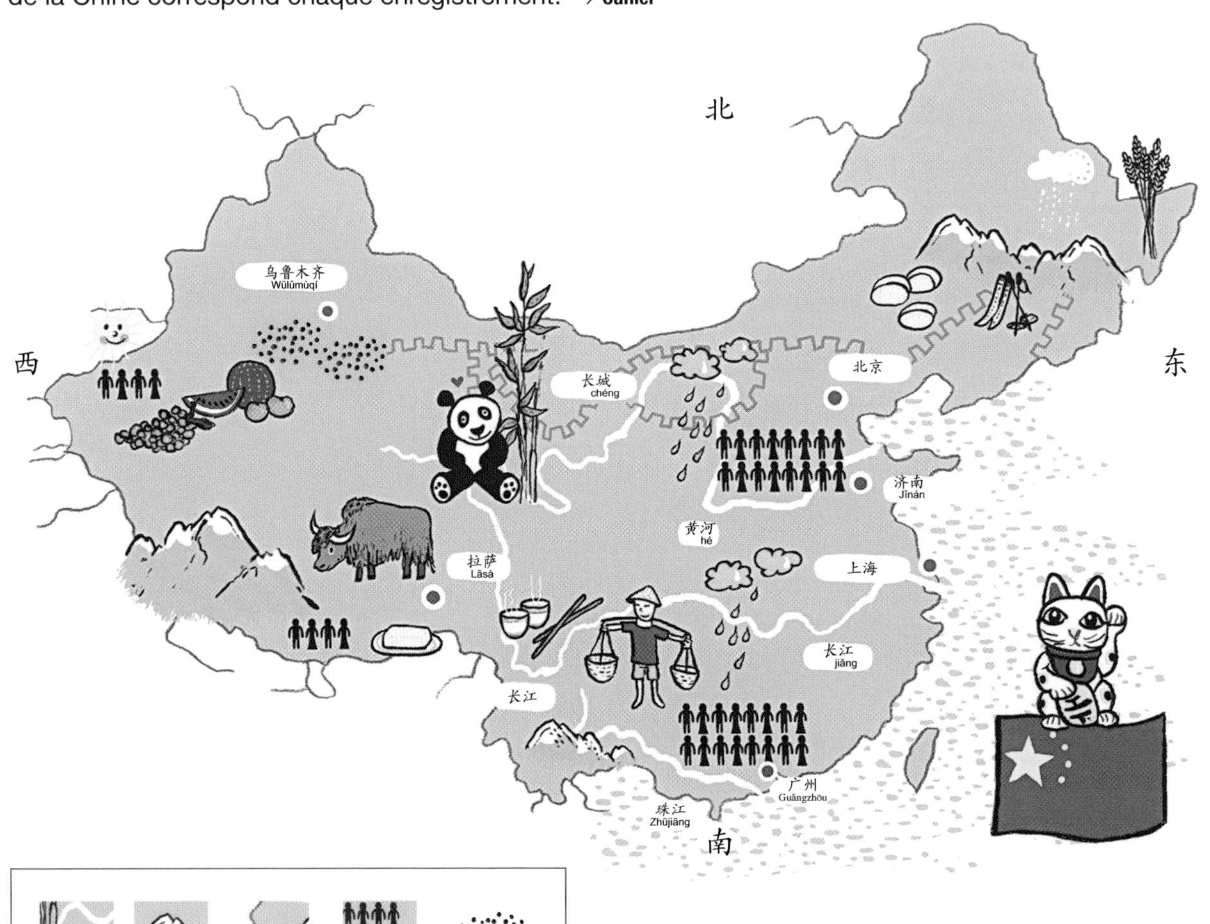

从电力医院去济南大饭馆。你在医院门口，往左拐，走民生大街，然后走共青团路。饭馆旁边有个百货商店。找到了吗？

→ p. 168

该你了

Présentez la Chine à votre voisin, en vous aidant de la carte.

ORAL 北京

2. > Un site Internet donne des conseils pour un voyage à 北京. **Écoutez** chaque rubrique et **notez** les informations. → **Cahier**

> Climat : **relevez** la meilleure saison pour visiter 北京 et la saison à éviter. **Dites** pourquoi.

> Visites : **relevez** les noms des monuments à visiter. **Dites** où ils se trouvent.

Écoutez encore une fois et **dites** une phrase sur chaque site.

> Achats : **relevez** l'endroit où l'on peut faire des courses.

> Cuisine : **relevez** les spécialités culinaires de 北京.

> Transport : **citez** les moyens de transport à 北京.

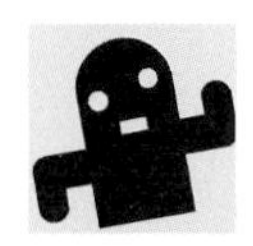

该你了

Présentez à votre voisin quelques monuments de 北京.

ORAL 上海

3. > Vous vous trouvez sur la page de Shanghai de ce site Internet. **Écoutez** les informations des différentes rubriques et **répondez** aux questions. → **Cahier**

- Quels habits doit-on porter en hiver à Shanghai ? Pourquoi ?
- Où se trouve Shanghai ? Quels sont les sites touristiques connus ?
- Quels conseils sont donnés à propos des achats ?
- Comment peut-on se déplacer à Shanghai ?
- Quelles sont les spécialités culinaires ?

你从百货商店去西城根街。你先往前走，到了大明湖路，你看一看，你前面是什么地方？

→ p. 170

该你了

Faites des recherches sur Hong-Kong, pensez à renseigner les mêmes rubriques que celles vues précédemment. Présentez la ville à vos camarades.

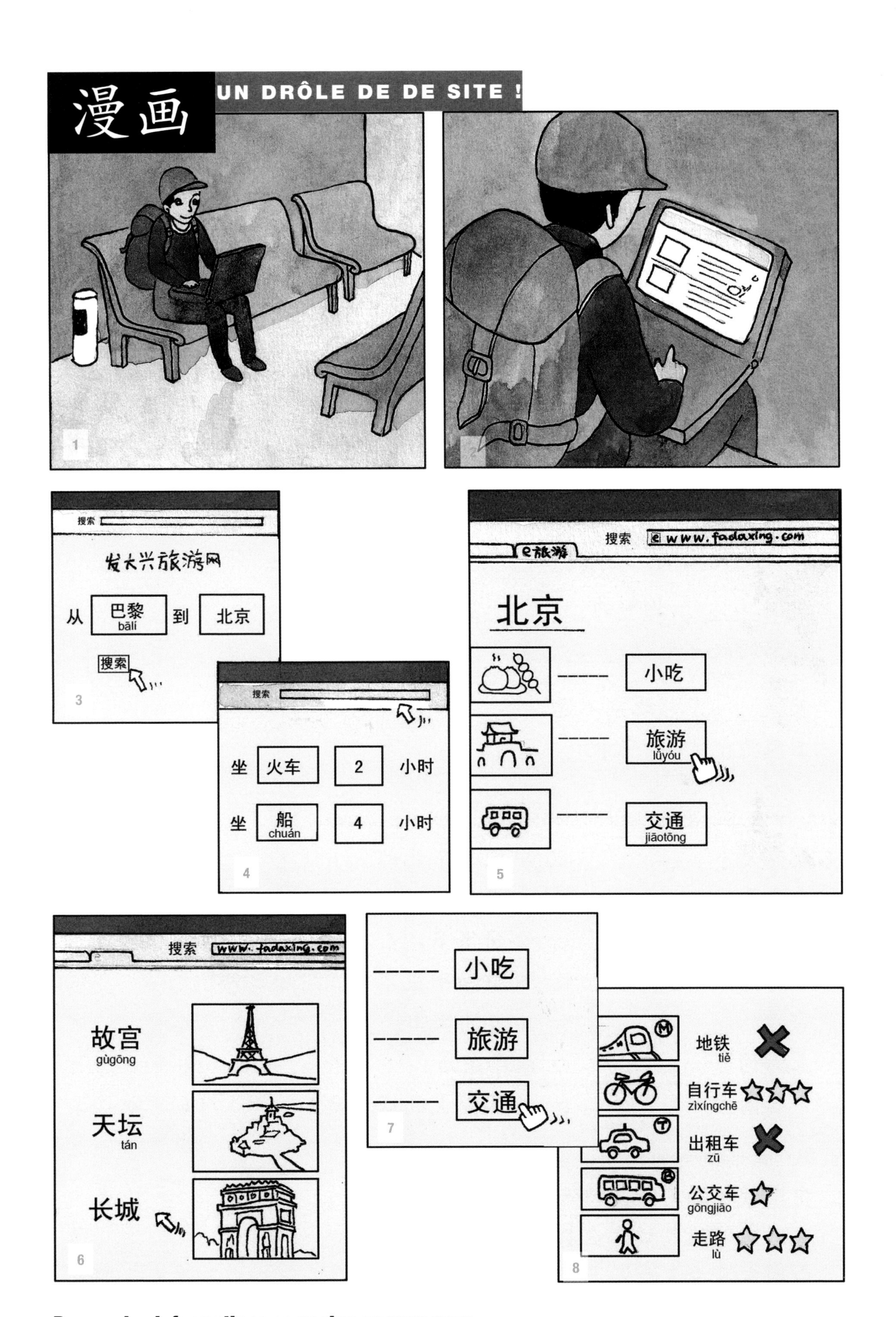

Donnez les informations correctes au voyageur.

ÉCRIT

1. Trouvez l'intrus.

一　上海　南京　东京　北京　北部 (bù)　济南 (jǐ)

二　点心　红烧肉 (shāo)　饺子　城市　菜心　米饭

2. Choisissez les mots ou caractères qui conviennent pour compléter les phrases. → **Cahier**

前/后　海/河/江　那儿/那天　工/农　气/季　南/西/东

不高/高　天/地　心/心里　不长/长　在/离

一　中国的西部很 ... ， ... 有很多山。

二　中国最长的 ... 流 (liú) 叫 ... 江。

三　中国 ... 北部的 ... 候很干。

四　北京的故宫 (gùgōng) 是以 ... 皇帝 (huángdì) 住的 ... 方。

五　长城 ... 北京不远。

六　上海是 ... 业 (yè) 中 ... 。

3. Associez deux à deux les phrases de chaque colonne. → **Cahier**

一　北京是　　A. 中国的东北部。

二　香港人　　B. 吃米饭。

三　北京在　　C. 公司很多。

四　上海是　　D. 电脑和手机不贵。

五　香港的　　E. 古老的城市。

六　上海的　　F. 说广东话。

七　中国南方人　　G. 中国最大的城市之一。

4. Lisez les questions et **répondez-y**. → **Cahier**

一　中国最长的河流是哪一条？

二　中国南部的气候怎么样？

三　中国有多少人口？

四　故宫在哪儿？

你从大明湖
公园去很近
的一个地方。
它在大明湖公
园的东北边。
这个地方可以
坐火车去北
京。你看到了
吗？ → p. 176

5. Lisez la description suivante. De quelle grande ville des États-Unis peut-il s'agir ?

这个城市很大，有很多高楼，公司（gōngsī）也很多，是商业（yè）中心，人口很多，天气很热，没有冬天，所以人们常晒（shài）太阳，或者去海边游泳（yóuyǒng）。如果你去那儿，要带短裤（duǎnkù）和T恤（xù）。这个城市在海边，在美国的西南部。这个城市的名字叫什么？

6. Chén Xī envoie un mail à sa famille pour raconter son voyage à Paris. **Lisez** le mail et **trouvez** les informations suivantes : → **Cahier**

- le jour de son arrivée et la durée de son séjour à Paris,
- ses impressions sur la ville,
- les monuments qu'il a visités,
- le nom chinois du fleuve qui traverse Paris,
- ses projets d'achats.

爸爸妈妈，

我现在在巴黎。因为我们马上要回国了，回国以前，老师带我们到巴黎来玩。

我们三天以前到了巴黎，还要在这儿住一天，一共玩四天。巴黎是很大也很漂亮的城市，人口很多。我们已经参观了很多地方。Eiffel 铁塔（tiětǎ）在巴黎的西部，很高。Notre-Dame 大教堂（jiàotáng）在市中心，在塞纳（Sàinà）河旁边，很好看。巴黎的博物馆（bówùguǎn）太多了，我们有的去了，有的没有去。现在天气不错。

我想买一些东西：香水和衣服，但是这里的东西很贵。

希望你们在中国什么都好。我下个月就回去了！

陈西

从中山公园去医院。你在经四路。往东走，医院离中山公园不太远。医院的名字有"电"这个汉字。 → p.166

该你了

Écrivez un email à votre correspondant chinois, présentez-lui la ville où vous habitez.

工具箱 ATELIER DE PRONONCIATION

Virelangues 绕口令

一

- **Attention à la prononciation de « zh » - « ch » - « sh » - « x »**

Xīn chǎngzhǎng, Shēn chǎngzhǎng,	辛厂长，申厂长，
tóngxiāng bù tóngháng.	同乡不同行。
Xīn chǎngzhǎng shēngshēng jiǎng shēngchǎn,	辛厂长声声讲生产，
Shēn chǎngzhǎng chángcháng nào sīxiǎng.	申厂长常常闹思想。
Xīn chǎngzhǎng yīxīn zhǐ xiǎng géxīn chǎng,	辛厂长一心只想革新厂，
Shēn chǎngzhǎng mǎnkǒu zhǐ jiǎng jiā xīnxiǎng.	申厂长满口只讲加薪饷。

二

- **Attention à la prononciation de « ch » - « c »**

Zhè shì cán, nà shì chán.	这是蚕，那是蝉。
Cán cháng zài yè lǐ cáng,	蚕常在叶里藏，
chán cháng zài lín lǐ chàng.	蝉常在林里唱。

三

- **Attention à la prononciation de « sh » - « s »**

Sì shì sì, shí shì shí,	四是四，十是十，
shísì shì shísì, sìshí shì sìshí,	十四是十四，四十是四十，
shéi néng shuōzhǔn sìshí, shísì, sìshísì,	谁能说准四十、十四、四十四，
shéi lái shìyīshì.	谁来试一试.
Shéi shuō shísì shì sìshí, jiù dǎ shéi shísì,	谁说十四是四十，就打谁十四，
shéi shuō sìshí shì xì xí, jiù dǎ shéi sìshí.	谁说四十是细席，就打谁四十。

工具箱 ATELIER D'ÉCRITURE

Vous les reconnaissez déjà, vous devez maintenant savoir les écrire :

南	voir leçon 7	中国南方常常下雨。
城	voir leçon 9	长城离北京有八十公里左右。
面	voir leçon 9	北方人喜欢吃面条。
条	voir leçon 10	长江是一条很长的河。
美	voir leçon 3	美国有很多大城市。
叫	voir leçon 1	日本最大的城市叫什么名字?

高	voir leçon 10	上海的高楼很多。
长	voir leçon 3	我非常喜欢长头发的女生。
老	voir leçon 6	老师说一定要去看故宫。
海	voir leçon 7	你去过上海吗?
就	voir leçon 8	我看了黄河就去看长江。
市	voir leçon 9	这个商店就在市中心。

Apprenez à les écrire :

graphie	pinyin	français	aide	exemple
古	*gǔ*	ancien	十 + 口	北京古老的城市。
些	*xīe*	cl. de la quantité indéterminée	此 + 二	这些人，你都认识吗？
山	*shān*	montagne	trois pics de montagne	黄山很美。
工	*gōng*	travail	représentation d'une équerre	他最近工作很忙。

Apprenez à les reconnaître :

graphie	pinyin	français	aide	exemple
广	*guǎng*	être vaste	représentation d'un abri	我们在天安门广场的时候很开心。
图	*tú*	dessin, illustration	囗 + 冬	地图上能看到我们要去的地方。
定	*dìng*	fixer	宀 + 疋	我们一定要去济南！
江	*jiāng*	rivière, fleuve	氵 + 工 El. Ph.	长江在中国的北部还是南部？
河	*hé*	rivière, fleuve	氵 + 可 El. Ph.	黄河的水是黄色的所以叫黄河。
部	*bù*	partie	立 + 口 + 阝	中国西部有高山和沙漠。
园	*yuán*	jardin	囗 + 元 El. Ph.	上海市中心有一些公园。
流	*liú*	couler, s'écouler	氵 + 亠 + 厶 + 丿 丨 乚	中国最长的河流叫什么名字？
楼	*lóu*	bâtiment	木 + 米 + 女	上海有很多高楼 。
场	*chǎng*	aire	土 + simplification de 昜 El. Ph.	机场离天安门广场远不远？
阳	*yáng*	le yang	阝 + 日	他叫王阳，太阳的阳。
万	*wàn*	dix mille		法国有六千万人口，对吗？
亿	*yì*	cent millions	亻 + 乙 El. Ph.	中国有十三亿人口。
但	*dàn*	mais, cf. 但是	亻 + 旦 El. Ph.	在北京生活好，但是路上的车太多了！
站	*zhàn*	station, se tenir debout	立 + 占 zhàn El. Ph	车站里人最多。
或	*huò*	ou, 或者	一 + 口 + 戈	我回家以后做作业或者给朋友打电话。
者	*zhě*	ou, 或者	耂 + 日	去南方或者去北方，都可以。
进	*jìn*	entrer	井 *jǐng* El. Ph. puits + 辶	你想进去还是想出来？

工具箱 GRAMMAIRE

Ou bien

我想	春天		或(者)	秋天	去北京。	*Je veux aller à Pékin au printemps ou en automne.*
	nom		**ou bien**	**nom**		
去长城可以	坐	火车	或(者)	坐	公交车。	*Pour aller à la grande muraille, on peut prendre le train ou le bus.*
	verbe	**nom**	**ou bien**	**verbe**	**nom**	

* 或者 est utilisé dans des phrases affirmatives. 还是 est utilisé dans des phrases interrogatives.

Ni … ni …

今天的天气	不	冷		也	不	热。		*Aujourd'hui, le temps n'est ni froid ni chaud.*
北京夏天	不	刮	风	也	不	下	雨。	*En été à Pékin, il n'y a ni vent ni pluie.*
	nég.	**v./adj. verbal**		**aussi**	**nég.**	**v./adj. verbal**		

Si

如果	你冬天去上海，要带毛衣。	*Si tu vas à Shanghai en hiver, tu dois emporter des pull-overs.*
如果	你夏天去北京，要带短裤。 duǎnkù	*Si tu vas à Pékin en été, tu dois emporter des shorts.*
si	**phrase**	

Lorsque

刮	风	的时候，	天气冷一点儿。	*Lorsqu'il fait du vent, il fait plus froid.*
下	雨	的时候，	我不喜欢出去。	*Lorsqu'il pleut, je n'aime pas sortir.*
verbe	**nom**	**lorsque**	**proposition**	

Certains

北京饭馆很多，	有的	便宜， piányi	有的	贵。	*À Pékin, certains restaurants sont bon marché, certains sont chers.*
这个饭馆的菜，	有的	好吃，	有的	难吃。	*Certains plats de ce restaurant sont bons, certains sont mauvais.*
	certains	**adj. verbal**	**certains**	**adj. verbal**	

Certainement

秋天	一定	要	去	北京。	*Au printemps, il faut absolument aller à Pékin.*
在上海	一定	要	去	南京路。	*À Shanghai, il faut absolument aller rue de Nankin.*
	certainement	**devoir**	**verbe**		

Alors

如果不喜欢冷，	就	不要冬天去北京。	*Si l'on n'aime pas le froid, (alors) il ne faut pas aller à Pékin en hiver.*
冬天去北京，	就	要带毛衣。	*Si l'on va à Pékin en hiver, (alors) il faut emporter des pull-overs.*
condition	**alors**	**proposition**	

工具箱 LEXIQUE

你到泉城广场了吗？广场中间有一个大雕塑 diāosù，雕塑下边有一个小盒 hé 子。你把盒子打开，里面有一把钥匙 yàoshi，去问问白老师，是什么钥匙。

→ p. 182

La géographie

海 hǎi
河 hé
黄河 Huáng Hé
长江 Cháng Jiāng
山 shān
平地 píngdì

沙漠 shāmò
城市 chéngshì
人口
气候
地方 dìfang
世界 shìjiè

Produits agricoles

牦牛 máoniú
小麦 xiǎomài
大米 dàmǐ

Les voyages

参观 cānguān
旅游 lǚyóu
散步 sànbù
交通 jiāotōng
出租车 chūzūchē
夏天的时候…
如果 rúguǒ 你冬天去…
或者 huòzhě

Les sites touristiques

北京

故宫 Gùgōng
博物馆 bówùguǎn
天安门 Tiān'ānmén
广场 guǎngchǎng
天坛 Tiāntán
公园 gōngyuán
颐和园 Yíhéyuán
长城 Chángchéng
王府井 Wángfǔ jǐng 大街 dàjiē

上海

东方明珠 míngzhū 电视塔 diànshìtǎ
豫园 Yùyuán
茶馆 cháguǎn
外滩 Wàitān
南京路

第十四课 到了中国

ORAL 在飞机上

1. > **Écoutez et répétez** ce que vous entendez.

> **Écoutez** l'annonce dans l'avion et **relevez** les informations sur le vol : → **Cahier**
- le point de départ et la destination,
- l'heure de décollage et l'heure d'atterrissage,
- la durée du vol.

> **Écoutez** la conversation entre Vincent et l'hôtesse de l'air, **dites** ce que Vincent choisit de manger et de boire.

中餐
cān

西餐

苹果汁
píng zhī

橙汁
chéng

航班
hángbān

起飞

到达
dá

系好安全带
jì ānquándài

2. **Écoutez** la conversation entre les deux passagers et **répondez** aux questions : → **Cahier**
- Avec qui les élèves vont-ils en Chine ?
- Dans quelles villes vont-ils ?
- Où vont-ils habiter ?
- Combien de temps comptent-ils passer en Chine ?
- Trouvent-ils que le chinois est difficile ?

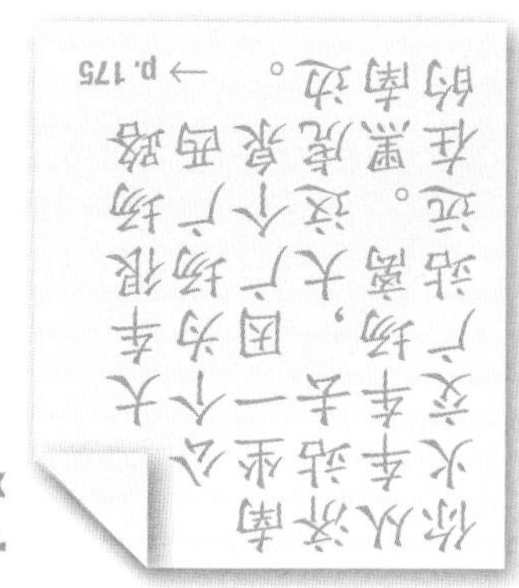

该你了

En vous aidant du dialogue que vous avez entendu, faites à deux une conversation entre un élève français et un passager chinois.

ORAL 到了北京

3. > **Écoutez et répétez** ce que vous entendez.

> **Écoutez** la conversation avec le douanier et **dites** : → **Cahier**
- quels papiers le douanier demande à l'élève,
- si celui-ci connaît son adresse à 北京,
- quel renseignement il demande au douanier.

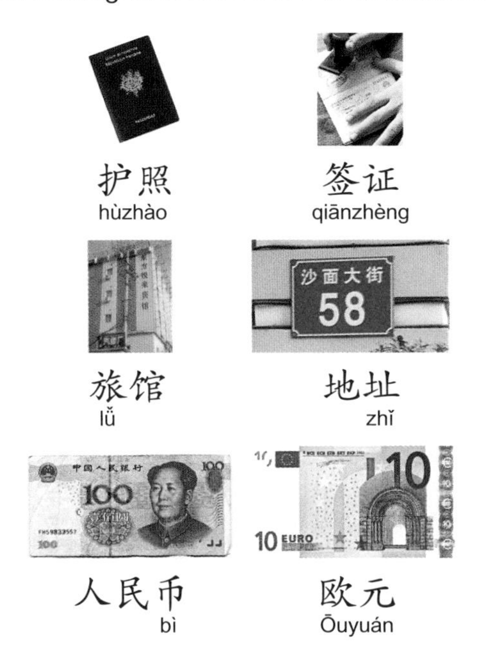

4. Vincent s'est perdu à Wángfǔjǐng. Il a rendez-vous avec son groupe devant le 北京饭店.

> **Écoutez et répétez** les expressions pour indiquer le chemin.

> **Indiquez** sur le plan quel chemin Vincent aurait dû prendre pour retrouver le groupe. → **Cahier**

往前走
wǎng

往右拐
guǎi

往左拐

过马路
lù

十字路口

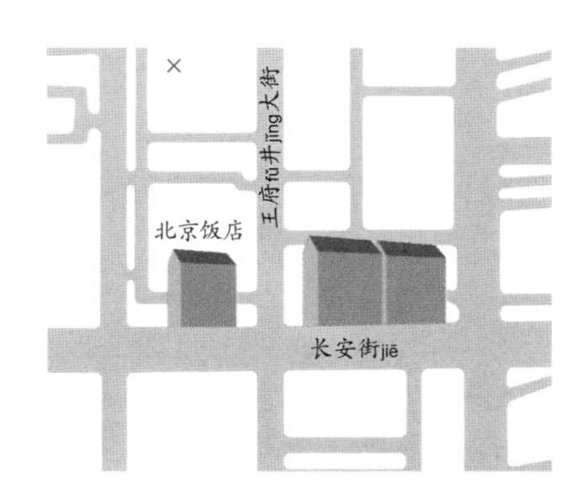

ORAL 到了济南

5. > **Écoutez et répétez** ce que vous entendez.

> Vincent arrive dans sa famille d'accueil. **Écoutez** la conversation et **dites** dans quelle chambre il s'installe. Le plan de l'appartement correspond-il à ce que vous avez entendu ?

> **Écoutez encore une fois** et **relevez** ce que dit Liú Yáng pour installer Vincent. Qu'est-ce que Vincent amène aux parents de Liú Yáng ? Que propose Liú Yáng à Vincent ? → **Cahier**

飞机票
piào

济南外国语学校
中法学生活动表

5月11日 星期一	5月12日 星期二	5月13日 星
参观学校	参观济南	上课
午饭（食堂）	午饭（饭店）	午饭（学生
上课	参观济南	篮球赛
晚会	自由活动	晚会

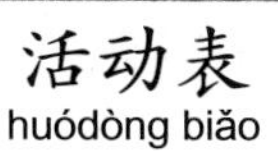

活动表
huódòng biǎo

礼物
lǐwù

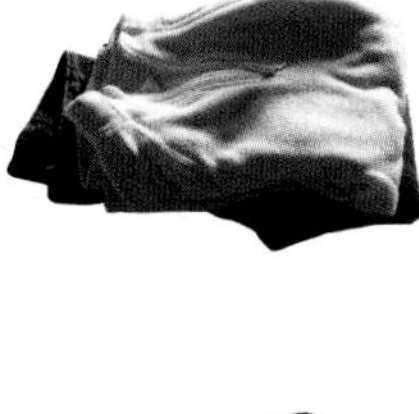

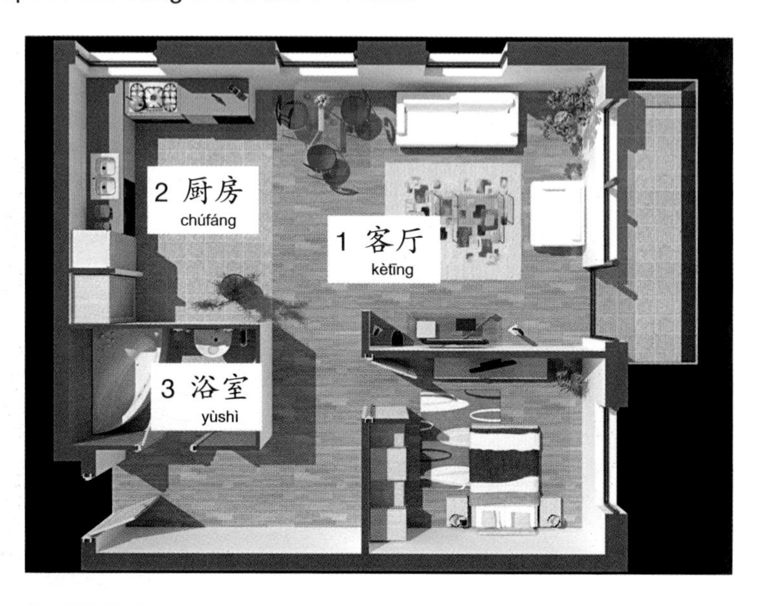

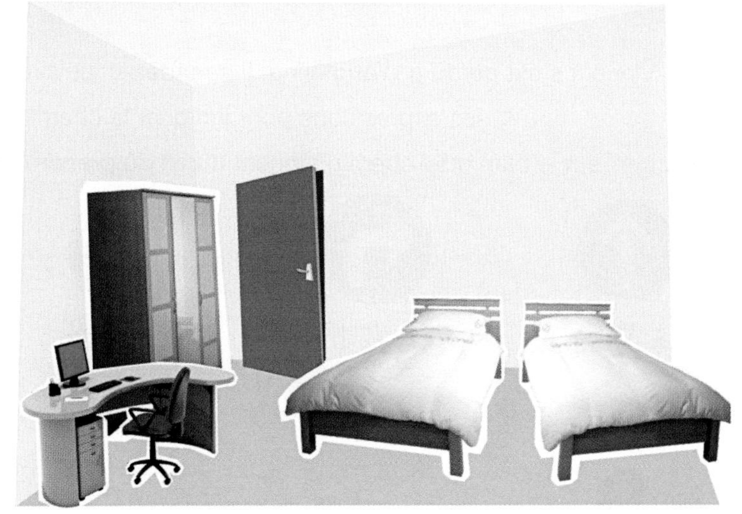

6. **Placez** les objets ci-dessus dans la chambre en utilisant 把 (bǎ). → **Cahier**

把…… 放在……
fàng

该你了

Votre correspondant chinois arrive chez vous. Présentez lui votre famille, votre maison et la pièce où il va dormir. Aidez-le à ranger ses affaires et proposez-lui un programme d'activités pour une semaine.

漫画 AU SECOURS ! J'AI SOIF !

À vous de jouer la saynète.

ÉCRIT

1. Classez les mots et expressions suivants par catégorie.

Objets de voyage	Trouver son chemin

请问…… 护照 (hùzhào) 往前走 飞机票

往左拐 (guǎi) 听懂了 听不懂 签证 (qiāngzhèng)

十字路口 人民币 (bì) 欧元 (oū)

2. Associez une question et une réponse. → **Cahier**

一 从这儿到你家怎么走？

二 在北京玩儿得怎么样？

三 你在北京住了多长时间了？

四 从故宫到旅馆(lǚ)怎么走？

五 你在北京参观(cānguān)了什么？

六 你在北京最喜欢什么地方？

A. 住了两个星期了。

B. 长城。

C. 参观了颐和园(Yíhéyuán)和故宫(Gùgōng)。

D. 非常开心。

E. 先往前走，到十字路口往右拐(guǎi)，然后走五百米 就到了。

F. 往前走，往左拐，再走两百米就到了，旅馆在马路的右边。

3. Alice reçoit ce mail de sa correspondante 张一林. **Répondez** aux questions. → **Cahier**

– Où Alice va-t-elle habiter ? Que lui demande d'apporter 张一林 ? Quel temps fait-il ces jours-ci à 济南 Jǐnán ?

文件(F) 编辑(E) 查看(V) 工具(T) 邮件(M) 帮助(H)

答复 全部答复 转发 打印 删除 上一封 下一封 地址

亲爱的朋友：

你好！

我是张一林，你这次来中国就要住在我家。希望你很快就习惯。你们班很快就要到济南了。我们班的同学都非常高兴。你们可不可以给我们带几张明信片？我们想看看巴黎和法国。

老师给我们安排了不少活动。最近几天的天气特别好，不下雨，25度。我们等你们来。

祝

好

张一林

4. Lisez l'emploi du temps et **répondez** aux questions. → **Cahier**

– Quel jour les élèves français restent-ils dans la famille ? Quand quittent-ils Jinan ?
Quels sont les soirs où il y a une activité à l'école ? Quelle est l'activité du mardi après-midi ?

	星期一	星期二	星期三	星期四	星期五	星期六	星期天
上午八点到十一点	参观学校	参观济南	上课	上课	上课	自由活动	在学生家里活动
十一点半	午饭	午饭	午饭	午饭	午饭	午饭	
下午一点到五点	上课	参观济南	篮球赛	上课	自由活动	寻宝游戏	
晚上	学校晚会	学生家里	学生家里	在饭馆吃晚饭	看京剧	学校晚会	八点出发去北京

5. Lisez les messages du **jeu de piste**, vous en avez déjà aperçu quelques-uns sur les pages des leçons 13 et 14, et **trouvez** le trésor.

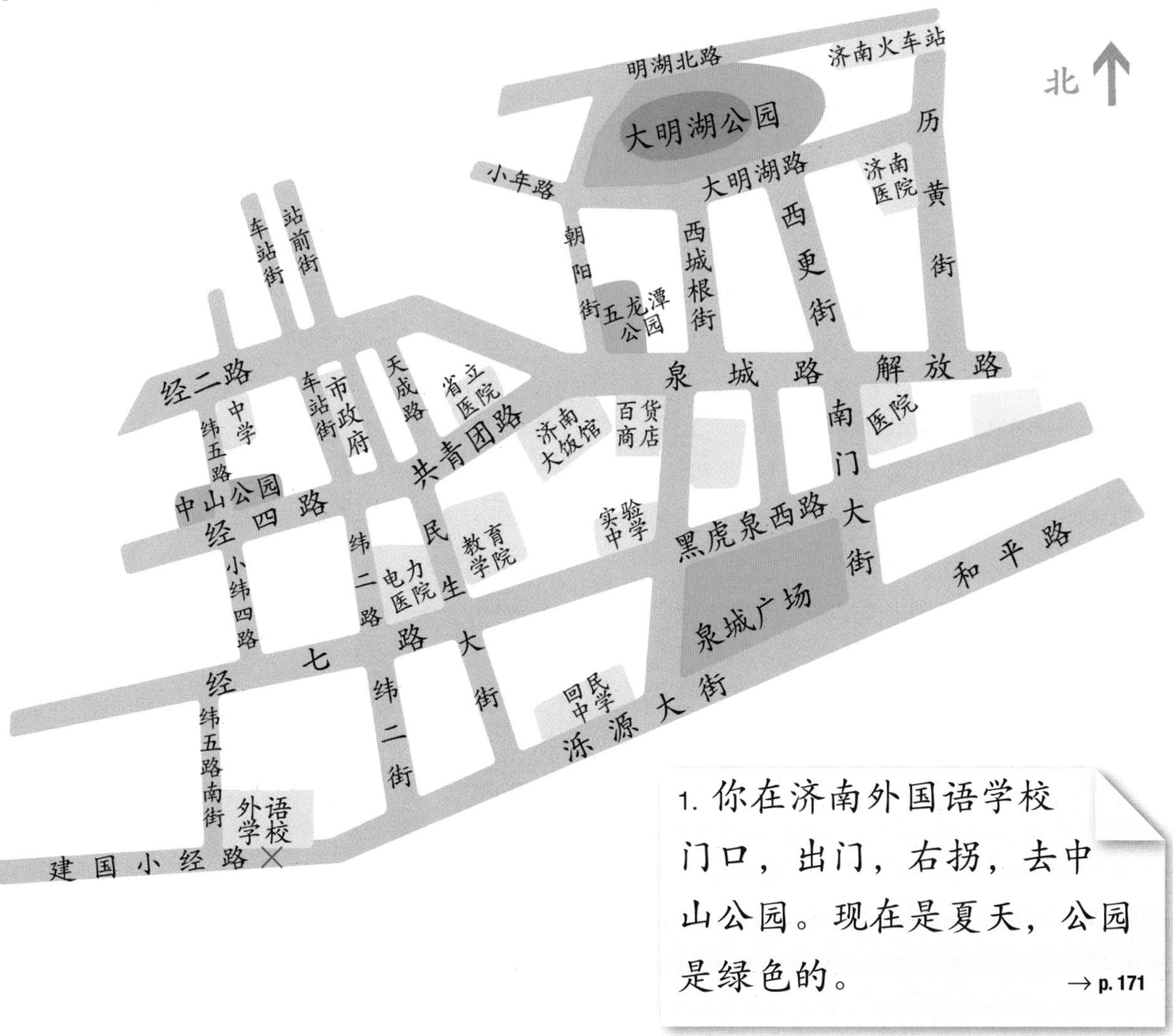

该你了

Répondez au message de votre correspondant chinois.

工具箱 ATELIER DE PRONONCIATION

白老师说，这是学校餐厅的钥匙。用钥匙打开门，可以看到：餐厅里有一大桌菜，有很多很多好吃的给你们！

Virelangues 绕口令

一

• **Attention à la prononciation de « ian »**

Bànbiānlián, lián bànbiān, 半边莲，莲半边，
bànbiānlián cháng zài shānjiàn biān. 半边莲长在山涧边。
Bànbiāntiān lùguò shānjiàn biān, 半边天路过山涧边，
fāxiàn zhè piàn bànbiānlián. 发现这片半边莲。
Bànbiāntiān nálái yī bǎ lián, 半边天拿来一把镰，
gēle bàn kuāng bànbiānlián. 割了半筐半边莲。

二

• **Attention à la prononciation de « iang »**

Yáng jiā yǎngle yī zhī yáng, 杨家养了一只羊，
Jiǎng jiā xiūle yī dào qiáng. 蒋家修了一道墙。
Yáng jiā de yáng zhuàngdǎole Jiǎng jiā de qiáng, 杨家的羊撞倒了蒋家的墙，
Jiǎng jiā de qiáng yāsǐle Yáng jiā de yáng. 蒋家的墙压死了杨家的羊。
Yáng jiā yào Jiǎng jiā péi Yáng jiā de yáng, 杨家要蒋家赔杨家的羊，
Jiǎng jiā yào Yáng jiā péi Jiǎng jiā de qiáng. 蒋家要杨家赔蒋家的墙。

三

• **Attention à la prononciation de « ue »**

Zhēn jué, zhēn jué, zhēn jiàojué. 真绝，真绝，真叫绝。
Hàoyuèdāngkōng xià dàxuě, 皓月当空下大雪，
máquè yóuyǒng bù fēiyuè, 麻雀游泳不飞跃，
quècháojiūzhàn què xǐyuè. 鹊巢鸠占鹊喜悦。

四

• **Attention à la prononciation de « uan »**

Yuánquān yuán, quān yuánquān, 圆圈圆，圈圆圈，
Yuányuán Juānjuān huà yuánquān. 圆圆娟娟画圆圈。
Juānjuān huà de quān lián quān, 娟娟画的圈连圈，
Yuányuán huà de quāntào quān. 圆圆画的圈套圈。
Juānjuān Yuányuán bǐ yuánquān, 娟娟圆圆比圆圈，
kànkan shéi de yuánquān yuán. 看看谁的圆圈圆。

工具箱 ATELIER D'ÉCRITURE

Vous les reconnaissez déjà, vous devez maintenant savoir les écrire :

走	voir leçon 9	走十分钟就到了。

左 右	voir leçon 9	往左拐还是往右拐？

汉	voir leçon 11	不到长城非好汉！
先	voir leçon 3	你先往前走，然后过马路。
张	voir leçon 9	张爷爷玩得很开心。
最	voir leçon 6	去北京，最好的季节是秋天。
字	voir leçon 6	我认识三百个汉字。
住	voir leçon 2	我很想住在北京。

再	voir leçon 7	明天再来！
喝	voir leçon 11	你多喝一点儿吧！
店	voir leçon 9	我要去商店买礼物 。
飞	voir leçon 8	我们坐飞机。
快	voir leçon 12	飞机快要起飞了。
百 千	voir leçon 4	坐飞机回家要花一千六百多块。

Apprenez à les écrire :

graphie	pinyin	français	aide	exemple
问	*wèn*	demander	门 + 口	请问，您吃西餐还是中餐？
元	*yuán*	unité monétaire	二 + 儿	我身上只有一些欧元。

Apprenez à les reconnaître :

graphie	pinyin	français	aide	exemple
汽	*qì*	gaz	氵+ 气	我们坐妈妈的汽车去买东西吧！
路	*lù*	route, ligne (de bus)	足 + 各	你坐三十九路车。
找	*zhǎo*	chercher	扌+ 戈	我找到了！
题	*tí*	sujet, question	是 + 页 page	我有几个问题要问你。
难	*nán*	difficile	又 + 隹 El. Ph.	你觉得汉语难不难学？
票	*piào*	billet, ticket	西 + 示	今年的机票非常贵。
班	*bān*	classe, groupe	王 + couteau + 王	我们班的同学都来中国。
懂	*dǒng*	comprendre	忄 + 艹 + 重	你懂不懂英语？
把	*bǎ*	cl. des objets à manche ; antéposition du COD	扌 + 巴 El. Ph.	请把衣服放在床上。
自	*zì*	soi-même	représentation du nez	你会不会骑自行车？
行	*xíng*	marcher	un croisement de routes	给我几块钱，就行了。
非	*fēi*	négation		坐飞机，非常累！
您	*nín*	vous (politesse)	你 + 心	李先生，您好！
然	*rán*	然后	月 + 犬 chien + 灬	我先去北京，然后去西安。
慢	*màn*	être lent	忄 + 曼 *màn* El. Ph.	那个人不会用筷子，吃得很慢。
累	*lèi*	être fatigué	田 + la moitié de 絲	我很累了！
往	*wǎng*	en direction de, vers	彳 + 主	你先往前走，然后过马路。

工具箱 GRAMMAIRE

D'abord… et ensuite…

我们	先	去	北京，	然后	去	济南。	*Nous allons d'abord à Pékin et ensuite à Jinan.*
我	先	吃	饭，	然后	喝	茶。	*Je mange d'abord et ensuite je bois du thé.*
	d'abord	**verbe**		**ensuite**	**verbe**		

Cette chose-là

张元	把	飞机票	放在	桌子上。	*Zhang Yuan met son billet d'avion sur la table.*
	把	你的行李	给	我吧！	*Donne-moi ta valise !*
(sujet)	**prép.**	**objet**	**verbe**	**nom**	

* La préposition 把 permet d'antéposer le complément d'objet (défini).

Vers

往	前	走！	*Marche droit devant !*
往	右	拐！	*Tourne à droite !*
vers	**lieu**	**verbe**	

Inviter (à)

我	请	你	吃	饭。	*Je t'invite à manger.*
sujet	**inviter**	**quelqu'un**	**verbe**		
	请	（你）	给	我你的票。	*Veuillez me donner votre billet.*
	Inviter à	**(quelqu'un)**	**verbe**		

En tout

我们班里	一共	有	三十个学生。	*Il y a en tout trente élèves dans notre classe.*
坐飞机到北京，	一共	要	十个小时。	*Il faut en tout dix heures pour se rendre à Pékin en avion.*
	en tout	**verbe**	**quantité**	

Cela fait maintenant…

我	（学 中文）	学	了	两年	了。	*Cela fait maintenant deux ans que j'apprends le chinois.*
张元	（看 中文书）	看	了	一个小时	了。	*Cela fait maintenant une heure que Zhang Yuan lit un livre chinois.*
sujet	**(verbe nom)**	**verbe**	**part. asp**	**durée**	**part. modale**	

* La particule de fin de phrase ajoutée à la particule après le verbe signifie que l'action ayant lieu depuis un certain temps est encore en cours au moment où l'on parle. Le verbe portant un objet direct doit être redoublé pour que la particule aspectuelle soit directement après lui.

Imminent

飞机	要	起飞		了。	*L'avion va décoller.*
我们	要	到	北京	了。	*Nous arrivons à Pékin.*
sujet	**verbe modal**	**verbe**	**nom**	**part. modale**	

* Le verbal modal du futur proche 要 et la particule modale du changement 了 expriment que l'action est sur le point de se réaliser.

工具箱 LEXIQUE

Dans l'avion

飞机 fēijī
飞机票 piào
航班 hángbān
乘坐 chéngzuò
从巴黎飞往北京
一共 gòng (飞行)10个小时
北京时间
系 jì 好安全带 ānquándài
起飞
到达 dàodá

Nourriture et boisson

中餐 zhōngcān
西餐 xīcān
苹果汁 píngguǒzhī
橙汁 chéngzhī

Conversation entre passagers

先 xiān 去北京，然后 ránhòu 去济南
学了多长时间了？
学中文学了两年了。
难 nán 学

À la douane

护照 hùzhào
签证 qiānzhèng
旅馆 lǚguǎn
地址 dìzhǐ
银行 yínháng
欧元 Ōuyuán
换 huàn 人民币 Rénmínbì

Les formules de politesse

祝您旅途 lǚtú
愉快 yúkuài！
希望你玩得愉快！
哪里，哪里！
请您/你……
谢 xiè 谢/多谢！
不客气！
太客气 kèqi 了！

Dans la famille d'accueil

Rencontre de la famille

欢迎 huānyíng
给你介绍 jièshào 一下
累 lèi 不累？
休息 xiūxi
礼物 lǐwù

Installation

把 bǎ 衣服放在
衣柜 yīguì 里
把箱子 xiāngzi 给我
活动表 huódòng biǎo
客厅 kètīng
厨房 chúfáng
浴室 yùshì

CULTURE

百宝箱

游中国 Voyager en Chine

Xi'an : armée de terre

西安 Xī'ān se trouve dans la province du Shānxī, 在中国北方. 西安 était l'aboutissement de la Route de la Soie qui traversait le continent eurasiatique d'ouest en est. La ville comporte une importante communauté musulmane dont la présence remonte aux commerçants arabes et persans venus par cette route. La ville fut la capitale de la Chine sous plusieurs dynasties, notamment les 汉 (206 av. J.-C.–190) les Tang (618-907). On y trouve le mausolée de l'empereur Qinshi huangdi, célèbre pour son armée de terre cuite composée de 6000 guerriers et chevaux grandeur nature. Entre 230 et 210 avant J.-C., il conquit un à un l'ensemble des Royaumes Combattants et unifia l'empire 中国, ce fut 第一个中国皇帝 (huángdì). Xi'an 冬天天气很冷，夏天很热，不常下雨。

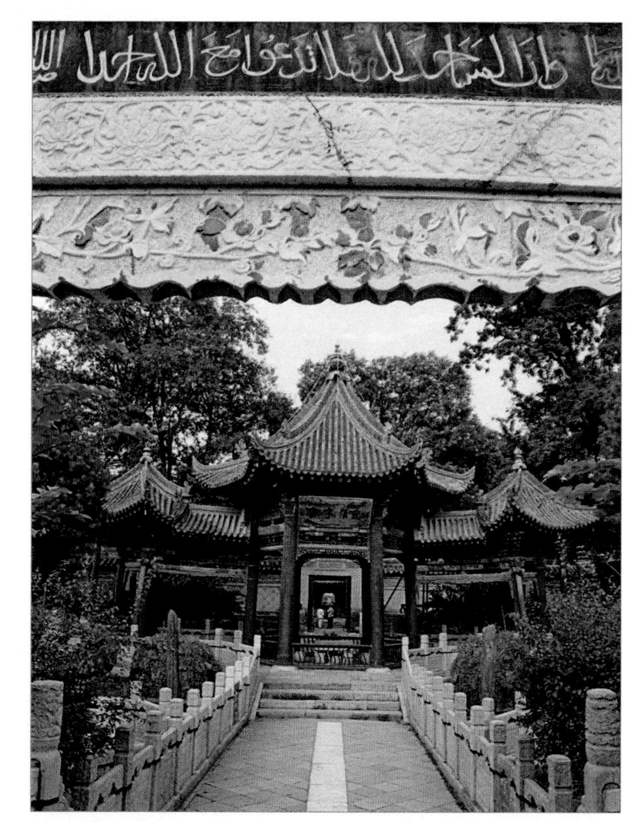

Xi'an : la mosquée

新疆 Le Xīnjiāng est une des cinq provinces autonomes de Chine, 在中国的西北方. La Route de la Soie qui constituait un vrai trait d'union long de 八千公里 entre 中国 et les rives de la Méditerranée （地中海） traversait cette province en contournant le redoutable désert du Takla-makan et rejoignait l'Asie centrale en allant d'oasis en oasis. La population est en majorité ouïgoure, 也有 Kazakhs, Kirghizes, Turcs, Mongols, 等等. Xīnjiāng 的天气冬天非常冷，夏天非常热，很少下雨.

桂林 Guìlín se trouve dans ▶ la région autonome du 广西 Guǎngxī, 在中国的西南方. Guìlín est située dans une plaine à la végétation luxuriante où coule le fleuve Lijiang, entourée de montagnes arrondies. C'est sur ce paysage que repose la représentation du paysage 山水 dans la peinture chinoise, le peintre a en permanence sous les yeux 山和水, celle du fleuve ou des cascades, mais aussi le vide, principe essentiel, symbolisé par les nuages 云 et le ciel 天.

Guilín

四川 Sìchuān, cette province 在中国的中部 au ▶ cœur de la Chine est entourée de 高山. Sa population est surtout composée de 汉, mais comprend aussi quelques minorités. Cette région profite de conditions climatiques très favorables à la végétation : 冬天不太冷, 夏天很热, 常常下雨. Elle est traversée par le 长江, 中国最长的河流. Les deux grandes villes de la région sont 成都 (Chéngdū) et 重庆 (Chóngqìng). Au 四川 se trouve l'une des cinq 山 sacrées du bouddhisme : Éméishān 峨眉山. Au 西北方de la province vivent les derniers pandas géants 大熊猫, espèce en voie de disparition, due à la raréfaction des bambous flèches, plantes dont ils se nourrissent presque exclusivement.

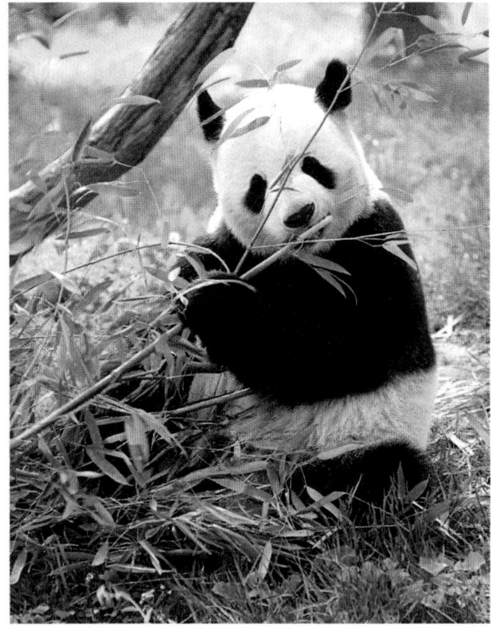

Un panda dans sa patrie : la province de Sichuan

Xīnjiāng

Faites des recherches sur les 5 montagnes sacrées de Chine et présentez-les à vos camarades.

JE PEUX...

- comprendre la description de différentes régions de Chine.
- comprendre des conseils touristiques.

- présenter la Chine.
- décrire certaines particularités régionales.
- argumenter le choix d'une destination touristique.
- énoncer quelques monuments célèbres de Pékin et de Shanghai.

- échanger dans l'avion avec l'hôtesse de l'air.
- échanger sur l'apprentissage de la langue chinoise.
- échanger avec la famille d'accueil.

- m'appuyer sur les éléments phonétiques pour mettre en voix un texte.
- reconnaître et lire à haute voix 350 caractères.
- lire une lettre envoyée d'un lieu de vacances.
- lire les messages d'un jeu de piste.

- écrire 200 caractères environ.
- écrire une carte postale de vacances.

我的中国之行 Mon projet de voyage en Chine

Vous avez suffisamment d'informations sur la Chine pour construire un projet de voyage.

Vous préparez une présentation powerpoint pour votre classe.

D'abord...

Vous intégrez dans vos diapositives :

• le parcours que vous prévoyez,

• les sites et monuments que vous allez visiter,

• des informations pratiques.

Chaque diapositive comportera une courte légende qui sera commentée à l'oral lors de votre présentation.

Ensuite...

Vous intégrez des photos !

A présent...

Vous présentez votre projet de voyage à la classe.

第一天：Paris到北京(飞机)

第二天到第四天：北方游 (火车)

第二天：北京--上午故宫，下午天坛

第三天：北京-- 上午长城，下午颐和园

第四天：去Hā'ěrbīn玩

第五天和第六天：东部游 (飞机，火车，大巴)

第七天第十天：西部游（飞机，火车）

……

我要去中国！

去中国，我要带……

· 护照+签证

· 钱，银行卡，飞机票

· 外套，毛衣，T恤，牛仔裤，旅游鞋，雨伞

· 手机，MP3，guide

· 给中国朋友的礼物

……

L'élément composant, le caractère, le mot, le texte, la langue

Les caractères chinois proviennent de très anciens dessins ou représentations liés à des situations concrètes de la vie quotidienne. Avec le temps et les transformations graphiques, ils sont devenus des signes, sortes de logos. De chaque caractère émane du sens. À chaque caractère correspond une syllabe. Quelques caractères peuvent avoir plusieurs prononciations.

L'écriture chinoise a la particularité de combiner des éléments à la façon d'un puzzle, pour former des caractères, et de combiner des caractères pour former des mots. Les « éléments composants » des caractères ont un rôle sémantique et/ou phonétique. Ces éléments guident le lecteur vers la compréhension de la langue. Ces pages viennent compléter l'atelier d'écriture des leçons par des activités sur les combinaisons.

• Connaître un caractère, c'est :

- connaître sa signification,
- savoir le lire à voix haute,
- connaître certaines combinaisons qui le contiennent,
- identifier et nommer ses éléments composants,
- savoir le chercher dans le dictionnaire,
- savoir le tracer le cas échéant.

• L'ordre et l'orientation des traits

Les traits de chaque caractère s'écrivent dans un ordre déterminé qui doit être respecté.
Il faut mémoriser les mouvements de la main correspondant à l'orientation et l'ordre des traits de chaque caractère.

Les règles s'appliquant à l'ordre des traits sont les suivantes :

1	l'horizontal puis le vertical	十，事
2	de haut en bas	三、兴
3	l'extérieur puis l'intérieur, enfin la fermeture du cadre par le bas	网、国、因
4	les traits vers la gauche puis vers la droite	人
5	l'élément de gauche puis celui de droite	明
6	le trait central puis celui de gauche puis de droite	木
7	le trait horizontal du bas en dernier	王

Leçon 1

- Lorsqu'un caractère est constitué de plusieurs éléments, cette combinaison peut nous guider vers le sens ou la prononciation du caractère.
- Un caractère = une case remplie = une syllabe prononcée

日 + 月 = 明

De quoi sont constitués ces caractères ? Où est 女 ?

姓 好 她

Leçon 2

En 1958, l'écriture a été simplifiée en République Populaire de Chine (pas à Taïwan, ni à Hong-Kong et Macao). Le nombre de traits de certains caractères a été réduit :

- 他是中国人吗？他是中国人。
- 他是中國人嗎？他是中 國人。

Que remarquez-vous ? Quelle est l'écriture traditionnelle ? Quels sont les caractères simplifiés ? Entre 国 et 國, qu'observez-vous ? Quels sont les éléments composants ?

Leçon 3

- La combinaison des caractères forme des mots.

明 + 白 = 明白

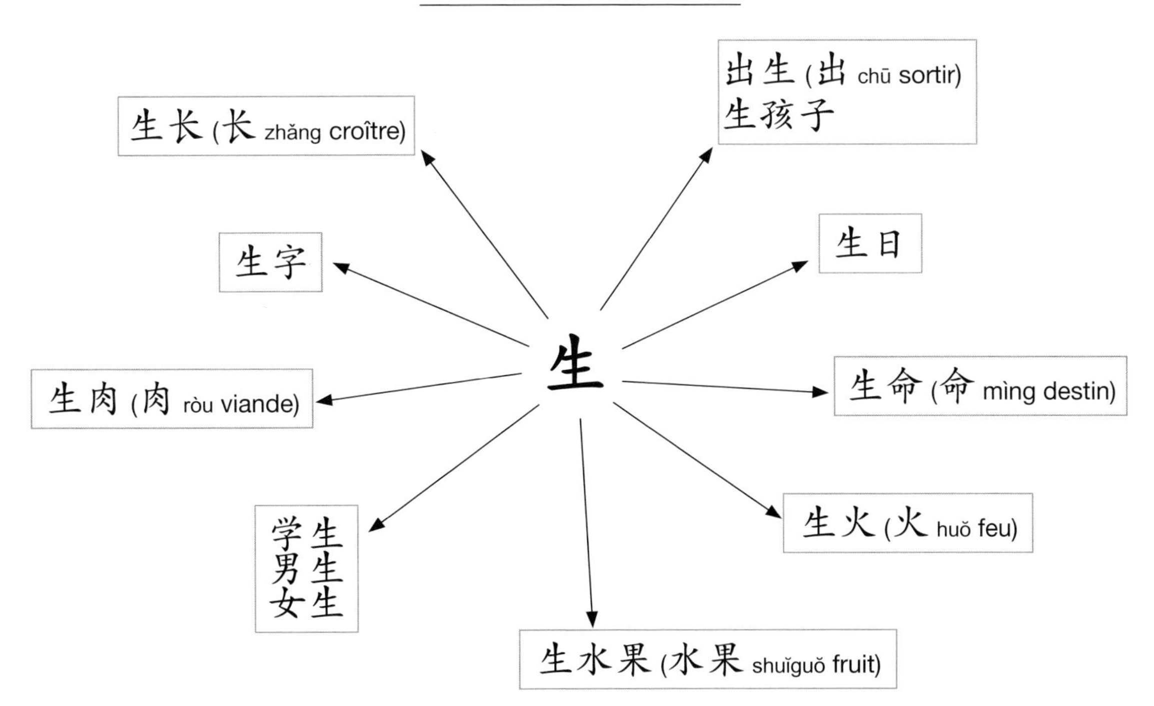

• Les appellations familiales

De quels éléments sont constitués ces caractères ?

Quels en sont les éléments phonétiques et les éléments sémantiques ?

爸	*bà*	papa	父 *fù* père + 巴 *bā*	我很喜欢爸爸！
爷	*yé*	grand-père paternel	父 + 卩 autre forme de 阝 la ville	爷爷很喜欢他两个孙女。
哥	*gē*	frère aîné	deux "可" (voir leçon 4)	你有没有哥哥?
弟	*dì*	frère cadet	丷 + 弓 *gōng*, arc + un trait vertical et un trait lancé vers la gauche	我弟弟不太喜欢听音乐。
姐	*jiě*	sœur aînée	女 + 且 *qiě* natte à offrandes	姐姐有黑头发。
妹	*mèi*	sœur cadette	女 + 未 *wèi*	妹妹是小学生。
奶	*nǎi*	grand-mère paternelle	女 + 乃 *nǎi*	你奶奶喜欢日本吗?
妈	*mā*	maman	女 + 马 *mǎ*	妈妈不在家。
孙	*sūn*	petit fils/fille, n. de f.	子 + 小	爷爷有四个孙女，两个孙子。

Leçon 4

Il arrive que certains caractères se ressemblent, mais tous ont une prononciation et un sens différents, un simple trait change tout : l'écriture est rigoureuse !

Vous pouvez reconnaître une partie de ces caractères.

Que repérez-vous dans les caractères inconnus ? Que signifient-ils à votre avis ?

Leçon 5

• La construction des caractères

Chaque caractère possède une organisation stricte de son espace.

Comment 时、点、去、吃 sont-ils construits ?

Intégrez les caractères dans les espaces.

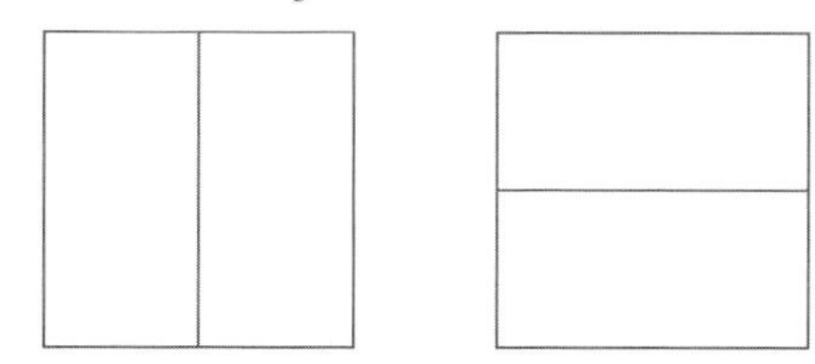

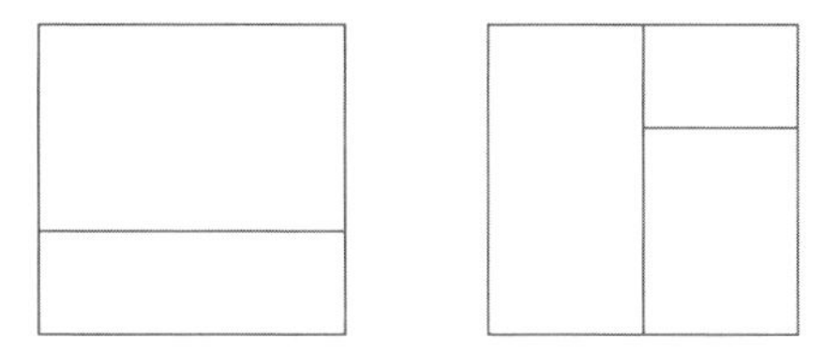

À votre tour de fabriquer un exercice identique pour vos camarades avec les autres caractères de la leçon.

• 请进!

Vous connaissez 出. Son opposé est 进.
jìn

Observez les combinaisons suivantes et essayez d'en deviner le sens.

出口 进口 进出口
出去 进去
出来 进来

Leçon 6

• Étude et enseignement

Étude et enseignement sont intergénérationnels. Observez, à l'aide de votre professeur :

子、学、字、孔子、孝、教、老、老子

Avez-vous entendu parler de Confucius ? De Lao Zi ? Que savez-vous sur eux ?

子 signifie « enfant » et « maître ». Ce n'est pas le dessin d'un enfant langé, comme on le dit toujours (car cette explication aide à mémoriser le caractère). Il s'agit en réalité d'un personnage à genoux, les bras ouverts, en train de communiquer avec ses ancêtres défunts. Il est à la fois l'enfant de sa lignée ancestrale et l'aîné des membres vivants de sa famille. Confucius et Lao Zi sont eux aussi des maîtres, d'où leur appellation.

• La mère et la mer...

Les caractères 女、母、每 et 海 (la mer) sont en quelque sorte une déclinaison graphique : un élément est ajouté à chacun tour à tour.

Copiez-les en les observant avec attention.

À l'aide d'ouvrages étymologiques, essayez d'en percer le mystère.

Leçon 7

• 日、月、雨...

Le temps qu'il fait et le temps qui passe nous viennent du ciel :

晴、早、晚、明天、星期、三月

1. **Quels éléments composants retrouve-t-on dans ces caractères ? Quelle est leur grande famille de sens ?**
2. **Quel est le point commun des caractères inconnus ci-dessous ? Aidez-vous du dictionnaire pour en percer le mystère.**

雲、霖、雷、雪、霞、雹、霜、露、雨

Leçon 8

- Les caractères de la chance : 福、禄、寿、囍

Ouvrez le dictionnaire à la clé des rites (示) 礻. Quels caractères trouvez-vous ?

- Les grandes marques en chinois

Les transcriptions phonétiques des grandes marques étrangères, parfois délicates, ont souvent un sens positif en lien avec l'entreprise.

Lisez ces mots : de quelles marques s'agit-il ?

家乐福 fú / 雪铁 tiě 龙 lóng / 达 dá 能 néng / 可口可乐 /

佳 jiā 能 / 麦当劳 màidāngláo / 西门子

Leçon 9

- La maison

Quelques déclinaisons graphiques :

户、房 / 门、间、问 / 家、嫁 / 椅子、桌子、柜子

Relevez et nommez les points communs aux caractères dans chacun des groupes.

Leçon 10

- Où l'on retrouve 开...

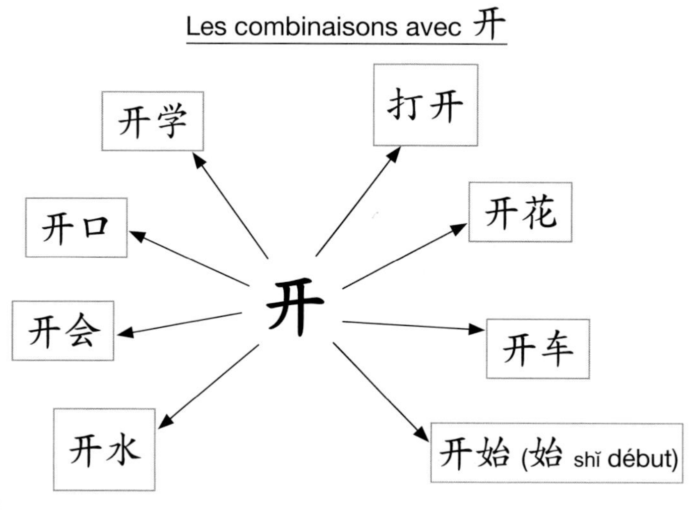

- 开门，关门 ！

门 / 門 / 閂 / 開 / 开 / 闩

Des caractères ci-dessus, lesquels ont été simplifiés ? Quelle en est l'origine ?

- 你是个 «fashion victim» 吗?

À votre avis, que signifient les combinaisons ci-dessous ?

大衣、上衣、雨衣、毛衣

Leçon 11

Observez les menus de la leçon :
quels éléments composants y retrouve-t-on fréquemment ? Pourquoi ?

• Sons et idées sont intimement liés :

Quel est le point commun entre 包 et 饱? Lisez-les. Ce qui les rapproche n'est-il que phonétique ?

扌 / 饣 / 雨 / 月 / 氵 / (衣) 衤 / 火 / 鱼/ 口 / 足 + 包

Quels caractères peut-on fabriquer avec ces éléments composants ?
Écrivez-les puis cherchez-en le sens et la prononciation dans le dictionnaire.

Leçon 12

• **Faites le point :**
Quels éléments composants connaissez-vous ? Comptez-les.

• La clé de la maladie 疒 : vous connaissez 病 et 疼. Observez : 痒、疡、疯.

Comment pourrait-on lire les caractères ci-dessus ?
Quelle est leur famille de sens ?
Vérifiez dans le dictionnaire leur signification en vous appuyant sur le pinyin.

• La clé de l'herbe 艹 : vous connaissez 药. Observez : 草、萌、葱、菜、花.

1. À votre avis, comment lit-on : 草、萌 ?
Vérifiez dans le dictionnaire leur signification en vous appuyant sur le pinyin.

2. Reconnaissez-vous ces caractères ? 葱、菜、花。
Expliquez pourquoi ils contiennent l'herbe. Quelle est leur famille de sens ?
À votre avis, que signifient les mots suivants ?

药店、药水、吃药、火药

Leçon 13

• Les noms de lieux

Placez les lieux suivants sur la carte de Chine :

山东、山西、广东、广西、江西、
湖南、湖北、河南、河北、
北京、南京、西安、海南岛、三亚、贵阳、青海、香港

Voici des noms de lieux : 郑州、杭州、苏州、贵州、兰州 、 福州
À votre avis, que signifie 州 ?

• 请

Dans 请, il y a 青, élément phonétique qui signifie bleu-vert-azur. Vous connaissez déjà certains de ces caractères :

清、晴、情、精、箐、鲭、氰、蜻、静、睛、靖、菁、腈、婧

Cherchez-les dans le dictionnaire à l'aide du pinyin. S'ils ne se trouvent pas tous là où vous pensiez, cherchez un autre phonème. Y a-t-il parfaite homophonie ?

Leçon 14

• L'écriture remontant à des temps très anciens, les parties du corps y tiennent une place de choix. Vous connaissez déjà en partie les différentes graphies du pied et de la main :

止，辶，正/疋，走，足

扌、寸、廾、攵

Écrivez de mémoire tous les caractères que vous connaissez contenant ces éléments composants.

• 慢慢吃

– 看漫画的人馒头吃得很慢！

Quel est le point commun entre 漫, 馒 et 慢 ? Lisez-les.

• 我学汉语

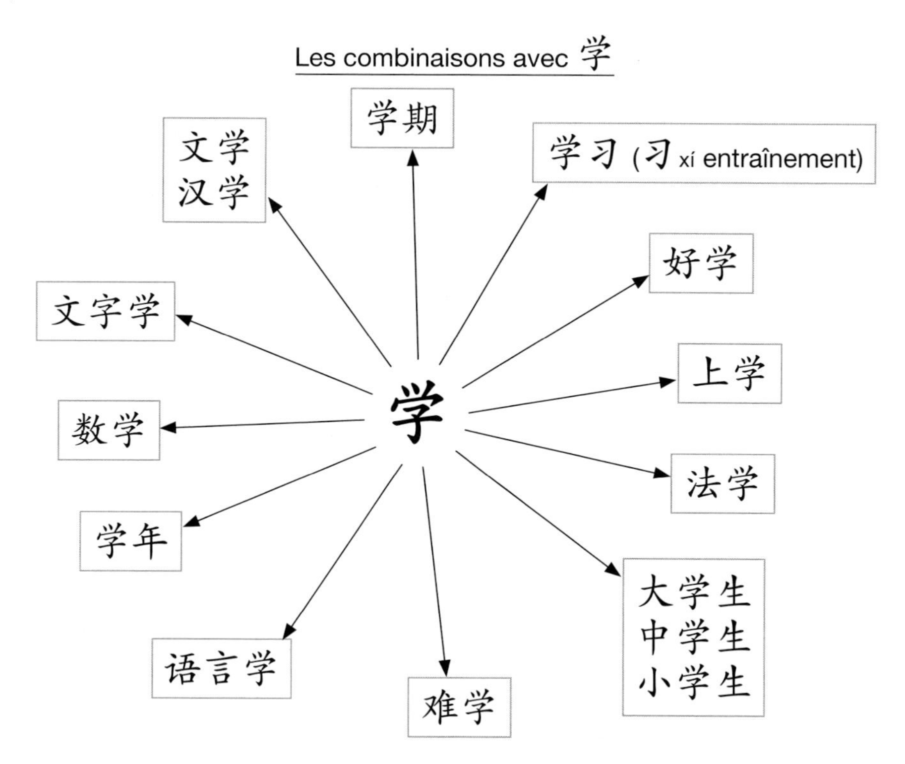

工具箱 CONVERSATIONS : exemples

LEÇON 1

1. 你姓什么？叫什么？

- 李老师好！
  Lǐ lǎoshī hǎo !
- 你好！同学，你姓什么？
  Nǐhǎo ! Tóngxué, nǐ xìng shénme ?
- 我姓王。我叫王小月。
  Wǒ xìng Wáng. Wǒ jiào Wáng Xiǎo yuè.
- (……)他叫什么，你知道吗？
  Tā jiào shénme, nǐ zhīdào ma ?
- 老师，他叫马克。
  Lǎoshī, tā jiào Mǎkè.

2. 你多大？

- 刘洋，你好！
  Liú Yáng, nǐhǎo !
- 你们好！王小丽，她是……？
  Nǐmen hǎo ! Wáng Xiǎolì, tā shì…… ?
- 她叫马双春，她十五岁。我们是同学。
  Tā jiào Mǎ Shuāngchūn, tā shíwǔ suì. Wǒmen shì tóngxué.
- 双春，他叫刘洋。
  Shuāngchūn, tā jiào Liú Yáng.
- 你好，刘洋。
  Nǐhǎo, Liú Yáng.
- 你好，双春。
  Nǐhǎo, Shuāngchūn.
- 刘洋，你多大？
  Liú Yáng, nǐ duō dà ?
- 我十七岁。你呢，王小丽？
  Wǒ shíqī suì. Nǐ ne, Wáng Xiǎolì ?
- 我十六岁。
  Wǒ shíliù suì.

LEÇON 2

1. 请问，他是哪国人？

- 请问，毛泽东是哪国人？
  Qǐngwèn, Máo Zédōng shì nǎ guó rén ?
- 毛泽东是中国人。
  Máo Zédōng shì Zhōngguórén.
- 请问一下，James Bond 是哪国人？
  Qǐngwèn yīxià, James Bond shì nǎ guórén ?
- 他是英国人。
  Tā shì Yīngguórén.
- 请问，Marco Polo 是哪国人？
  Qǐngwèn, Marco Polo shì nǎ guó rén ?
- 意大利人。
  Yìdàlìrén.

2. 我是法国人……

- 我叫Mathieu，我是法国人。我住在中国北京。她叫Sally，她是美国人，她也住在中国，她住在上海。
  Wǒ jiào Mathieu, wǒ shì Fǎguórén. Wǒ zhù zài Zhōngguó Běijīng. Tā jiào Sally, tā shì Měiguórén, tā yě zhù zài Zhōngguó, tā zhù zài Shànghǎi.
- 我叫Kate，我住在巴黎。
  Wǒ jiào Kate, wǒ zhù zài Bālí.
- 我叫Motoaki，我不是中国人，我是日本人。我住在纽约。
  Wǒ jiào Motoaki, wǒ bú shì Zhōngguórén, wǒ shì Rìběnrén。Wǒ zhù zài Niǔyuē.
- 我叫刘洋。我十七岁，我住在济南。
  Wǒ jiào Liú Yáng. Wǒ shíqī suì, wǒ zhù zài Jǐnán.

3. 你住在哪儿？

- 你们好！
  Nǐmen hǎo !

– 你好！
Nǐhǎo !
– 我姓金，叫金大中。你叫什么？
Wǒ xìng Jīn, jiào Jīn Dàzhōng. Nǐ jiào shénme ?
– 我叫王明。你多大？
Wǒ jiào Wáng Míng. Nǐ duō dà ?
– 我十六岁。你呢？
Wǒ shíliù suì. Nǐ ne ?
– 我也十六岁。金大中，你是北京人吗？
Wǒ yě shíliù suì. Jīn Dàzhōng nǐ shì Běijingrén ma ?
– 是啊！我住在北京。你住在哪儿？
Shì a ! Wǒ zhù zài Běijing. Nǐ zhù zài nǎr ?
– 我住在济南，我是济南人。
Wǒ zhù zài Jǐnán, wǒ shì Jǐnánrén.
– 他呢？他叫什么？
Tā ne ? Ní tā jiào shénme ?
– 他叫王力新。
Tā jiào Wáng Lìxīn.
– 他住在哪儿？
Tā zhù zài nǎr ?
– 他住在北京。[......]
Tā zhù zài Běijing.

4. 你喜欢做什么？

– 我叫 Mathieu，我十七岁。我是法国人。我住在巴黎。
Wǒ jiào Mathieu, wǒ shíqī suì wǒ shì Fǎguórén wǒ zhù zài Bālí.
– Mathieu，你喜欢做什么？
Mathieu, nǐ xǐhuān zuò shénme ?
– 我喜欢听音乐，喜欢看书，还喜欢聊天。
Wǒ xǐhuān tīng yīnyuè, xǐhuān kànshū, hái xǐhuān liáotiān.
– 你喜欢看电视吗？
Nǐ xǐhuān kàn diànshì ma ?
– 喜欢。
Xǐhuān.
– 你喜欢打球吗？
Nǐ xǐhuān dǎqiú ma ?
– (打球啊？) 我喜欢打网球。我不喜欢打篮球.
(Dǎqiú a ?) Wǒ xǐhuān dǎ wǎngqiú. Wǒ bù xǐhuān dǎ lánqiú.
– 你喜欢踢足球 吗？
Nǐ xǐhuān tī zúqiú ma ?
– 不 喜欢。
Bù xǐhuān.

LEÇON 3

1. 说说我家。

– 我叫张丽。我住在法国。我家有六口人，爷爷，奶奶，爸爸妈妈，我和我弟弟。
Wǒ jiào Zhāng Lì. Wǒ zhù zài Fǎguó. Wǒ jiā yǒu liù kǒu rén, yéye nǎinai, bàba māma, wǒ hé wǒ dìdi.

2. 你有兄弟姐妹吗？

– Rémy，你有兄弟姐妹吗？
Rémy, nǐ yǒu xiōngdì-jiěmèi ma ?
– 有。我有妹妹和弟弟。
Yǒu. Wǒ yǒu mèimei hé dìdi.
– 你有没有哥哥姐姐？
Nǐ yǒu méiyǒu gēge jiějie ?
– 没有，我是老大。我们家有八口人：爷爷奶奶，爸爸妈妈，我，两个妹妹和一个弟弟。
Méiyǒu. Wǒ shì lǎodà. Wǒmen jiā yǒu bā kǒu rén : yéye nǎinai, bàba māma, wǒ, liǎng gè mèimei hé yī gè dìdi.

3. 她的眼睛很大，是蓝色的。

– 我妹妹叫马丽，她十四岁。她的头发是黄色的，很长。她的眼睛很大，是蓝色的。她喜欢跳舞。
Wǒ mèimei jiào Mǎ Lì, tā shísì suì. Tā de tóufà shì huángsè de, hěn cháng. Tā de yǎnjing hěn dà, shì lánsè de. Tā xǐhuān tiàowǔ.
– 我妹妹的男朋友叫马克，他十六岁。他很帅。他眼睛很大，是棕色的，头发也是棕色的，他头发很短。他喜欢打篮球。
Wǒ mèimei de nánpéngyou jiào Mǎkè, tā shíliù suì. Tā hěn shuài. Tā yǎnjing hěn dà, shì zōngsè de, tóufà yě shì zōngsè de, tā tóufà hěn duǎn. Tā xǐhuān dǎ lánqiú.

LEÇON 4

1. 这是你的书包吗?

- 您好，师傅，我找我的书包。
  Nín hǎo, shīfu, wǒ zhǎo wǒ de shūbāo.
- 你的书包是什么颜色的?
  Nǐ de shūbāo shì shénme yánsè de ?
- 黑色的。
  Hēisè de.
- 这是你的书包吗?
  Zhè shì nǐ de shūbāo ma ?
- 不是。我的书包很大。
  Bú shì. Wǒ de shūbāo hěn dà.
- 你的书包里面有什么东西?
  Nǐ de shūbāo lǐmiàn yǒu shénme dōngxi ?
- 有很多书，有我的钱包，钥匙，我的MP3，还有我的学生证。
  Yǒu hěn duō shū, yǒu wǒ de qiánbāo, yàoshi, wǒ de MP3, hái yǒu wǒ de xuéshengzhèng.
- 你看看，这是你的书包吗?
  Nǐ kànkan, zhè shì nǐ de shūbāo ma ?
- 这是我的。谢谢您，师傅，再见！
  Zhè shì wǒ de. Xièxiè nín, shīfu zàijiàn !

2. 你有几支笔?

- 双春，你有几支铅笔?
  Shuāngchūn, nǐ yǒu jǐ zhī qiānbǐ ?
- 我有三支。
  Wǒ yǒu sān zhī.
- 我想借一支铅笔好吗?
  Wǒ xiǎng jiè yī zhī qiānbǐ hǎo ma ?
- 好。
  Hǎo.
- 你有几支钢笔?
  Nǐ yǒu jǐ zhī gāngbǐ ?
- 两支。
  Liǎng zhī.
- 我想借一支，好吗?
  Wǒ xiǎng jiè yī zhī, hǎo ma ?
- 好。
  Hǎo.
- 你有橡皮吗?
  Nǐ yǒu xiàngpí ma ?
- 有，我有两块。
  Yǒu, wǒ yǒu liǎng kuài。
- 我想借一块橡皮，行吗?
  Wǒ xiǎng jiè yī kuài xiàngpí, xíng ma ?
- 行，行。刘洋，你还想借什么?
  Xíng, xíng. Liú Yáng nǐ hái xiǎng jiè shénme ?
- 呃，我还想借一把尺，两本本子。嘿嘿，不好意思。[......]
  E, wǒ hái xiǎng jiè yī bǎ chǐ, liǎng běn běnzi. Hēihēi, bù hǎoyìsī.

3. 想买新手机

- 妈妈，我想买一部新手机。
  Māma, wǒ xiǎng mǎi yī bù xīn shǒujī.
- 你有手机，为什么想买?
  Nǐ yǒu shǒujī, wèishénme xiǎng mǎi ?
- 因为我的手机太旧。同学们的手机都很新。他们的手机都可以听音乐，发短信。
  Yīnwei wǒ de shǒujī tài jiù. Tóngxuémen de shǒujī dōu hěn xīn. Tāmen de shǒujī dōu kěyǐ tīng yīnyuè, fā duǎnxìn.
- 不行，手机太贵。
  Bùxíng, shǒujī tài guì.
- 妈，不贵。小明的手机才1400块！
  Mā, bú guì. Xiǎomíng de shǒujī cái yīqiān sìbǎi kuài !
- 什么？！1400块?！太贵太贵！
  Shénme?! Yīqiān sìbǎi kuài?! Tài guì tài guì !
- 妈，你看，那部红色的手机，800块，很便宜.
  Mā, nǐ kàn, nà bù hóngsè de shǒujī, bābǎi kuài, hěn piányi.
- 可以打电话，发短信，也可以听音乐。妈妈，买吧买吧！
  Kěyǐ dǎdiànhuà, fā duǎnxìn, yě kěyǐ tīng yīnyuè. Māma, mǎi ba mǎi ba !

  嗯，800，不便宜也不贵。
  Ng, bābǎi, bù piányi yě bú guì.
- 好好好！买,买！
  Hǎo hǎo hǎo ! Mǎi, mǎi !

LEÇON 5

1. 这个星期做什么?

- 这个星期你们做什么?

Zhège xīngqī nǐmen zuò shénme ?

- 我星期一学音乐，星期四玩电脑。

Wǒ xīngqīyī xué yīnyuè, xīngqīsì wán diànnǎo.

- 好学生啊！你呢，张一林?

Hǎo xuéshēng a ! Nǐ ne, Zhāng Yīlín ?

- 我啊，星期二学跳舞，星期五打网球。刘洋，你这个星期做什么?

Wǒ a, wǒ xīngqī'èr xué tiàowǔ, xīngqīwǔ dǎ wǎngqiú. Liú Yáng, nǐ zhège xīngqī zuò shénme ?

- 我吗? 星期三打篮球，星期五踢足球。

Wǒ ma ? Xīngqīsān dǎ lánqiú, xīngqīwǔ tī zúqiú.

2. 现在几点?

- 师傅，现在几点?

Shīfu, xiànzài jǐ diǎn ?

- 十一点半。

Shíyī diǎn bàn.

- 师傅，现在几点?

Shīfu, xiànzài jǐ diǎn ?

- 一点一刻。

Yīdiǎn yī kè.

- 师傅，现在几点?

Shīfu, xiànzài jǐ diǎn ?

- 两点差一刻。

Liǎng diǎn chà yī kè.

- 师傅，现在几点?

Shīfu, xiànzài jǐ diǎn ?

- 五点四十五。

Wǔ diǎn sìshí wǔ.

……

- 师傅，现在几点?

Shīfu, xiànzài jǐ diǎn ?

- 你说呢，现在几点?

Nǐ shuō ne ? Xiànzài jǐ diǎn ?

- 九点二十二。师傅，对不起，我迟到了。

Jiǔ diǎn èrshí'èr. Shīfu duìbuqǐ wǒ chídào le.

3. 什么时候有空?

- "你好，一林,我是王小丽。我也想看电影。

Nǐhǎo Yīlín wǒ shì Wáng Xiǎolì. Wǒ yě xiǎng kàn diànyǐng.

星期三和星期四下午下课以后我有空，可是，星期五下午我没空。

Xīngqīsān hé xīngqīsì xiàwǔ xiàkè yǐhòu wǒ yǒukòng, kěshì, xīngqīwǔ xiàwǔ wǒ méi kòng.

星期五下午下课以后，我有网球课。星期六我没事儿。

Xīngqīwǔ xiàwǔ xiàkè yǐhòu, wǒ yǒu wǎngqiú kè xīngqīliù wǒ méi shìr.

我们星期六看电影好吗?

Wǒmen xīngqīliù kàn diànyǐng hǎo ma ?

看完电影以后，我们逛商店买东西，你说呢?

Kànwán diànyǐng yǐhòu wǒmen guàng shāngdiàn mǎi dōngxī, nǐ shuō ne ?

- 呃，我晚上给你打电话。Bye！"

E, wǒ wǎnshàng gěi nǐ dǎ diànhuà.

LEÇON 6

1. 今天上什么课?

- 小丽，今天上午有法语课吗?

Xiǎolì, jīntiān shàngwǔ yǒu fǎyǔkè ma ?

- 没有。

Méiyǒu.

- 下午有法语课，是吗?

Xiàwǔ yǒu fǎyǔkè, shì ma ?

- 没有！你是不是太喜欢法语课了? 今天没有法语课。星期二和星期四都没有。

Méiyǒu ! Nǐ shìbúshì tài xǐhuān fǎyǔkè le ? Jīntiān méiyǒu fǎyǔkè. Xīngqī'èr hé xīngqīsì dōu méiyǒu.

- 哦，好吧。今天下午是不是有历史课?

O, hǎo ba. Jīntiān xiàwǔ shìbúshì yǒu lìshǐkè ?

- 没有历史。哎，刘洋同学，请你看课表，好吗?

Méiyǒu lìshǐ. Ai, Liú Yáng tóngxué, qǐng nǐ kàn kè biǎo, hǎo ma ?

- 嘿嘿，不想看。今天下午上什么课？

Hēihēi, bù xiǎng kàn. Jīntiān xiàwǔ shàng shénme kè ?

- 你说嘛，下午有什么课？

Nǐ shuō ma, xiàwǔ yǒu shénme kè ?

- 今天下午第一节是地理课，第二节是体育课。

Jīntiān xiàwǔ dì-yī jié shì dìlǐkè, dì-èr jié shì tǐyùkè.

- 有体育课吗？太好了，可以打篮球。

Yǒu tǐyùkè ma ? Tài hǎo le, kěyǐ dǎ lánqiú.

2. 迟到了

- 上课了，都到了吗？

Shàngkè le, dōu dào le ma ?

- 老师，刘洋没到。

Lǎoshī, Liú Yáng méi dào.

- 啊，刘洋来了。

A, Liú Yáng lái le.

- 对不起，老师，我迟到了。

Duìbùqǐ, lǎoshī, wǒ chídào le.

- 你为什么迟到？

Nǐ wèishéme chídào ?

- 因为路上车太多了。

Yīnwéi lùshang chē tài duō le.

- 你的作业做了吗？

Nǐ de zuòyè zuòle ma ?

- 没有做。

Méiyǒu zuò.

- 你为什么没做？你的同学都做了。

Nǐ wèishéme méi zuò ? Nǐ de tóngxué dōu zuòle.

- 因为昨天晚上数学作业很多，来不及，所以没有做法语作业。对不起，老师。

Yīnwéi zuótiān wǎnshang shùxué zuòyè hěn duō, láibùjí, suǒyǐ méiyǒu zuò fǎyǔ zuòyè. Duìbùqǐ, lǎoshī.

- 不行。你今天做好，明天交给我。

Bùxíng. Nǐ jīntiān zuòhǎo, míngtiān jiāo gěi wǒ.

3. 考得怎么样？

- 张一林，上个星期的考试你考得怎么样？

Zhāng Yīlín, shàngge xīngqī de kǎoshì nǐ kǎo de zěnmeyàng ?

- 考得还可以。

Kǎo de hái kěyǐ.

- 你历史和地理得了几分？

Nǐ lìshǐ hé dìlǐ déle jǐ fēn ?

- 一个74，一个76，马马虎虎，你呢？

Yígè qīshísì, yígè qīshíliù, mǎmahūhu, nǐ ne ?

- 我也马马虎虎，历史72，地理78。

Wǒ yě mǎmahūhu, lìshǐ qīshí'èr, dìlǐ qīshíbā.

- 反正我不喜欢这两门课。

Fǎnzhèng wǒ bù xǐhuān zhè liǎng mén kè.

- 你数学考试考得怎么样？

Nǐ shùxué kǎoshì kǎo de zěnmeyàng ?

- 还不错，94分，你呢？

Háibúcuò, jiǔshísì fēn, nǐ ne ?

- 我考得很不好，60分。完了，爸爸妈妈会打死我的。

Wǒ kǎo de hěn bù hǎo, liùshí fēn. Wán le, bàba māma huì dǎsǐ wǒ de.

LEÇON 7

1. 天气怎么样

- 双春，天气预报看了吗？

Shuāngchūn, tiānqì yùbào kànle ma ?

- 看了看了。济南天气还可以，多云，可是会刮风。

Kànle kànle. Jǐnán tiānqì hái kěyǐ, duōyún, kěshì huì guāfēng.

- 冷不冷？气温多少度？

Lěng bù lěng ? Qìwēn duōshao dù ?

- 不太冷。两度到10度。爸，明天，哈尔滨-20度，还下雪！幸好我们住在济南，不住在哈尔滨。

Bù tài lěng. Liǎng dù dào shí dù. Bà, míngtiān, Hā'ěrbīn líng xià èrshí dù, hái xiàxuě ! Xìnghǎo wǒmen zhù zài Jǐnán, bù zhù zài Hā'ěrbīn.

- 老家广州呢，天气怎么样？

Lǎojiā Guǎngzhōu ne, tiānqì zěnmeyàng ?

- 广州天气不错，晴，有12度到18度呢，一点儿也不冷。爸爸，我想回广州老家！因为现在广州热。爸，我们什么时候回去啊？

Guǎngzhōu tiānqì bùcuò, qíng, yǒu shí'èr dù dào shíbā dù ne, yīdiǎnr yě bù lěng. Bàba, wǒ xiǎng huí Guǎngzhōu lǎojiā ! Yīnwèi xiànzài Guǎngzhōu rè. Bà, wǒmen shénme shíhou huíqu a ?

- 下个星期六。

Xià gè xīngqīliù.

2. 北京的春夏秋冬

- 我是北京人，我来说说北京的四季。北京春天有点儿冷，有时候刮大风。夏天很热，常常下雨，气温常常在三十度以上。秋天是北京最好的季节，不冷也不热，常常是晴天。北京的冬天很冷，会下雪，气温常常在零下。在北京，冬天可以滑冰。

wǒ shì Běijīngrén, wǒ lái shuōshuo Běijīng de sìjì. Běijīng chūntiān yǒudiǎnr lěng, yǒushíhou guā dàfēng. Xiàtiān hěn rè, chángcháng xiàyǔ, qìwēn chángcháng zài sānshí dù yǐshàng. Qiūtiān shì Běijīng zuì hǎo de jìjié, bù lěng yě bù rè, chángcháng shì qíngtiān. Běijīng de dōngtiān hěn lěng, huì xiàxuě, qìwēn chángcháng zài língxià. Zài Běijīng, dōngtiān kěyǐ huábīng.

3.

- 北京一年有四个季节，从三月到五月是春天。从六月到八月是夏天。从九月到十一月是秋天，从十二月到二月是冬天。

Běijīng yī nián yǒu sì gè jìjié, cóng sānyuè dào wǔyuè shì chūntiān. Cóng liùyuè dào bāyuè shì xiàtiān. Cóng jiǔyuè dào shíyīyuè shì qiūtiān, cóng shí'èryuè dào èryuè shì dōngtiān.

4. 喜欢什么季节？

- 小雪，你喜欢哪个季节？

Xiǎoxuě, nǐ xǐhuan nǎ gè jìjié ?

- 我最喜欢夏天，因为夏天很热，不下雨。每天都可以游泳，晒太阳。

Wǒ zuì xǐhuan xiàtiān, yīnwèi xiàtiān hěn rè, bù xià yǔ. Měi tiān dōu kěyǐ yóuyǒng, shài tàiyáng.

- 没错，我也喜欢夏天，夏天放暑假。

Méicuò, wǒ yě xǐhuan xiàtiān, xiàtiān fàng shǔjià.

- 对，对，夏天最好了，不上学。还有，我的生日在夏天。

Duì, duì, xiàtiān zuì hǎo le, bù shàngxué. Hái yǒu, wǒ de shēngri zài xiàtiān.

- 是吗？你的生日是几月几日？

Shì ma ? Nǐ de shēngri shì jǐ yuè jǐ rì ?

- 是七月二十六日。

Shì qīyuè èrshíliù rì.

- 王月来了，王月，小雪说她最喜欢夏天，你呢？

Wáng Yuè lái le, Wáng Yuè, Xiǎoxuě shuō tā zuì xǐhuan xiàtiān, nǐ ne ?

- 我不知道，我喜欢冬天吧。

Wǒ bù zhīdào, wǒ xǐhuan dōngtiān ba.

- 为什么？

Wèishénme ?

- 因为冬天放寒假，我可以回老家。我的老家在哈尔滨，常常下雪，可以滑雪，很好玩儿。还有新年也在冬天。

Yīnwèi dōngtiān fàng hánjià, wǒ kěyǐ huí lǎojiā. Wǒ de lǎojiā zài Hā'ěrbīn, chángcháng xià xuě, kěyǐ huá xuě, hěn hǎowánr. Hái yǒu xīnnián yě zài dōngtiān.

LEÇON 8

1. 怎么回老家？

- 双春，春节你们要回老家吗？

Shuāngchūn, Chūnjié nǐmen yào huí lǎojiā ma ?

- 是的，我们今年回去过春节。

Shìde, wǒmen jīnnián huíqu guò Chūnjié.

- 你老家在哪儿？

Nǐ lǎojiā zài nǎr ?

- 在广州。

Zài Guǎngzhōu.

- 广州很远啊。你们怎么去？

Guǎngzhōu hěn yuǎn a. Nǐmen zěnme qù ?

- 我们坐飞机去。刘洋，你要不要回老家过春节？

Wǒmen zuò fēijī qù. Liú Lyáng, nǐ yào bù yào huí lǎojiā guò Chūnjié ?

- 过年当然要回去！我老家很近,就在青岛.明天我就回青岛。坐大巴，四个小时就到，很快！

Guònián dāngrán yào huíqu ! Wǒ lǎojiā hěn jìn, jiù zài Qīngdǎo. Míngtiān wǒ jiù huí Qīngdǎo. Zuò dàbā, sì gè xiǎoshí jiù dào, hěn kuài !

- 张一林，你呢？你是不是要回上海过春节？

Zhāng Yīlín, nǐ ne ? Nǐ shìbushì yào huí Shànghǎi guò Chūnjié ?

- 是啊。我们每个春节都回上海。

Shì a. Wǒmen měi gè Chūnjié dōu huí Shànghǎi.

- 你们怎么回去？火车还是大巴？

Nǐmen zěnme huíqu ? Huǒchē háishi dàbā ?

- 我们今年要坐火车回去！

Wǒmen jīnnián yào zuò huǒchē huíqu !

- 哇！你们都回老家过年啊？

Wa ! nǐmen dōu huí lǎojiā guònián a ?

- 是啊。

Shì a.

- 今年春节，我们不回老家。我们家一块儿去海南玩儿。

Jīnnián Chūnjié, wǒmen bù huí lǎojiā. Wǒmen jiā yīkuàir qù Hǎinán wánr.

- 真的？！王小丽，你们家好酷啊！海南那么远，你们怎么去？

Zhēn de ?! Wáng Xiǎolì, nǐmen jiā hǎo kù a ! Hǎinán nàme yuǎn, nǐmen zěnme qù ?

- 我们坐飞机，也要坐船。

Wǒmen zuò fēijī, yě yào zuò chuán.

2. 买东西

- 双春, 我们先看看水果。买苹果吧。

Shuāngchūn wǒmen xiān kànkan shuǐguǒ. Mǎi píngguǒ ba.

- 行，妈？苹果3块一斤，买几斤，两斤好不好？

Xíng, mā ? Píngguǒ sān kuài yī jīn, mǎi jǐ jīn, liǎng jīn hǎobuhǎo ?

- 好，还要买白菜和肉做饺子。

Hǎo, hái yào mǎi báicài hé ròu zuò jiǎozi.

- 妈妈，肉在那边。买牛肉还是猪肉？我喜欢吃牛肉。

Māma, ròu zài nàbian. Mǎi niúròu háishi zhūròu ? Wǒ xǐhuan chī niúròu.

- 牛肉太贵，做饺子猪肉好。你去看看，猪肉多少钱一斤？

Niúròu tài guì, zuò jiǎozi zhūròu hǎo. Nǐ qù kànkan, zhūròu duōshao qián yī jīn ?

- 妈，猪肉十块八毛钱一斤，要买多少？

Mā, zhūròu shí kuài bā máo qián yī jīn, yào mǎi duōshao ?

- 买两斤。还要买三斤白菜。现在白菜不贵，你看，八毛一斤。

Mǎi liǎng jīn. Hái yào mǎi sān jīn báicài. Xiànzài báicài bù guì, nǐ kàn, bā máo yī jīn.

- 妈，还要买鱼。奶奶说，过年要吃鱼。 还有妈妈，千万不要忘记买糖和巧克力。

Mā, hái yào mǎi yú. Nǎinai shuō, guònián yào chī yú. Hái yǒu māma, qiānwàn bù yào wàngjì mǎi táng hé qiǎokèlì.

- 知道了知道了。你呀，最喜欢吃。

Zhīdao le, zhīdao le. Nǐ ya, zuì xǐhuan chī.

3. 春节过得怎么样？

- 你们春节过得怎么样？

Nǐmen Chūnjié guò de zěnmeyàng ?

- 不错阿。你呢， Marie, 你春节过得怎么样？

Bùcuò a. Nǐ ne, Marie, nǐ Chūnjié guò de zěnmeyàng ?

- 很有意思！我第一次在中国过春节，在我的朋友家，我们一块儿吃了年夜饭。

Hěn yǒu yìsi ! Wǒ dì-yī cì zài Zhōngguó guò Chūnjié, zài wǒ de péngyou jiā, wǒmen yīkuàir chīle niányèfàn.

[……]

- 过春节，中国人要吃饺子。你吃了吗？

Guò Chūnjié, Zhōngguórén yào chī jiǎozi. Nǐ chīle ma ?

- 当然吃了。大年夜，我朋友家包了饺子。

Dāngrán chīle. Dàniányè, wǒ péngyou jiā bāole jiǎozi.

- 那你包了吗？

Nà nǐ bāole ma ?

- 没有包，我不会包饺子。太难了！

Méiyǒu bāo, wǒ bù huì bāo jiǎozi. Tài nán le !

– 你呀，只会吃！
Nǐ ya, zhǐ huì chī !

LEÇON 9

1. 我的新房间

– 喂，张舒吗？是我李末末。
Wèi, Zhāng Shū ma ? Shì wǒ Lǐ Mòmo.

– 你好末末，你们怎么样啊？济南好吗？你们的新房子怎么样？
Nǐhǎo Mòmo, nǐmen zěnmeyàng a ? Jǐnán hǎo ma ? Nǐmen de xīn fángzi zěnmeyàng ?

– 还不错。我有一个很漂亮的新房间。里面有一张床，有一张桌子，是我的新书桌，还有两张椅子，也是新的。…嗯。不过…我没有沙发了，因为房间不大，我要买钢琴。我房间还有一个衣柜和一个书架，你知道，我的漫画书很多。我还没有台灯，妈妈说明天去买钢琴和台灯。
Hái bùcuò. Wǒ yǒu yī gè hěn piàoliang de xīn fángjiān. Lǐmiàn yǒu yī zhāng chuáng, yǒu yī zhāng zhuōzi, shì wǒ de xīn shūzhuō, hái yǒu liǎng zhāng yǐzi, yě shì xīn de. … Ng. Bùguò… wǒ méiyǒu shāfā le, yīnwèi fángjiān bù dà, wǒ yào mǎi gāngqín. Wǒ fángjiān hái yǒu yī gè yīguì hé yī gè shūjià, nǐ zhīdao, wǒ de mànhuàshū hěn duō. Wǒ hái méiyǒu táidēng, māma shuō míngtiān qù mǎi gāngqín hé táidēng.

2. 你家远吗？

– 先生，请问一下，从你家到超市远不远？
Xiānsheng, qǐngwèn yīxià, cóng nǐ jiā dào chāoshì yuǎn bù yuǎn ?

– 不远，很近，就在我家对面。
Bù yuǎn, hěn jìn, jiù zài wǒ jiā duìmian.

– 太太，请问，从你家到车站远吗？
Tàitai, qǐngwèn, cóng nǐ jiā dào chēzhàn yuǎn ma ?

– 不远。车站在我家前面。
Bù yuǎn. Chēzhàn zài wǒ jiā qiánmian.

– 小姐，请问一下，从你家到电影院远不远？
Xiǎojiě, qǐngwèn yīxià, cóng nǐ jiā dào diànyǐngyuàn yuǎn bù yuǎn ?

– 不太远，在附近。
Bù tài yuǎn, zài fùjìn.

– 小朋友，请问一下，你家离学校远吗？
Xiǎo péngyou, qǐngwèn yīxià, nǐ jiā lí xuéxiào yuǎn ma ?

– 很远。要坐公交车去。
Hěn yuǎn. Yào zuò gōngjiāochē qù.

3. 我家附近

– “我家住在市中心，附近有很多商店和饭馆儿,也有电影院。超市在我家对面，超市右边有两家商店。商店前面就是车站。从我家到车站很近，走五分钟就到。商店的对面，我家的右边，是电影院。电影院后面有很多饭馆儿。我家后面有一家中学，但是不是我的学校。我的学校有点儿远，我每天坐公交车上学，坐半个小时。[......]”
« Wǒ jiā zhù zài shìzhōngxīn, fùjìn yǒu hěn duō shāngdiàn hé fànguǎnr, yě yǒu diànyǐngyuàn. Chāoshì zài wǒ jiā duìmian, chāoshì yòubian yǒu liǎng jiā shāngdiàn. Shāngdiàn qiánmian jiùshì chēzhàn. Cóng wǒ jiā dào chēzhàn hěn jìn, zǒu wǔ fēnzhōng jiù dào. Shāngdiàn de duìmian, wǒ jiā de yòubian, shì diànyǐngyuàn. Diànyǐngyuàn hòumian yǒu hěn duō fànguǎnr. Wǒ jiā hòumian yǒu yī jiā zhōngxué, dànshì bù shì wǒ de xuéxiào. Wǒ de xuéxiào yǒudiǎnr yuǎn, wǒ měi tiān zuò gōngjiāochē shàngxué, zuò bàn ge xiǎoshí. [… …] »

LEÇON 10

1. 哪一个是我的好朋友？

– 你看这张照片上都是我北京的朋友。
Nǐ kàn zhè zhāng zhàopiàn shàng dōu shì wǒ Běijīng de péngyou.

– 你最好的朋友是哪一个？
Nǐ zuì hǎo de péngyou shì nǎ yī gè ?

– 你猜！
Nǐ cāi !

– 她个子高不高？
Tā gèzi gāo bù gāo ?

- 不太高一米六五。

Bù tài gāo yī mǐ liùwǔ.

- 胖不胖?

Pàng bù pàng ?

- 不胖也不瘦。

Bù pàng yě bù shòu.

- 嗯…… 是不是这个，穿裙子的女生?

Ng …… shì bu shì zhège, chuān qúnzi de nǚshēng ?

- 不是。她最不喜欢穿裙子，她穿牛仔裤。

Bù shì. Tā zuì bù xǐhuan chuān qúnzi, tā chuān niúzǎikù.

- 就是这个女孩儿，穿红色衣服的。

Jiùshì zhège nǚháir, chuān hóngsè yīfu de.

- 也不是，她不爱穿红色的衣服。她喜欢白色和黑色。她穿毛衣。

Yě bù shì, tā bù ài chuān hóngsè de yīfu. Tā xǐhuan báisè hé hēisè. Tā chuān máoyī.

- 是不是这个女孩儿，穿白毛衣的?

Shì bu shì zhège nǚháir, chuān bái máoyī de ?

- 是啊，你猜到了。看，她是不是很漂亮?

Shì a, nǐ cāidào le. Kàn, tā shì bu shì hěn piàoliang ?

- 嗯…

Ng …

- 对了，双春，星期六晚上学校的晚会，我想跟你一块儿去，好吗?

Duì le, Shuāngchūn, xīngqīliù wǎnshang xuéxiào de wǎnhuì, wǒ xiǎng gēn nǐ yīkuàir qù, hǎo ma ?

- 行，我们一块儿去。

Xíng, wǒmen yīkuàir qù.

2. 星期六的晚会

- 上个星期六的晚会，你是几点走的?

Shàng gè xīngqīliù de wǎnhuì, nǐ shì jǐ diǎn zǒu de ?

- 我是十一点半走的。

Wǒ shì shíyī diǎn bàn zǒu de.

- 那么晚！

Nàme wǎn !

- 我是和李天一块儿走的。我们玩得很开心。李天长得好帅啊，个子很高，一米八六。你知道吗，他跟我跳舞了。哇，我好开心啊！

Wǒ shì hé Lǐ Tiān yīkuàir zǒu de. Wǒmen wán de hěn kāixīn. Lǐ Tiān zhǎng de hǎo shuài a, gèzi hěn gāo, yī mǐ bāliù. Nǐ zhīdao ma, tā gēn wǒ tiàowǔ le. Wa, wǒ hǎo kāixīn a !

- 哎，你是不是爱上李天了?

Ai, nǐ shì bu shì àishang Lǐ Tiān le ?

- 嗯，有一点儿。他人很好，很热心。

Ng, yǒu yīdiǎnr. Tā rén hěn hǎo, hěn rèxīn.

- 他喜欢你吗?

Tā xǐhuan nǐ ma ?

- 我觉得他也喜欢我。昨天他给我打电话，说他想跟我一块儿去看电影。

Wǒ juéde tā yě xǐhuan wǒ. Zuótiān tā gěi wǒ dǎ diànhuà, shuō tā xiǎng gēn wǒ yīkuàir qù kàn diànyǐng.

[……]

3. 我的新生活

- “我在济南已经三个多月了。我觉得这里还可以。我特别喜欢我的新房间，很漂亮，比北京的房间大。妈妈给我买了新书桌和钢琴。现在是夏天，济南的夏天和北京一样热。我听说，济南的秋天也跟北京一样漂亮，但是冬天比北京暖和。

« Wǒ zài Jǐnán yǐjing sān gè duō yuè le. Wǒ juéde zhèlǐ hái kěyǐ. Wǒ tèbié xǐhuan wǒ de xīn fángjiān, hěn piàoliang, bǐ Běijīng de fángjiān dà. Māma gěi wǒ mǎile xīn shūzhuō hé gāngqín. Xiànzài shì xiàtiān, Jǐnán de xiàtiān hé Běijīng yīyàng rè. Wǒ tīngshuō, Jǐnán de qiūtiān yě gēn Běijīng yīyàng piàoliang, dànshì dōngtiān bǐ Běijīng nuǎnhuo.

- 以前在北京，我家附近有很多商店，很热闹。现在，我家附近饭馆很多，可是商店不多,电影院和大商店都很远，这儿没有北京那么热闹。总之，济南没有北京那么大、那么漂亮。[……]”

Yǐqián zài Běijīng, wǒ jiā fùjìn yǒu hěn duō shāngdiàn, hěn rènao. Xiànzài, wǒ jiā fùjìn fànguǎn hěn duō, kěshì shāngdiàn bù duō, diànyǐngyuàn hé dà shāngdiàn dōu hěn yuǎn, zhèr méiyǒu Běijīng nàme rènao. Zǒngzhī, Jǐnán méiyǒu Běijīng nàme dà, nàme piàoliang. [… …] »

LEÇON 11

1. 早饭吃什么?

– 早！Vincent
Zǎo ! Vincent.
– 早！你睡得好吗?
Zǎo ! Nǐ shuì de hǎo ma ?
– 睡得很好。
Shuì de hěn hǎo.
– 早饭你想吃什么?
Zǎofàn nǐ xiǎng chī shénme ?
– 随便，有什么好吃的?
Suíbiàn, yǒu shénme hǎochī de ?
– 你看，有面包，黄油，果酱，麦片，巧克力酱。
Nǐ kàn, yǒu miànbāo, huángyóu, guǒjiàng, màipiàn, qiǎokèlì jiàng.
– 我还没有吃过面包加果酱，今天试一试。
Wǒ hái méiyǒu chīguo miànbāo jiā guǒjiàng, jīntiān shìyīshì.
– 你喝什么? 有牛奶，咖啡，果汁。
Nǐ hē shénme ? Yǒu niúnǎi, kāfēi, guǒzhī.
– 果汁吧！Vincent，你们法国人早上都吃甜的吗?
Guǒzhī ba ! Vincent, nǐmen Fǎguórén zǎoshàng dōu chī tián de ma ?
– 是啊，一般吃面包加果酱，也可以加巧克力酱，喝果汁，不过今天我想吃麦片。
Shì a, yībān chī miànbāo jiā guǒjiàng, yě kěyǐ jiā qiǎokèlì jiàng, hē guǒzhī, bùguò jīntiān wǒ xiǎng chī màipiàn.
– 你们在中国早饭吃什么?
Nǐmen zài Zhōngguó zǎofàn chī shénme ?
– 我们一般早饭吃咸的，吃包子，吃面条，喝豆浆，你喝过豆浆吗?
Wǒmen yībān zǎofàn chī xián de, chī bāozi, chī miàntiáo, hē dòujiāng, nǐ hēguo dòujiāng ma ?
– 没有喝过。
Méiyǒu hēguo.

2. 你吃什么?

– 刘洋，你吃什么?
Liú Yáng, nǐ chī shénme ?
– 我想吃披萨，听说这儿的披萨饼又大又好吃。
Wǒ xiǎng chī pīsà, tīngshuō zhèr de pīsàbǐng yòu dà yòu hǎochī.
– 你吃得完吗?
Nǐ chī de wán ma ?
– 吃得完，我肚子很饿，你呢? 你吃什么?
Chī de wán, wǒ dùzi hěn è, nǐ ne ? Nǐ chī shénme ?
– 不知道，披萨太大，我一个人吃不完。
Bù zhīdào, pīsà tài dà, wǒ yī gè rén chī bu wán.
– 嗯，张一林，你吃汉堡包吧！
Ng, Zhāng Yīlín, nǐ chī hànbǎobāo ba !
– 不行，太辣，我不爱吃。
Bùxíng, tài là, wǒ bù ài chī.
[……]

3. 我们在饭馆吃饭

– 你们好! 请问你们几位?
Nǐmen hǎo ! Qǐngwèn nǐmen jǐ wèi ?
– 四位。
Sì wèi.
– 请坐，这是菜单。你们喝点儿什么?
Qǐng zuò, zhè shì càidān. Nǐmen hē diǎnr shénme ?
– 请来两杯可乐和一壶茶。刘星，今天是你的生日，你点菜，好不好?
Qǐng lái liǎng bēi kělè hé yī hú chá. Liú Xīng, jīntiān shì nǐ de shēngri, nǐ diǎncài, hǎobuhǎo ?
– 晓林，你喜欢吃什么?
Xiǎolín, nǐ xǐhuan chī shénme ?
– 我什么都喜欢吃。
Wǒ shénme dōu xǐhuan chī.
– 你们要不要凉菜?
Nǐmen yào bù yào liángcài ?
– 要。请来两份五香牛肉。
Yào. Qǐng lái liǎng fèn wǔxiāng niúròu.
– 还要点什么?
Hái yào diǎn shénme ?

- 半只烤鸭，一份红烧肉。…… 还要炒茄子和香菇菜心。就这样，晓林，你看好不好？

  Bàn zhī kǎoyā, yī fèn hóngshāoròu. …… hái yào chǎo qiézi hé xiānggū càixīn. Jiù zhèyàng, Xiǎolín, nǐ kàn hǎobuhǎo ?

- 好，我很喜欢这些菜。

  Hǎo, wǒ hěn xǐhuan zhèxiē cài.

  [……]

LEÇON 12

1. 很多同学生病了

- 今天很多人没有来，为什么？

  Jīntiān hěn duō rén méiyǒu lái, wèishénme ?

- 老师，张一林生病了。她感冒，发烧，有39度，头很疼。她要去医院看病。

  Lǎoshī, Zhāng Yīlín shēngbìng le. Tā gǎnmào, fāshāo, yǒu sānshíjiǔ dù, tóu hěn téng. Tā yào qù yīyuàn kànbìng.

- 王小丽呢？为什么也没来？

  Wáng Xiǎolì ne ? Wèishénme yě méi lái ?

- 老师，她打电话给我，说她也感冒了，发烧，嗓子疼，还咳嗽。老师，这几天天气冷，很多同学感冒。

  Lǎoshī, tā dǎ diànhuà gěi wǒ, shuō tā yě gǎnmào le, fāshāo, sǎngzi téng, hái késou. Lǎoshī, zhè jǐ tiān tiānqì lěng, hěn duō tóngxué gǎnmào.

- 好的。那，刘洋呢？也感冒？

  Hǎo de. Nà, Liú Yáng ne ? Yě gǎnmào ?

- 不是。老师，他说他牙疼，要去看医生。老师，这是他的病假条。

  Bù shì. Lǎoshī, tā shuō tā yá téng, yào qù kàn yīshēng. Lǎoshī, zhè shì tā de bìngjiàtiáo.

- 还有谁没有来？李晓新呢？

  Hái yǒu shéi méiyǒu lái ? Lǐ Xiǎoxīn ne ?

- 他说他生病了。

  Tā shuō tā shēngbìng le.

- 什么病？

  Shénme bìng ?

- 不知道。他没有说。

  Bù zhīdào. Tā méiyǒu shuō.

2. "老师，我不舒服。"

- 老师，我肚子疼，可不可以上厕所？

  Lǎoshī, wǒ dùzi téng, kěbùkěyǐ shàng cèsuǒ ?

- 可以，快点儿。

  kěyǐ, kuàidianr.

- 王月，你好象又不舒服，你怎么了？

  Wángyuè, nǐ hǎoxiàng yòu bù shūfu, nǐ zěnme le ?

- 肚子不舒服，想吐，头疼，可以去看医生吗？

  Dùzi bù shūfu, xiǎng tù, tóu téng, kěyǐ qù kàn yīshēng ma ?

- 晓丽，你带他去看医生。

  Xiǎolì, nǐ dài tā qù kàn yīshēng.

- 谢谢老师。

  Xièxie lǎoshī.

3. 看病

[……]

- "王月，不要吃那么甜的东西，也不要吃那么多的零食，对身体不好。你每天都要吃蔬菜和水果也要多喝水。你昨天都没喝水，只喝了饮料。对你身体也不好。

  "Wáng Yuè, bùyào chī nàme tián de dōngxi, yě bùyào chī nàme duō de língshí, duì shēntǐ bù hǎo. Nǐ měitiān dōu yào chī shūcài hé shuǐguǒ yě yào duō hēshuǐ. Nǐ zuótiān dōu méi hēshuǐ, zhǐ hēle yǐnliào. Duì nǐ shēntǐ yě bù hǎo.

- 这是药，你吃四天，每天吃三次，每次一片。你在家休息两天。过两天就好了。我现在给你妈妈打电话告诉她你病了，马上回家。"

  Zhè shì yào, nǐ chī sì tiān, měitiān chī sān cì, měi cì yī piàn. Nǐ zài jiā xiūxi liǎngtiān. Guò liǎng tiān jiù hǎo le. Wǒ xiànzài gěi nǐ māma dǎ diànhuà gàosu tā nǐ bìng le, mǎshàng huíjiā. "

LEÇON 13

1. 中国的东部和北部

- [东部 dōngbù]

  这儿人口很多，有很多大城市。气候不错，不太冷也不太热，常常下雨。这儿没有高山，大多是平地。长江，也就是中国最长的河，从这儿进大海。

Zhèr rénkǒu hěn duō, yǒu hěn duō dà chéngshì. Qìhòu bùcuò, bù tài lěng yě bù tài rè, chángcháng xiàyǔ. Zhèr méiyǒu gāoshān, dàduō shì píngdì. Cháng Jiāng, yě jiùshì Zhōngguó zuì cháng de hé, cóng zhèr jìn dàhǎi.

– [北部Běibù]

这儿有山，冬天常常下雪，所以可以滑雪。这个地方的冬天又冷又长。人们常吃面食：饺子，包子，面条等等，因为这儿有很多小麦。这儿有中国第二大河，它像一个"几"字，河水是黄色的。

Zhèr yǒu shān, dōngtiān chángcháng xiàxuě, suǒyǐ kěyǐ huáxuě. Zhège dìfang de dōngtiān yòu lěng yòu cháng. Rénmen cháng chī miànshí : jiǎozi, bāozi, miàntiáo děngdeng, yīnwèi zhèr yǒu hěn duō xiǎomài. Zhèr yǒu Zhōngguó dì-èr dàhé, tā xiàng yī gè « jǐ » zì, héshuǐ shì huángsè de.

2. 北京旅游

– [天气Tiānqì]

想到北京旅游，最好秋天去，因为北京的秋天不冷也不热，不刮风也不下雨，天气很暖和。夏天去北京，天气会很热，常下雨。有时气温很高，能到35度，或者38度。冬天去北京也不错，不下雨，可是北京冬天会很冷，常结冰，气温常常在零下。怕冷就不要冬天去北京。[……] 春天最好不要到北京旅游，风很大，天气不太好。

Xiǎng dào Běijīng lǚyóu, zuìhǎo qiūtiān qù, yīnwèi Běijīng de qiūtiān bù lěng yě bù rè, bù guāfēng yě bù xiàyǔ, tiānqì hěn nuǎnhuo. Xiàtiān qù Běijīng, tiānqì huì hěn rè, cháng xiàyǔ. Yǒushí qìwēn hěn gāo, néng dào sānshíwǔ dù, huòzhě sānshíbā dù. Dōngtiān qù Běijīng yě bùcuò, bù xiàyǔ, kěshì Běijīng dōngtiān huì hěn lěng, cháng jiébīng, qìwēn chángcháng zài língxià. Pà lěng jiù bùyào dōngtiān qù Běijīng. [… …] Chūntiān zuìhǎo bùyào dào Běijīng lǚyóu, fēng hěn dà, tiānqì bù tài hǎo.

[衣服Yīfu]

– 如果您夏天去，要带短裤，T恤，雨衣雨伞。如果您冬天去，就要带大衣，毛衣，帽子和围巾。

Rúguǒ nín xiàtiān qù, yào dài duǎnkù, T xù, yǔyī yǔsǎn. Rúguǒ nín dōngtiān qù, jiù yào dài dàyī, máoyī, màozi hé wéijīn.

[景点Jǐngdiǎn]

– 长城Chángchéng

长城不在北京市里面，它在北京的北边，离北京不太远，八十公里左右。长城很长，有六千多公里。长城很古老。您可以坐火车或者旅游公交车去。

Chángchéng bù zài Běijīng Shì lǐmiàn, tā zài Běijīng de běibiān, lí Běijīng bù tài yuǎn, bāshí gōnglǐ zuǒyòu. Chángchéng hěn cháng, yǒu liùqiān duō gōnglǐ. Chángchéng hěn gǔlǎo. Nín kěyǐ zuò huǒchē huòzhě lǚyóu gōngjiāochē qù.

– 天坛Tiāntán

天坛在天安门广场的南边，天坛公园又大又漂亮。以前，过年的时候，皇帝一定要去一次天坛。

Tiāntán zài Tiān'ānmén Guǎngchǎng de nánbian, Tiāntán gōngyuán yòu dà yòu piàoliang. Yǐqián, guònián de shíhou, huángdì yīdìng yào qù yīcì Tiāntán.

LEÇON 14

1. 中文难学吗？

– 你在法国学中文吗？

Nǐ zài Fǎguó xué zhōngwén ma ?

– 在学校学中文。

Zài xuéxiào xué zhōngwén.

– 你说汉语说得很好。

Nǐ shuō hànyǔ shuō de hěn hǎo.

– 哪里，哪里。

Nǎli, nǎli.

– 你去过中国吗？

Nǐ qùguo Zhōngguó ma ?

– 没去过，是第一次。

Méi qùguo, shì dì-yī cì.

– 你们去哪个城市？

Nǐmen qù nǎge chéngshì ?

– 我们先去北京，然后去济南，我们的中国朋友住在济南。你去过济南吗？

Wǒmen xiān qù Běijīng, ránhòu qù Jǐnán, wǒmen de Zhōngguó péngyou zhù zài Jǐnán. Nǐ qùguo Jǐnán ma ?

– 去过，济南是一个很漂亮的城市。到了济南，你们住哪儿？住旅馆还是住学生家里？

Qùguo, Jǐnán shì yī gè hěn piàoliang de chéngshì. Dàole Jǐnán, nǐmen zhù nǎr ? Zhù lǚguǎn háishi zhù xuésheng jiā li ?

– 我们要住在学生家里。

Wǒmen yào zhù zài xuésheng jiā li.

– 那好啊，是说汉语的好机会。你们学中文学了多长时间了？

Nà hǎo a, shì shuō hànyǔ de hǎo jīhuì. Nǐmen xué zhōngwén xuéle duō cháng shíjiān le ?

– 我们学了两年了。

Wǒmen xuéle liǎng nián le.

– 你们觉得中文难学吗？

Nǐmen juéde zhōngwén nán xué ma ?

– 有点难学，说话还可以，但是写汉字很难。

Yǒudiǎn nán xué, shuōhuà hái kěyǐ, dànshì xiě hànzì hěn nán.

– 你们要在济南住多长时间？

Nǐmen yào zài Jǐnán zhù duō cháng shíjiān ?

– 要住两个星期。

Yào zhù liǎng gè xīngqī.

– 好，希望你在中国玩得愉快。

Hǎo, xīwàng nǐ zài Zhōngguó wán de yúkuài.

– 谢谢。

Xièxie.

2. 住在同学家

– 爸，妈，你们看，Vincent 到了！

Bà, mā, nǐmen kàn, Vincent dào le !

– 你们好！

Nǐmen hǎo !

– 你好，你好！欢迎你来我们家住，我们都非常开心。

Nǐhǎo, nǐhǎo ! Huānyíng nǐ lái wǒmen jiā zhù, wǒmen dōu fēicháng kāixīn.

– Vincent，我给你介绍一下，这是我的爸爸，这是我的妈妈，他是我的表弟，他今年十二岁，很调皮。我带你看一下我们家，这是我的房间，我们两个一起住。这是你的床。旁边就是厕所和浴室，很方便。那个是我爸妈的房间。这是客厅，厨房在那边，你饿了，随时都可以吃东西。你需要什么东西就告诉我。

Vincent, wǒ gěi nǐ jièshào yīxià, zhè shì wǒ de bàba, zhè shì wǒ de māma, tā shì wǒ de biǎodì, tā jīnnián shí'èr suì, hěn tiáopí. Wǒ dài nǐ kàn yīxià wǒmen jiā, zhè shì wǒ de fángjiān, wǒmen liǎng gè yīqǐ zhù. Zhè shì nǐ de chuáng. Pángbiān jiùshì cèsuǒ hé yùshì, hěn fāngbiàn. Nàge shì wǒ bàmā de fángjiān. Zhè shì kètīng, chúfáng zài nàbian, nǐ è le, suíshí dōu kěyǐ chī dōngxi. Nǐ xūyào shénme dōngxi jiù gàosu wǒ.

– 刘洋，我的东西放在哪儿？

Liú Yáng, wǒ de dōngxi fàng zài nǎr ?

– 你可以把你的衣服放在这个衣柜里。把钱，护照和飞机票放在书桌的抽屉里。把你的箱子给我。我把它放在门后面。

Nǐ kěyǐ bǎ nǐ de yīfu fàng zài zhège yīguì li. Bǎ qián, hùzhào hé fēijīpiào fàng zài shūzhuō de chōuti li. Bǎ nǐ de xiāngzi gěi wǒ. Wǒ bǎ tā fàng zài mén hòumian.

– 叔叔，这是你的礼物，这是我爸爸买的。

Shūshu, zhè shì nǐ de lǐwù, zhè shì wǒ bàba mǎi de.

– 多谢多谢。你太客气了。

Duōxiè duōxiè. Nǐ tài kèqi le.

– 阿姨，这是我妈妈给你买的礼物。

Āyí, zhè shì wǒ māma gěi nǐ mǎi de lǐwù.

– 好。谢谢你，也谢谢你妈妈。

Hǎo. Xièxie nǐ, yě xièxie nǐ māma.

– Vincent，你累不累，想不想休息一下？

Vincent, nǐ lèi bù lèi, xiǎng bù xiǎng xiūxi yīxià ?

– 不累，不要休息。

Bù lèi, bùyào xiūxi.

– 这是老师给我们的活动表。我们一起看看。

Zhè shì lǎoshī gěi wǒmen de huódòng biǎo. Wǒmen yīqǐ kànkan.

词汇表 DICTIONNAIRE

A

– 阿姨	āyí	tante, Madame
– 爱	ài	aimer
– 安全带	ānquándài	ceinture de sécurité

B

– 八	bā	8
– 巴黎	Bālí	Paris
– 八月	bāyuè	août
– 把	bǎ	cl. des objets ayant une poignée, préposition d'antéposition de l'objet
– 吧	ba	particule exclamative finale
– 爸爸	bàba	papa
– 白	bái	blanc
– 百	bǎi	100
– 白菜	báicài	chou chinois
– 白饭	báifàn	riz cuit blanc
– 白色	báisè	couleur blanche
– 拜年	bàinián	souhaiter la bonne année à qn
– 班级	bānjí	classe
– 搬家	bānjiā	déménager
– 半	bàn	demi, moitié
– 半个小时	bàn ge xiǎoshí	une demi-heure
– 帮助	bāngzhù	aider
– 棒	bàng	bon, excellent
– 包	bāo	sac, envelopper
– 包饺子	bāo jiǎozi	faire des raviolis
– 包子	bāozi	pain farci cuit à la vapeur
– 饱	bǎo	rassasié
– 报纸	bàozhǐ	journal
– 杯	bēi	cl. des tasses, des verres
– 北	běi	nord
– 北边	běibiān	nord
– 北方	běifāng	le Nord
– 北京	Běijīng	Pékin
– 本	běn	cl. des livres, des cahiers
– 本子	běnzi	cahier
– 鼻子	bízi	nez
– 比	bǐ	comparer, supérieur à
– 笔	bǐ	stylo, crayon
– 笔袋	bǐdài	trousse
– 比较	bǐjiào	relativement
– 鞭炮	biānpào	pétard
– 表弟	biǎodì	petit cousin (plus jeune)
– 别	bié	interdiction de…
– 冰	bīng	glace
– 冰淇淋	bīngqilín	crême glacée
– 饼干	bǐnggān	biscuit
– 病	bìng	être malade, maladie
– 病假条	bìngjiàtiáo	attestation médicale
– 博物馆	bówùguǎn	musée
– 不	bù	négation
– 不错	bùcuò	pas mal
– 不过	bùguò	mais
– 不好意思	bù hǎoyìsi	gêné, embarrassé
– 不客气	bù kèqi	pas de façon
– 不行	bùxíng	Ça ne marche pas.

C

– 猜	cāi	deviner

– 才 cái seulement
– 菜单 càidān menu
– 菜心 càixīn cœur du chou chinois
– 参观 cānguān visiter
– 厕所 cèsuǒ toilettes
– 茶 chá thé
– 茶馆 cháguǎn maison de thé
– 茶叶 cháyè (feuille de) thé
– 差 chà moins, manquer
– 差不多 chàbuduō à peu près
– 长 cháng long
– 常常 chángcháng souvent
– 长城 Chángchéng la Grande Muraille
– 长江 Cháng Jiāng le fleuve Yangtsé
– 超市 chāoshì supermarché
– 吵 chǎo bruyant
– 炒 chǎo faire sauter
– 炒饭 chǎofàn riz sauté
– 炒花菜 chǎo huācài chou-fleur sauté
– 炒面 chǎomiàn nouilles sautées
– 炒茄子 chǎo qiézi aubergines sautées
– 车站 chēzhàn station, gare, arrêt
– 衬衣 chènyī chemise
– 城市 chéngshì ville
– 橙汁 chéngzhī jus d'orange
– 乘坐 chéngzuò prendre un moyen de transport
– 吃 chī manger
– 吃饭 chīfàn manger, prendre un repas
– 吃午饭 chī wǔfàn déjeuner
– 吃早饭 chī zǎofàn prendre le petit-déjeuner
– 迟到 chídào arriver en retard
– 尺 chǐ règle
– 抽屉 chōuti tiroir
– 出 chū sortir
– 出租车 chūzūchē taxi
– 厨房 chúfáng cuisine
– 穿 chuān porter un vêtement
– 船 chuán bateau
– 床 chuáng lit
– 春节 Chūnjié Fête du printemps
– 春天 chūntiān printemps
– 次 cì fois
– 聪明 cōngmíng intelligent
– 从 cóng de…, depuis…
– 错 cuò faux, faute

D

– 打 dǎ frapper de la main, jouer à
– 打电话 dǎ diànhuà téléphoner
– 打篮球 dǎ lánqiú jouer au basket
– 打球 dǎqiú jouer au ballon
– 打网球 dǎ wǎngqiú jouer au tennis
– 大 dà grand
– 大巴 dàbā car
– 大葱 dàcōng oignon
– 大葱豆腐 dàcōng dòufu pâte de soja aux oignons
– 大概 dàgài à peu près
– 大家 dàjiā tout le monde
– 大家好 dàjiā hǎo bonjour tout le monde
– 大街 dàjiē avenue, boulevard
– 大楼 dàlóu immeuble
– 大米 dàmǐ riz
– 带 dài porter
– 但是 dànshì mais
– 蛋糕 dàngāo gâteau
– 当然 dāngrán bien sûr
– 到 dào arriver, à…, jusqu'à…
– 到达 dàodá arriver
– 得 dé obtenir
– 德国 Déguó Allemagne
– 德国人 Déguórén Allemand
– 的 de particule structurale

– 得	dé	obtenir
– 的时候	de shíhou	lorsque
– 得	de	particule structurale
– 等	děng	attendre
– 等等	děngdeng	etc.
– 第	dì	préfixe ordinal (-ième)
– 弟弟	dìdi	petit frère
– 地理	dìlǐ	géographie
– 地理课	dìlǐkè	cours de géographie
– 地区	dìqū	région
– 地铁	dìtiě	métro
– 地址	dìzhǐ	adresse
– 点	diǎn	heure
– 点菜	diǎncài	commander des plats
– 点心	diǎnxin	dimsum
– 电话	diànhuà	téléphone
– 电脑	diànnǎo	ordinateur
– 电脑游戏	diànnǎo yóuxì	jeux électroniques
– 电视	diànshì	télévision
– 电视机	diànshìjī	poste de télévision
– 电影	diànyǐng	film
– 电影院	diànyǐngyuàn	cinéma
– 东	dōng	est
– 东边	dōngbian	est
– 东部	dōngbù	(région) est
– 东方	dōngfāng	l'Orient
– 东方明珠电视塔	dōngfāng míngzhū diànshìtǎ	la tour de télévision Perle d'Orient
– 东京	Dōngjīng	Tokyo
– 冬天	dōngtiān	hivers
– 东西	dōngxi	chose
– 懂	dǒng	comprendre
– 都	dōu	tout, tous
– 豆腐	dòufu	pâte de soja
– 豆浆	dòujiāng	lait de soja
– 独生子女	dúshēng zǐnǚ	enfant unique
– 度	dù	degré
– 肚子	dùzi	ventre
– 肚子疼	dùzi téng	avoir mal au ventre
– 短	duǎn	court
– 短裤	duǎnkù	short
– 短信	duǎnxìn	SMS
– 锻炼	duànliàn	s'entraîner, s'exercer
– 对	duì	correct, exact, envers, à
– 对不起	duìbuqǐ	pardon
– 对面	duìmian	en face
– 蹲	dūn	être accroupi, s'accroupir
– 蹲下	dūnxià	s'accroupir
– 多	duō	nombreux, combien
– 多大	duōdà	quel âge
– 多少	duōshao	combien
– 多谢	duōxiè	merci beaucoup
– 多云	duōyún	nuageux

E

– 饿	è	avoir faim
– 儿子	érzi	fils
– 耳机	ěrjī	écouteurs
– 二	èr	2
– 二月	èryuè	février

F

– 发	fā	émettre, envoyer
– 发短信	fā duǎnxìn	envoyer un SMS
– 发贺卡	fā hèkǎ	envoyer une carte de vœux
– 发烧	fāshāo	avoir de la fièvre
– 法国	Fǎguó	France
– 法国人	Fǎguórén	Français
– 法语	fǎyǔ	français
– 法语课	fǎyǔkè	cours de français
– 反正	fǎnzheng	de toute façon
– 饭菜	fàn-cài	repas, nourriture
– 饭馆	fànguǎn	restaurant
– 方便	fāngbiàn	pratique

– 房间	fángjiān	pièce (d'une maison)
– 房子	fángzi	maison
– 放	fàng	mettre
– 放鞭炮	fàng biānpào	tirer des pétards
– 放寒假	fàng hánjià	être en vacances d'hiver
– 放假	fàngjià	être en vacances
– 放暑假	fàng shǔjià	être en vacances d'été
– 放焰火	fàng yànhuǒ	tirer un feu d'artifice
– 放在	fàng zài	mettre quelque part
– 非常	fēicháng	très, extrêmement
– 飞机	fēijī	avion
– 飞机票	fēijī piào	billet d'avion
– 飞往	fēiwǎng	voler vers
– 飞行	fēixíng	voler
– 分	fēn	minute, point (notation)
– 分钟	fēnzhōng	minute
– 份	fèn	cl. des plats
– 风	fēng	vent
– 幅	fú	cl. des tableaux
– 服务员	fúwùyuán	serveur
– 附近	fùjìn	environs, alentours

G

– 干	gān	sec
– 感冒	gǎnmào	être enrhumé, rhume
– 钢笔	gāngbǐ	stylo-plume
– 钢琴	gāngqín	piano
– 高	gāo	grand, haut
– 高兴	gāoxìng	content
– 告诉	gàosu	dire quelque chose
– 胳膊	gēbo	bras
– 哥哥	gēge	grand frère
– 个	gè	cl. général
– 各种各样	gèzhǒnggèyàng	de toutes sortes
– 个子	gèzi	taille
– 给	gěi	à, donner
– 跟	gēn	avec, en compagnie de
– 工厂	gōngchǎng	usine
– 公交车	gōngjiāochē	autobus
– 公里	gōnglǐ	kilomètre
– 公司	gōngsī	société
– 工业	gōngyè	industrie
– 公园	gōngyuán	parc
– 古老	gǔlǎo	ancien
– 故宫	Gùgōng	le Palais impérial
– 刮风	guāfēng	souffler (vent)
– 观众	guānzhòng	public
– 广场	guǎngchǎng	place
– 广州	Guǎngzhōu	Guangzhou
– 逛	guàng	se promener
– 逛商店	guàng shāngdiàn	faire les magasins
– 贵	guì	cher
– 果酱	guǒjiàng	confiture
– 果汁	guǒzhī	jus de fruit
– 过	guò	passer
– 过节	guòjié	passer une fête
– 过年	guònián	célébrer le Nouvel An
– 过	guo	particule aspectuelle de l'expérience passée

H

– 哈尔滨	Hā'ěrbīn	Harbin
– 还	hái	encore
– 还可以	hái kěyǐ	assez bien
– 还是	háishi	ou bien
– 孩子	háizi	enfant
– 海	hǎi	mer
– 海南	Hǎinán	Hainan
– 寒假	hánjià	vacances d'hivers
– 汉堡包	hànbǎobāo	hamburger
– 汉字	Hànzì	caractère chinois
– 航班	hángbān	vol

– 好吃 hǎochī bon au goût
– 好玩儿 hǎowánr amusant
– 好笑 hǎoxiào drôle
– 号 hào jour, numéro
– 喝 hē boire
– 和 hé et
– 河 hé fleuve
– 贺卡 hèkǎ carte de vœux
– 黑 hēi noir
– 黑色 hēisè couleur noire
– 很 hěn très
– 红 hóng rouge
– 红包 hóngbāo enveloppe d'argent
– 红色 hóngsè couleur rouge
– 红烧肉 hóngshāoròu ragoût de porc
– 后边 hòubian derrière
– 后面 hòumian derrière
– 壶 hú cl. une théière
– 护照 hùzhào passeport
– 花 huā fleur, dépenser
– 花菜 huācài chou-fleur
– 滑 huá glisser
– 滑冰 huábīng patiner
– 滑雪 huáxuě skier
– 画 huà dessiner
– 画儿 huàr dessin
– 化学 huàxué chimie
– 化学课 huàxuékè cours de chimie
– 欢迎 huānyíng bienvenue, accueillir
– 换 huàn changer, échanger
– 黄 huáng jaune
– 皇帝 huángdì empereur
– 黄瓜 huángguā concombre
– 黄瓜肉片 huánggua ròu-piàn porc sauté au concombre
– 黄河 Huáng Hé le fleuve Jaune
– 黄色 huángsè couleur jaune
– 黄油 huángyóu beurre
– 回 huí retourner
– 回来 huílai revenir
– 会 huì verbe modal de probabilité, savoir faire
– 活动 huódòng activité
– 活动表 huódòng biǎo emploi du temps
– 火车 huǒchē train
– 火锅 huǒguō fondue chinoise
– 或(者) huò(zhě) ou bien

J

– 鸡 jī poulet
– 鸡蛋 jīdàn œuf
– 机会 jīhuì occasion
– 鸡毛菜 jīmáo cài petit chou en plumet de coq
– 几 jǐ combien
– 济南 Jǐnán Jinan
– 系 jì attacher
– 季节 jìjié saison
– 家 jiā maison, famille
– 加 jiā ajouter
– 假 jià vacances
– 剪刀 jiǎndāo ciseaux
– 讲话 jiǎnghuà parler
– 交通 jiāotōng trafic
– 饺子 jiǎozi ravioli
– 叫 jiào s'appeler
– 节 jié fête, cl. des cours
– 结冰 jiébīng geler
– 节日 jiérì fête
– 结账 jiézhàng régler l'addition
– 姐姐 jiějie grande sœur
– 借 jiè prêter, emprunter
– 介绍 jièshào présenter
– 斤 jīn 500 grammes
– 今年 jīnnián cette année
– 今天 jīntiān aujourd'hui
– 近 jìn proche

– 九 jiŭ 9
– 九月 jiŭyuè septembre
– 旧 jiù vieux
– 就 jiù alors, dès
– 觉得 juéde trouver que

K

– 咖啡 kāfēi café
– 开始 kāishĭ commencer
– 开玩笑 kāi wánxiào plaisanter
– 开心 kāixīn heureux
– 开学 kāixué rentrée des classes
– 看 kàn regarder
– 看病 kànbìng consulter le médecin
– 看电视 kàn diànshì regarder la télévision
– 看书 kànshū lire
– 烤 kăo griller, rôtir
– 考试 kăoshì examen, passer un examen
– 烤鸭 kăoyā canard laqué
– 咳嗽 késou tousser
– 可乐 kĕlè coca
– 可怜 kĕlián pitoyable
– 可是 kĕshì mais
– 可以 kĕyĭ pouvoir
– 刻 kè un quart d'heure
– 课 kè cours
– 课表 kèbiăo emploi du temps
– 客气 kèqi poli, gentil
– 客人 kèren invité
– 客厅 kètīng salon
– 口 kŏu bouche, cl. des membres de la famille
– 哭 kū pleurer
– 酷 kù cool
– 裤子 kùzi pantalon
– 块 kuài cl. des morceaux et de la monnaie
– 快 kuài rapide
– 筷子 kuàizi baguettes
– 矿泉水 kuàngquánshuĭ eau minérale

L

– 拉肚子 lā dùzi avoir la diarrhée
– 辣 là pimenté
– 来 lái venir
– 蓝 lán bleu
– 篮球 lánqiú basket-ball
– 蓝色 lánsè couleur bleue
– 老大 lăodà aîné
– 老家 lăojiā pays natal
– 老师 lăoshī professeur
– 老师好 lăoshī hăo bonjour Professeur
– 了 le particule aspectuelle de l'accompli et particule modale du changement d'état
– 累 lèi fatigué
– 冷 lĕng froid
– 离 lí distant de
– 李 Lĭ nom de famille
– 里边 lĭbian dans, (à) l'intérieur
– 里面 lĭmian dans, (à) l'intérieur
– 礼物 lĭwù cadeau
– 历史 lìshĭ histoire
– 历史课 lìshĭkè cours d'histoire
– 凉拌黄瓜 liángbàn huánggua concombre assaisonné
– 两 liăng deux, 50 grammes
– 聊天 liáotiān bavarder
– 零食 língshí amuse-gueule
– 零下 língxià en dessous de zéro
– 刘 Liú nom de famille
– 六 liù 6
– 六月 liùyuè juin
– 路 lù rue, route
– 旅馆 lǚguăn hôtel

– 旅途	lǚtú	voyage
– 旅游	lǚyóu	voyager
– 绿	lǜ	vert
– 绿色	lǜsè	couleur verte
– 伦敦	Lúndūn	Londres
– 罗马	Luómǎ	Rome

M

– 妈妈	māma	maman
– 马	Mǎ	nom de famille
– 马马虎虎	mǎmahūhū	passable
– 马上	mǎshàng	tout de suite
– 吗	ma	particule interrogative finale
– 买	mǎi	acheter
– 麦当劳	Màidānglǎo	Mc Donald
– 麦片	màipiàn	flocon d'avoine
– 馒头	mántou	petit pain cuit à la vapeur
– 慢	màn	lent
– 漫画(书)	mànhuàshū	manga
– 忙	máng	occupé
– 毛	máo	décime (argent)
– 牦牛	máoniú	yack
– 毛衣	máoyī	pull-over
– 帽子	màozi	chapeau
– 没错	méicuò	exactement
– 没空	méi kòng	ne pas être libre
– 没意思	méiyìsi	inintéressant
– 没有	méiyǒu	ne pas avoir
– 每	měi	chaque
– 美国	Měiguó	Etats-Unis
– 美国人	Měiguórén	Américain
– 妹妹	mèimei	petite sœur
– 门	mén	porte, cl. des matières scolaires
– 米	mǐ	mètre
– 米饭	mǐfàn	riz cuit
– 面包	miànbāo	pain
– 面食	miànshí	aliments à base de farine
– 面条	miàntiáo	nouille
– 明天	míngtiān	demain
– 明天见	míngtiān jiàn	à demain
– 摸	mō	toucher
– 摩托车	mótuōchē	moto
– MP三	MPsān	lecteur MP3

N

– 哪	nǎ	lequel, quel
– 哪里	nǎlǐ	où
– 哪里，哪里	nǎli, nǎli	formule de modestie
– 那里	nàlǐ	là-bas
– 那么	nàme	tant, tellement
– 奶奶	nǎinai	grand-mère paternelle
– 难	nán	difficile
– 南	nán	sud
– 南边	nánbian	sud
– 难吃	nánchī	mauvais au goût
– 南方	nánfāng	le Sud
– 难过	nánguò	triste
– 南京	Nánjīng	Nanjing
– 南京路	Nánjīng Lù	Rue de Nanjing
– 男朋友	nánpéngyou	petit ami
– 那儿	nàr	là-bas
– 哪儿	nǎr	où
– 呢	ne	particule interrogative finale
– 能	néng	pouvoir
– 你	nǐ	tu
– 你好	nǐhǎo	bonjour
– 你们	nǐmen	vous
– 年	nián	année
– 年货	niánhuò	fournitures pour la Fête du Printemps
– 年夜饭	niányèfàn	repas du Nouvel An
– 您	nín	vous (politesse)
– 您好	nínhǎo	bonjour (politesse)
– 牛	niú	bœuf

– 牛奶 niúnǎi lait
– 牛肉 niúròu viande de bœuf
– 牛仔裤 niúzǎikù jean
– 纽约 Niǔyuē New-York
– 农历 nónglì calendrier lunaire
– 女儿 nǚ'ér fille
– 女孩儿 nǚháir fille
– 女生 nǚshēng écolière, étudiante
– 女士 nǚshì Madame, dame
– 暖和 nuǎnhuo doux

O

– 欧元 Ōuyuán Euro

P

– 怕 pà avoir peur de, craindre
– 旁边 pángbiān à côté
– 胖 pàng gros
– 朋友 péngyou ami
– 披萨饼 pīsàbǐng pizza
– 便宜 piányi bon marché
– 片 piàn cl. des tranches, des médicaments
– 票 piào billet, ticket
– 漂亮 piàoliang belle
– 平安 píng'ān paix
– 平地 píngdì terrain plat
– 苹果 píngguǒ pomme
– 苹果汁 píngguǒzhī jus de pomme
– 普通话 pǔtōnghuà chinois standard

Q

– 七 qī 7
– 七月 qīyuè juillet
– 骑 qí chevaucher
– 其实 qíshí en fait, en réalité
– 起床 qǐchuáng se lever
– 起飞 qǐfēi décoller
– 起立 qǐlì debout
– 气候 qìhòu climat
– 汽水 qìshuǐ soda
– 气温 qìwēn température
– 千 qiān 1000
– 铅笔 qiānbǐ crayon à papier
– 千万 qiānwàn surtout
– 签证 qiānzhèng visa
– 钱 qián argent
– 钱包 qiánbāo porte-monnaie
– 前边 qiánbian devant
– 前面 qiánmian devant
– 巧克力 qiǎokèlì chocolat
– 巧克力酱 qiǎokèlì jiàng pâte à tartiner au chocolat
– 茄子 qiézi aubergine
– 青岛 Qīngdǎo Qingdao
– 情况 qíngkuàng situation
– 晴天 qíngtiān beau temps
– 请 qǐng inviter, s'il vous plaît
– 请问 qǐngwèn pourrais-je demander
– 秋天 qiūtiān automne
– 球 qiú balle, ballon
– 去 qù aller
– 去海边 qù hǎibiān aller au bord de la mer
– 全国 quánguó tout le pays
– 裙子 qúnzi jupe

R

– 然后 ránhòu ensuite
– 让 ràng laisser faire, faire faire
– 热 rè chaud
– 热心 rèxīn enthousiaste, dévoué
– 人 rén homme
– 人口 rénkǒu population
– 人民币 rénmínbì monnaie chinoise
– 认识 rènshi connaître
– 日本 Rìběn Japon
– 日本人 Rìběnrén Japonais

– 肉	ròu	viande
– 肉片	ròupiàn	tranche de viande
– 如果	rúguǒ	si

S

– 三	sān	3
– 三月	sānyuè	mars
– 散步	sànbù	se promener
– 嗓子	sǎngzi	gorge
– 嗓子疼	sǎngzi téng	avoir mal à la gorge
– 沙发	shāfā	sofa
– 沙拉	shālā	salade
– 沙漠	shāmò	désert
– 晒太阳	shài tàiyáng	prendre le soleil
– 山	shān	montagne
– 商店	shāngdiàn	magasin
– 商业	shāngyè	commerce
– 上边	shàngbian	sur
– 上厕所	shàng cèsuǒ	aller aux toilettes
– 上个星期	shàng ge xīngqī	semaine dernière
– 上海	Shànghǎi	Shanghai
– 上课	shàngkè	suivre un cours
– 上面	shàngmian	sur, dessus
– 上网	shàngwǎng	surfer sur internet
– 上午	shàngwǔ	matinée
– 少	shǎo	peu
– 谁	shéi	qui
– 伸	shēn	étendre, allonger
– 身体	shēntǐ	corps, santé
– 伸腰	shēnyāo	se redresser
– 什么	shénme	quoi
– 什么时候	shénme shíhou	quand
– 生病	shēngbìng	tomber malade
– 生活	shēnghuó	vie, vivre
– 生日	shēngrì	anniversaire
– 生物	shēngwù	biologie
– 生物课	shēngwùkè	cours de biologie
– 圣诞节	Shèngdànjié	la fête de Noël
– 师傅	shīfu	Monsieur, Maître
– 狮子头	shīzitóu	grande boulette frite
– 十	shí	10
– 十二月	shí'èryuè	décembre
– 时候	shíhou	moment
– 时间	shíjiān	temps, heure
– 食堂	shítáng	cantine
– 十一月	shíyīyuè	novembre
– 十月	shíyuè	octobre
– 是	shì	être
– 试	shì	essayer
– 世界	shìjiè	monde
– 市中心	shìzhōngxīn	centre-ville
– 收到	shōudào	recevoir
– 手表	shǒubiǎo	montre
– 手机	shǒujī	téléphone portable
– 瘦	shòu	mince
– 书	shū	livre
– 书包	shūbāo	cartable
– 蔬菜	shūcài	légume
– 舒服	shūfu	se sentir bien
– 书架	shūjià	étagère
– 叔叔	shūshu	oncle, Monsieur
– 书桌	shūzhuō	bureau, pupitre
– 暑假	shǔjià	vacances d'été
– 薯片	shǔpiàn	chips
– 薯条	shǔtiáo	frite
– 数学	shùxué	mathématiques
– 数学课	shùxuékè	cours de mathématiques
– 帅	shuài	beau
– 水	shuǐ	eau
– 水果	shuǐguǒ	fruit
– 睡觉	shuìjiào	dormir
– 说话	shuōhuà	parler
– 丝绸	sīchóu	soie
– 四	sì	4
– 四月	sìyuè	avril

– 酸	suān	aigre, acide
– 酸辣汤	suānlàtāng	soupe aigre-pimentée
– 酸奶	suānnǎi	yaourt
– 随便	suíbiàn	à votre guise
– 随时	suíshí	n'importe quand
– 岁	suì	âge
– 孙	Sūn	nom de famille
– 孙女儿	sūnnür	petite fille
– 孙子	sūnzi	petit fils
– 所以	suǒyǐ	ce pourquoi

T

– T恤	T xù	t-shirt
– 他	tā	il
– 她	tā	elle
– 他们	tāmen	ils
– 她们	tāmen	elles
– 台	tái	cl. des objets ayant un pied, un socle
– 抬	tái	lever, soulever
– 台灯	táidēng	lampe de bureau
– 太	tài	très, trop
– 太太	tàitai	Madame
– 太阳	tàiyáng	soleil
– 汤	tāng	soupe
– 糖果	tángguǒ	bonbon
– 讨厌	tǎoyàn	détestable, désagréable, détester
– 特别	tèbié	particulièrement
– 疼	téng	avoir mal
– 踢	tī	donner un coup de pied
– 踢足球	tī zúqiú	jouer au football
– 体育	tǐyù	sport
– 体育课	tǐyùkè	cours de sport
– 天	tiān	jour
– 天安门广场	Tiān'ānmén Guǎngchǎng	la place de la Paix Céleste
– 天气	tiānqì	temps
– 天气预报	tiānqì yùbào	bulletin météorologique
– 天坛	Tiāntán	le Temple du ciel
– 天天	tiāntiān	tous les jours
– 甜	tián	sucré
– 条	tiáo	cl. des objets longs et sinueux
– 调皮	tiáopí	espiègle, coquin
– 跳	tiào	sauter
– 跳舞	tiàowǔ	danser
– 听	tīng	écouter
– 听不懂	tīngbudǒng	ne pas comprendre
– 听话	tīnghuà	obéissant
– 听音乐	tīng yīnyuè	écouter de la musique
– 同学	tóngxué	camarade de classe
– 同学们好	tóngxuémen hǎo	bonjour camarades
– 头	tóu	tête
– 头发	tóufa	cheveux
– 头疼	tóu téng	avoir mal à la tête
– 吐	tù	vomir
– 腿	tuǐ	jambe

W

– 外边	wàibian	extérieur, dehors
– 外面	wàimian	extérieur, dehors
– 外滩	Wàitān	le Bund
– 外套	wàitào	manteau
– 玩	wán	s'amuser
– 完	wán	terminer, finir
– 玩电脑	wán diànnǎo	jouer à l'ordinateur
– 玩笑	wánxiào	plaisanterie
– 晚会	wǎnhuì	soirée
– 晚上	wǎnshang	soir
– 万	wàn	10000
– 王	Wáng	nom de famille
– 王府井大街	Wángfǔjǐng dàjiē	l'avenue Wangfujing
– 往	wǎng	vers…
– 网球	wǎngqiú	tennis

– 网站 wǎngzhàn site internet
– 忘 wàng oublier
– 忘记 wàngjì oublier
– 围巾 wéijīn écharpe
– 喂 wèi allô
– 位 wèi cl. des personnes (respectueux)
– 为什么 wèishénme pourquoi
– 问 wèn demander
– 问题 wèntí question, problème
– 我 wǒ je
– 我们 wǒmen nous
– 无聊 wúliáo ennuyeux
– 五 wǔ 5
– 五香牛肉 wǔxiāng niúròu bœuf aux cinq parfums
– 五月 wǔyuè mai
– 物理 wùlǐ physique
– 物理课 wùlǐkè cours de physique

X

– 西 xī ouest
– 西班牙 Xībānyá Espagne
– 西班牙人 Xībānyárén Espagnol
– 西边 xībian ouest
– 西餐 xīcān cuisine occidentale
– 西方 xīfāng l'Occident
– 西红柿 xīhóngshì tomate
– 西红柿鸡蛋 xīhóngshì jīdàn œufs sautés à la tomate
– 希望 xīwàng espérer
– 喜欢 xǐhuan aimer
– 洗澡 xǐzǎo se laver
– 下个星期 xià ge xīngqī semaine prochaine
– 下边 xiàbian sous
– 下课 xiàkè terminer un cours
– 下面 xiàmian sous, dessous
– 夏天 xiàtiān été
– 下午 xiàwǔ après-midi
– 下雪 xiàxuě neiger
– 下雨 xiàyǔ pleuvoir
– 先 xiān d'abord
– 先生 xiānsheng Monsieur
– 咸 xián salé
– 现在 xiànzài maintenant
– 香 xiāng parfum, parfumé
– 香港 Xiānggǎng Hong-Kong
– 香菇 xiānggū champignon parfumé
– 香菇菜心 xiānggū càixīn chou chinois aux champignons parfumés
– 箱子 xiāngzi valise
– 想 xiǎng penser, vouloir
– 像 xiàng ressembler
– 橡皮 xiàngpí gomme
– 小 xiǎo petit
– 小孩子 xiǎoháizi enfant
– 小轿车 xiǎojiàochē voiture
– 小笼包 xiǎolóngbāo petit pain farci cuit dans une marmite à vapeur
– 小麦 xiǎomài blé
– 小时 xiǎoshí heure
– 些 xiē cl. quelques
– 鞋子 xiézi chaussure
– 写 xiě écrire
– 写字 xiězì écrire
– 谢谢 xièxie merci
– 新 xīn nouveau
– 新年 xīnnián Nouvel An
– 新年好 xīnnián hǎo bonne année
– 星期 xīngqī semaine
– 星期二 xīngqī'èr mardi
– 星期六 xīngqīliù samedi
– 星期三 xīngqīsān mercredi
– 星期四 xīngqīsì jeudi
– 星期天 xīngqītiān dimanche
– 星期五 xīngqīwǔ vendredi
– 星期一 xīngqīyī lundi

– 行 xíng ça marche
– 姓 xìng se nommer
– 幸福 xìngfú bonheure
– 凶 xiōng méchant
– 兄弟姐妹 xiōngdì-jiěmèi frères et sœurs
– 休息 xiūxi se reposer
– 需要 xūyào avoir besoin de
– 学 xué étudier, apprendre
– 学生 xuésheng élève
– 学生证 xuéshēngzhèng carte d'étudiant
– 学习 xuéxí étudier
– 学校 xuéxiào école
– 雪 xuě neige

Y

– 鸭 yā canard
– 牙 yá dent
– 牙疼 yá téng avoir mal aux dents
– 颜色 yánsè couleur
– 眼镜 yǎnjìng lunettes
– 眼睛 yǎnjing œil, yeux
– 焰火 yànhuǒ feu d'artifice
– 腰 yāo reins, taille
– 要 yào être sur le point de, falloir, vouloir, devoir
– 药 yào médicament
– 钥匙 yàoshi clef
– 爷爷 yéye grand-père paternel
– 也 yě aussi
– 夜里 yèli nuit
– 一 yī 1
– 一般 yībān en général
– 意大利 Yìdàlì Italie
– 意大利人 Yìdàlìrén Italien
– 一点儿 yīdiǎnr un peu
– 一定 yīdìng sûrement
– 衣服 yīfu vêtement
– 一共 yīgòng en tout
– 衣柜 yīguì armoire
– 一块儿 yīkuàir ensemble
– 一起 yīqǐ ensemble
– 医生 yīshēng médecin
– 医务室 yīwùshì infirmerie
– 一下 yīxià un peu
– 一月 yīyuè janvier
– 医院 yīyuàn hôpital
– 颐和园 Yíhéyuán le Palais d'Été
– 以后 yǐhòu après
– 已经 yǐjing déjà
– 以前 yǐqián auparavant
– 椅子 yǐzi chaise
– 亿 yì cent millions
– 意思 yìsi sens, signification
– 阴天 yīntiān temps couvert
– 因为 yīnwèi parce que
– 音乐 yīnyuè musique
– 银行 yínháng banque
– 饮料 yǐnliào boisson
– 英国 Yīngguó Angleterre
– 英国人 Yīngguórén Anglais
– 英语 yīngyǔ anglais
– 英语课 yīngyǔkè cours d'anglais
– 用 yòng utiliser, à l'aide de
– 用功 yònggōng studieux
– 游戏 yóuxì jeux
– 游泳 yóuyǒng nager
– 有 yǒu avoir
– 有的 yǒude certains
– 有空 yǒu kòng être libre
– 有名 yǒumíng célèbre
– 有时候 yǒushíhou parfois
– 有事儿 yǒu shìr être pris
– 有(一)点儿 yǒu (yī)diǎnr un peu
– 有意思 yǒu yìsi intéressant
– 又…又… yòu … yòu … à la fois… à la fois…

– 右边 yòubian droite
– 右面 yòumian droite
– 鱼 yú poisson
– 愉快 yúkuài heureux
– 雨 yǔ pluie
– 雨伞 yǔsǎn parapluie
– 语文 yǔwén lettres
– 语文课 yǔwénkè cours de lettres
– 雨衣 yǔyī imperméable
– 浴室 yùshì salle de bain
– 豫园 Yùyuán le parc Yu
– 元 yuán cl. de l'argent
– 远 yuǎn loin
– 月 yuè mois
– 云 yún nuage
– 运动 yùndòng sport

Z

– 在 zài se trouver à
– 再见 zàijiàn au revoir
– 早饭 zǎofàn petit-déjeuner
– 早上 zǎoshang matin
– 怎么 zěnme comment
– 怎么样 zěnmeyàng comment
– 盏 zhǎn cl. des lampes
– 站起来 zhànqǐlai se lever
– 张 Zhāng nom de famille
– 张 zhāng cl. des objets plats
– 长得 zhǎng de grandir, avoir comme apparence
– 着急 zháojí inquiet
– 找 zhǎo chercher
– 照片 zhàopiàn photographie
– 这 zhè ceci
– 这个星期 zhège xīngqī cette semaine
– 这里 zhèlǐ ici
– 这么 zhème tant, tellement
– 真的 zhēn de vrai, vraiment
– 这儿 zhèr ici
– 知道 zhīdào savoir
– 只 zhǐ seulement
– 中餐 zhōngcān cuisine chinoise
– 中国 Zhōngguó Chine
– 中国人 Zhōngguórén Chinois
– 中午 zhōngwǔ midi
– 中心 zhōngxīn centre
– 粥 zhōu bouillie
– 周末 zhōumò weekend
– 猪肉 zhūròu porc
– 祝 zhù souhaiter
– 住在 zhù zài habiter à
– 桌子 zhuōzi table
– 自己 zìjǐ soi
– 自行车 zìxíngchē vélo
– 棕 zōng marron
– 棕色 zōngsè couleur marron
– 总之 zǒngzhī en bref
– 走 zǒu marcher
– 足球 zúqiú football
– 嘴巴 zuǐba bouche
– 最 zuì le plus
– 最后 zuìhòu finalement
– 昨天 zuótiān hier
– 左边 zuǒbian gauche
– 左面 zuǒmian gauche
– 左右 zuǒyòu environ
– 做 zuò faire
– 作 zuò faire
– 坐 zuò prendre un moyen de transport, être assis, s'asseoir
– 坐下 zuòxia s'asseoir
– 作业 zuòyè devoirs
– 做运动 zuò yùndòng faire du sport

Table des crédits photographiques

Tous nos remerciements à : École des Langues Étrangères de JINAN

Tous nos remerciements à : Arnaud ARSLANGUL, Pauline COLLEU, Sylvaine GAUTIER-LE BRONZE, Claude LAMOUROUX, Bruno PHILIPPE, Isabelle PILLET, Olivier ROSAT, Sébastien ROUSSILLAT, Céline YAO, Anne ZHANG

ainsi que CHEN Xiao, CHEN Jiqi, HE Dan, HUANG Rong, JI Wanli, JIANG Shuai, JIN Yezhi, SHU Leining, SONG Peiying, XING Yan, YIN Qin pour les photos pages : 10, 11, 12, 13, 21, 22, 31, 36, 37, 46, 47, 48, 61, 62, 63, 64, 73, 74, 82, 83, 88, 90, 98, 99, 100, 111, 116, 124, 125, 126, 134, 135, 140, 142, 150, 152, 167, 168, 176, 177, 178, 189

Conception et direction artistique de la couverture : Christian Dubuis Santini © Agence Mercure
Principes typographiques des pages intérieures : Francois Huertas
Pages projet : David Bart : 33 + photos, 59, 85, 111, 137 + dessin, 163, 186
Dessinatrice : Liu Bing
Photomontages et Plans : Solène Olivier : 114, 116, 124 (mh), 126 (hd), 163, 177, 178 (bd), 181 - Jocelyne (MCP) : 167 - 168
Cartes : Rabat 1 : 2009 geoatlas.com - Rabat 2 : Graffito - Plat 2 de couverture : 2009 geoatlas.com

Mise en page - Photogravure : MCP Jouve
Enregistrements, montage et mixage : Fréquence Prod
Édition : JIN Yezhi

éditions didier s'engagent pour l'environnement en réduisant l'empreinte carbone de leurs livres. Celle de cet exemplaire est de :
900 g éq. CO_2
Rendez-vous sur www.editionsdidier-durable.fr

Achevé d'imprimer par LEGO Spa Plant Lavis (Italie)
en février 2014 - Dépôt légal : 6572/07